O corpo traído

CIP-BRASIL. CATALOGAÇÃO NA PUBLICAÇÃO
SINDICATO NACIONAL DOS EDITORES DE LIVROS, RJ

L953c
    Lowen, Alexander
      O corpo traído / Alexander Lowen ; ilustração Caroline Falcetti ; [tradução Janaina Marcoantonio]. - [8. ed.]. - São Paulo : Summus, 2019.
      264 p. : il.

      Tradução de: The betrayal of the body
      notas
      ISBN 978-85-323-1117-7

      1. Psicanálise. 2. Ego (Psicologia). 3. Imagem corporal - Aspectos psicológicos. 4. Imagem corporal - Distorção. I. Falcetti, Caroline. II. Marcoantonio, Janaina. III. Título.

18-52911   CDD: 154.2
                                                                        CDU: 159.923.2

Vanessa Mafra Xavier Salgado - Bibliotecária - CRB-7/6644

www.summus.com.br

Compre em lugar de fotocopiar.
Cada real que você dá por um livro recompensa seus autores
e os convida a produzir mais sobre o tema;
incentiva seus editores a encomendar, traduzir e publicar
outras obras sobre o assunto;
e paga aos livreiros por estocar e levar até você livros
para a sua informação e o seu entretenimento.
Cada real que você dá pela fotocópia não autorizada de um livro
financia o crime
e ajuda a matar a produção intelectual de seu país.

O corpo traído

Alexander Lowen

summus
editorial

Do original em língua inglesa
THE BETRAYAL OF THE BODY
Copyright © by Alexander Lowen, 1979, 2019
Direitos desta tradução adquiridos por Summus Editorial Ltda.

Editora executiva: **Soraia Bini Cury**
Assistente editorial: **Michelle Campos**
Tradução: **Janaina Marcoantonio**
Ilustrações: **Caroline Falcetti**
Projeto gráfico: **Crayon Editorial**
Capa original: **Lowen Foundation**
Montagem de capa e diagramação: **Santana**

1ª reimpressão, 2023

Summus Editorial

Departamento editorial
Rua Itapicuru, 613 – 7º andar
05006-000 – São Paulo – SP
Fone: (11) 3872-3322
http://www.summus.com.br
e-mail: summus@summus.com.br

Atendimento ao consumidor
Summus Editorial
Fone: (11) 3865-9890

Vendas por atacado
Fone: (11) 3873-8638
e-mail: vendas@summus.com.br

Impresso no Brasil

Sumário

1. O problema da identidade 7
2. A perturbação esquizoide 25
3. A defesa contra o terror 41
4. O corpo abandonado 57
5. A imagem corporal 73
6. A psicologia do desespero 91
7. Ilusão e realidade 107
8. Demônios e monstros 125
9. A fisiologia do pânico 141
10. Comer e dormir 159
11. Origem e causas 181
12. Recuperando o corpo 201
13. A conquista da identidade 223
14. O ego e o corpo 243

Notas 259

1. O problema da identidade

Normalmente, os indivíduos não se perguntam "quem sou eu?". Nossa identidade não é questionada. Cada pessoa leva na carteira documentos que servem para identificá-la. Conscientemente, ela sabe quem é. No entanto, abaixo da superfície existe um problema de identidade. Na fronteira da consciência, ela está perturbada por insatisfações, desconfortável com decisões e atormentada pela sensação de estar "desperdiçando" a vida. Está em conflito consigo mesma e insegura quanto a seus sentimentos, e sua insegurança reflete seus problemas de identidade. Quando a insatisfação se torna desespero e a insegurança beira o pânico, um indivíduo talvez se pergunte: "Quem sou eu?" Essa pergunta indica que a máscara por meio da qual a pessoa busca identidade está desmoronando. O uso de uma máscara ou a adoção de um papel como meio de alcançar a identidade denota uma divisão entre o ego e o corpo. Defino essa divisão como a perturbação esquizoide que está por trás de todo problema de identidade.

Por exemplo, um artista famoso entrou em meu consultório e disse: "Estou confuso e desesperado. Não sei quem sou. Caminho pela rua e me pergunto: quem é você?"

Não faria sentido responder: "Você é o pintor famoso cujas obras estão expostas em muitos museus". Ele sabia disso. Reclamava, na verdade, da perda do sentimento de *self*, da perda de contato com algum aspecto vital da existência que dá significado à vida. Esse elemento faltante era uma identificação com o corpo, sobre cuja fundação uma vida pessoal é erigida. Meu paciente artista tomou plena ciência desse elemento faltante em uma experiência dramática. Ele me disse: "Outro dia me olhei no espelho e fiquei assustado quando percebi que era eu. Pensei: 'Isso é o que as pessoas veem quando olham para mim'. Na imagem aparecia um estranho. Meu rosto e meu corpo não pareciam pertencer a mim... eu me senti extremamente irreal".

Essa experiência, em que há uma perda de sentimento do corpo, com as sensações de estranheza e irrealidade que a acompanham, é conhecida como despersonalização. Denota uma ruptura com a realidade e ocorre nos primeiros estágios de um episódio psicótico. Se continuar, a pessoa perde não só o sentimento de identidade como também sua percepção consciente da identidade. Felizmente, esse episódio durou pouco em meu paciente. Ele foi capaz de restabelecer contato com seu corpo, de modo que o sentimento de irrealidade desapareceu. No entanto, sua identificação com seu corpo continuou tênue – e o problema de identidade persistiu.

O sentimento de identidade deriva de um sentimento de contato com o corpo. Para saber quem é, o indivíduo deve estar ciente do que sente. Deve conhecer a expressão em seu rosto, sua postura e o modo como se move. Sem essa consciência de atitude e de sentimento corporal, tornamo-nos divididos entre um espírito sem corpo e um corpo sem espírito. Voltarei ao caso do artista.

Enquanto ele estava sentado à minha frente, perscrutei seu rosto exausto, seus olhos vazios, seu maxilar tenso e seu corpo petrificado. Em sua imobilidade e na respiração superficial, percebi medo e pânico. Ele, no entanto, não estava ciente do abatimento em seu rosto, do vazio em seus olhos, da tensão em seu maxilar ou da rigidez em seu corpo. Não sentia medo nem pânico. Estando fora de contato com seu corpo, só percebia sua confusão e seu desespero.

A perda completa do contato corporal caracteriza o estado esquizofrênico. Em linhas gerais, o esquizofrênico não sabe quem é, e está tão fora de contato com a realidade que não consegue sequer formular a pergunta.

Por outro lado, o indivíduo esquizoide sabe que tem um corpo e, portanto, se orienta no tempo e no espaço. Mas, uma vez que seu ego não está identificado com seu corpo e não o percebe de maneira vívida, ele se sente desconectado do mundo e das pessoas. De modo similar, sua percepção consciente da identidade não está relacionada com o modo como ele se sente acerca de si mesmo. Esse conflito não existe em uma pessoa saudável, cujo ego é identificado com o corpo e em quem o conhecimento da identidade deriva do sentimento do corpo.

Uma confusão de identidade tipifica a maioria das pessoas em nossa cultura. Muitas delas lutam com uma sensação difusa de irrealidade sobre si mesmas e sua vida. Elas ficam desesperadas quando a imagem do ego que criaram se mostra vazia e sem sentido. Sentem-se ameaçadas e ficam furiosas

O corpo traído

quando o papel que adotaram na vida é contestado. Mais cedo ou mais tarde, uma identidade baseada em imagens e papéis deixa de proporcionar satisfação. Deprimidas e desencorajadas, elas procuram um psiquiatra. O problema é, como aponta Rollo May, a perturbação esquizoide:

> Muitos psicoterapeutas observaram que cada vez mais pacientes apresentam características esquizoides, e que o tipo de problema psíquico "típico" de nossos dias não é a histeria, como na época de Freud, e sim o tipo esquizoide – isto é, o problema de pessoas que estão desconectadas, desvinculadas, carentes de afeto, tendendo à despersonalização e encobrindo seus problemas por meio de intelectualizações e formulações técnicas...
>
> Há, também, inúmeros indícios de que a sensação de isolamento, a alienação do indivíduo com relação ao mundo, é sofrida não só por pessoas em condições patológicas, mas também por incontáveis pessoas "normais" em nossos dias.[1]

A alienação das pessoas no mundo moderno – o estranhamento do homem com relação a seu trabalho, seu colega e a si próprio – tem sido descrita por muitos autores e é o tema central dos escritos de Erich Fromm. O amor do indivíduo alienado é romantizado, seu sexo é compulsivo, seu trabalho é mecânico e suas realizações são egoístas. Numa sociedade alienada, essas atividades perdem seu significado pessoal. Essa perda é substituída por uma imagem.

IMAGEM *VERSUS* REALIDADE

A perturbação esquizoide cria uma dissociação entre imagem e realidade. O termo "imagem" se refere a símbolos e criações mentais, em oposição à realidade da experiência física. Isso não quer dizer que as imagens sejam irreais, mas que têm uma ordem de realidade diferente daquela dos fenômenos corpóreos. Uma imagem deriva sua realidade de sua associação com sentimento ou sensação. Quando essa associação é rompida, a imagem se torna abstrata. A discrepância entre imagem e realidade é observada mais claramente em esquizofrênicos delirantes. O exemplo clássico é o do paciente que imagina ser Jesus Cristo ou Napoleão. Por outro lado, "saúde mental" se refere ao estado em que imagem e realidade coincidem. Uma pessoa saudável tem uma imagem de si que concorda com o modo como seu corpo é visto e sentido.

Na esfera social, a imagem tem aspectos positivos e negativos. O alívio do sofrimento e do infortúnio em grande escala não seria possível sem o uso de uma imagem para mobilizar uma resposta em massa. Todo esforço humanitário alcançou seu objetivo por meio do uso de uma imagem atraente. Mas ela também pode ser usada de forma negativa para incitar o ódio e trazer destruição a outrem. Quando um policial é retratado como símbolo de autoridade repressora, torna-se objeto de desconfiança e ódio. Quando o chinês comunista retrata o norte-americano como um demoníaco explorador de pessoas, ele se torna um monstro a ser destruído. A imagem obscurece a humanidade pessoal de um indivíduo. Ela o reduz a uma abstração. Fica fácil matar um ser humano se ele só é visto como uma imagem.

Se a imagem é perigosa no nível social, em que sua função é abertamente admitida, seus efeitos são desastrosos nas relações pessoais, em que sua ação é insidiosa. Vemos isso na família em que um homem tenta corresponder à sua imagem de paternidade em oposição às necessidades dos filhos. Assim como ele se vê conforme sua imagem, também vê o filho como uma imagem, e não como uma pessoa com sentimentos e desejos próprios. Nessa situação, a criação do filho assume a forma de tentar encaixar a criança numa imagem que é, frequentemente, uma projeção da autoimagem inconsciente do pai. O filho que é forçado a se conformar à imagem inconsciente do pai ou da mãe perde seu senso de *self*, seu sentimento de identidade e seu contato com a realidade.

A perda do sentimento de identidade tem origem na situação familiar. Criado de acordo com imagens de sucesso, popularidade, sensualidade, esnobismo cultural e intelectual, *status*, sacrifício pessoal etc., o indivíduo vê os outros como imagens em vez de olhar para eles como pessoas. Cercado de imagens, ele se sente isolado. Reagindo a imagens, sente-se desconectado. Ao tentar corresponder à própria imagem, sente-se frustrado e privado de satisfação emocional. A imagem é uma abstração, um ideal, um ídolo que demanda o sacrifício do sentimento pessoal. A imagem é uma concepção mental que, sobreposta ao ser físico, reduz a existência corpórea a um papel subsidiário. O corpo se torna um instrumento da vontade a serviço da imagem. O indivíduo é alienado da realidade de seu corpo. Indivíduos alienados criam uma sociedade alienada.

O corpo traído

A REALIDADE E O CORPO

O ser humano vivencia a realidade do mundo somente por meio do seu corpo. O ambiente externo o impressiona porque impacta seu corpo e afeta seus sentidos. Por sua vez, ele reage ao estímulo agindo sobre o ambiente. Se o corpo está relativamente sem vida, as impressões e respostas da pessoa são diminuídas. Quanto mais vivo está o corpo, mais vividamente ela percebe a realidade e mais ativamente reage a ela. Todos vivenciamos o fato de que, quando nos sentimos particularmente bem e vivos, percebemos o mundo com mais nitidez. Em estados de depressão, o mundo parece sem cor.

A vivacidade do corpo denota sua capacidade de sentir. Na ausência de sentimento, o corpo "morre" no que concerne à sua capacidade de ser impressionado por situações ou responder a elas. A pessoa emocionalmente morta é voltada para dentro: pensamentos e fantasias substituem sentimento e ação; imagens compensam a perda de realidade. Sua atividade mental exagerada substitui o contato com o mundo real e pode criar uma falsa impressão de vivacidade. Apesar dessa atividade mental, seu embotamento emocional é manifestado fisicamente. Veremos que seu corpo parece "morto" ou sem vida.

A ênfase exagerada no papel da imagem nos cega para a realidade da vida e do corpo e de seus sentimentos. É o corpo que derrete de amor, congela de frio, treme de raiva e procura contato e afeto. Separadas do corpo, essas palavras são imagens poéticas. Vivenciadas no corpo, têm uma realidade que dá significado à existência. Baseada na realidade do sentimento corporal, a identidade tem substância e estrutura. Abstraída dessa realidade, ela se torna um artefato social, um esqueleto sem carne.

Uma série de experimentos demonstrou que, quando essa interação entre o corpo e o ambiente é muito reduzida, pode-se perder a percepção da realidade.[2] Se um indivíduo é privado de estimulação sensorial por dado período, começará a alucinar. O mesmo acontece quando sua atividade motora é severamente restringida. Em ambas as situações, a diminuição da sensação corporal causada pela ausência de estimulação externa ou atividade motora interna reduz o sentimento que a pessoa tem desse corpo. Quando ela perde contato com seu corpo, a realidade desvanece.

A vivacidade de um corpo depende de seu metabolismo e motilidade. O metabolismo fornece a energia que resulta em movimento. Obviamente, quando o metabolismo é reduzido, a motilidade diminui. Mas essa relação também atua de maneira inversa. Toda diminuição na motilidade do corpo

Alexander Lowen

afeta seu metabolismo. Isso porque a motilidade tem um efeito direto sobre a respiração. Em geral, quanto mais nos movemos, mais respiramos. Quando a motilidade é reduzida, o consumo de oxigênio diminui e o metabolismo desacelera. Um corpo ativo é caracterizado por sua espontaneidade e sua respiração plena e fácil. Num capítulo subsequente, mostraremos que a respiração e a motilidade estão gravemente restringidas no corpo esquizoide. Em consequência, sua produção de energia tende a ser baixa.

A íntima relação entre respiração, movimento e sentimento é conhecida pela criança, mas quase sempre ignorada pelo adulto. As crianças aprendem que prender a respiração elimina sentimentos e sensações desagradáveis. Elas contraem a barriga e imobilizam o diafragma para reduzir a ansiedade. Deitam-se bem quietas para evitar sentir medo. "Amortecem" o corpo para não sentir dor. Em outras palavras, quando a realidade se torna insuportável, a criança se recolhe para um mundo de *imagens*, onde seu ego compensa a perda do sentimento do corpo com uma vida de fantasias mais ativa. O adulto, no entanto, cujo comportamento é governado pela imagem, reprimiu a memória das experiências que o forçaram a "amortecer" o corpo e abandonar a realidade.

Normalmente, a imagem é um reflexo da realidade, uma construção mental que permite que a pessoa oriente seus movimentos para uma ação mais efetiva. Em outras palavras, a imagem espelha o corpo. Porém, quando o corpo está inativo, a imagem se torna um substituto para ele, e suas dimensões se expandem enquanto a percepção corporal se retrai. *A vida secreta de Walter Mitty* é um vívido retrato ficcional de como as imagens podem compensar a passividade do indivíduo.[3]

A formação de imagens depende do ego. O ego, como afirmou Sigmund Freud, é, antes de mais nada, um ego do corpo. À medida que se desenvolve, no entanto, torna-se antitético ao corpo – isto é, estabelece valores em aparente oposição aos do corpo. No nível corporal, o ser humano é um animal, autocentrado e orientado para o prazer e a satisfação de necessidades. No nível do ego, um ser criativo e racional, uma criatura social cujas atividades são voltadas para a conquista de poder e a transformação do ambiente. Em geral, ego e corpo formam uma íntima parceria de trabalho. Numa pessoa saudável, o ego age para aumentar o princípio de prazer do corpo. No indivíduo emocionalmente perturbado, o ego domina o corpo e afirma que seus valores são superiores aos deste. O efeito é cindir a unidade do organismo, transformando uma parceria em um conflito aberto.

O corpo traído

O EGO E O CORPO

O conflito entre o ego e o corpo pode ser leve ou intenso: o ego neurótico domina o corpo, o ego esquizoide nega-o, ao passo que o ego esquizofrênico se dissocia dele. O ego neurótico, temendo a natureza não racional do corpo, tenta meramente contê-lo. Mas quando o temor ao corpo se transforma em pânico, o ego negará o corpo em nome da sobrevivência. E, quando o temor ao corpo chega à proporção de terror, o ego se dissocia do corpo, cindindo completamente a personalidade e produzindo o estado esquizofrênico. Tais distinções são claramente ilustradas na maneira como essas diferentes personalidades respondem à necessidade sexual. Para o ego saudável, sexo é uma expressão de amor. O ego neurótico vê o sexo como um meio de conquista ou glorificação egoica. Para o ego esquizoide, o sexo é uma oportunidade de obter a afeição e a proximidade física de que depende a sobrevivência. O ego esquizoide, divorciado do corpo, não encontra significado no ato sexual.

O conflito entre o ego e o corpo produz uma cisão na personalidade que afeta todos os aspectos da existência e do comportamento de um indivíduo. Neste capítulo, estudaremos as identidades divididas e contraditórias das personalidades esquizoides e neuróticas. Nos capítulos seguintes, outras manifestações dessa cisão serão examinadas. Um dos objetivos desta obra é apontar como a cisão acontece, que fatores a produzem e que técnicas estão disponíveis para tratá-la. Deve estar claro, neste momento, que a cisão não pode ser resolvida sem que o estado do corpo melhore. É preciso aprofundar a respiração, aumentar a motilidade e evocar os sentimentos para que o corpo se torne mais vivo e sua realidade governe a imagem do ego.

Na personalidade cindida, surgem duas identidades que se contradizem mutuamente. Uma se baseia na imagem do ego; a outra, no corpo. Vários métodos estão disponíveis para elucidar essas identidades. A história do paciente e o significado de suas atividades nos dizem algo sobre a identidade de seu ego. Um exame da aparência e do movimento de seu corpo nos informa sobre sua identidade corporal. Desenhos de figuras humanas e outras técnicas projetivas fornecem informações importantes sobre quem é a pessoa. Por fim, todo paciente revelará, em seus pensamentos e sentimentos, as visões opostas que tem de si mesmo.

Apresentarei dois casos para ilustrar essas ideias. O primeiro é o de uma jovem que afirmava que seu problema era de *anomia*. Ela passara a usar esse termo ao ler um artigo na *Esquire* e o livro *A mística feminina*, de Betty Frie-

13

dan. Friedan define *anomia* como "aquela sensação difusa de tédio, falta de objetivos, não existência e não envolvimento com o mundo, a que se pode chamar *anomia*, falta de identidade ou simplesmente problema sem nome".[4]

Sociologicamente, *anomia* significa *ausência de normalidade* ou, como prefiro, *ausência de forma*. Minha paciente, que chamarei de Barbara, descreveu seu estado como

> [...] um sentimento de desorientação e vazio, essencialmente um branco. Eu não via razão para fazer nada. Não tinha motivação para me mover. Na verdade, eu não tinha me dado conta disso até recentemente. Veio com tudo quando voltei das férias de verão. Durante o verão, eu era responsável pelos meus filhos e pela casa, mas depois a empregada assumiu. Senti que as coisas que faço em casa eram como tiques nervosos – quer dizer, ações desnecessárias.

Barbara tinha 35 anos, era casada e mãe de quatro filhos. Suas atividades domésticas dificilmente poderiam ser descritas como desnecessárias. Mesmo com uma empregada, ela ficava ocupada o dia todo com tarefas importantes. Uma de suas dificuldades imediatas vinha de sua relação com a empregada. Ela queria demiti-la por ser ineficiente, mas não conseguia fazer isso. A vida inteira ela sofrera de uma incapacidade de dizer "não" aos outros, e isso a fazia sentir-se inadequada como pessoa. Quando um conflito se tornava intenso demais, como na situação com a empregada, ela desabava e desistia. O resultado era a perda do senso de *self* e uma sensação de vazio. Barbara sabia disso com base em uma análise anterior. Ela sabia, inclusive, que a origem de sua dificuldade estava em sua relação com os pais durante a infância. O que Barbara não sabia era que ela também desabava fisicamente sempre que o estresse aumentava. Esse colapso físico a fazia sentir-se impotente.

O que causava esse colapso físico? Ela era uma mulher de estatura média, com uma cabeça pequena e traços delicados, regulares. Seus olhos eram gentis; sua expressão, apreensiva. Sua voz soava hesitante, com pausas frequentes entre as frases. Seu pescoço era fino e constrito, o que explicava, em parte, sua dificuldade de falar. Seus ombros estavam sempre contraídos, numa atitude assustada. Seu corpo não tinha tônus: seus músculos superficiais eram extremamente flácidos. No entanto, os músculos profundos ao longo da coluna vertebral, ao redor das escápulas, no pescoço e no tórax eram tensamente

O corpo traído

contraídos. Sua respiração era muito superficial, o que contribuía para sua dificuldade de falar e explicava a palidez em sua pele. Toda tentativa de sua parte de respirar mais profundamente durava não mais que um minuto; então seu esforço era frustrado, com a metade superior de seu corpo arqueando para baixo e ela se dobrando ao meio. Muitas de suas funções físicas estavam deprimidas: ela tinha pouco apetite, impulso sexual diminuído e dificuldade de dormir. Era fácil ver por que ela se sentia tão sem vida, tão vazia.

Barbara não via nenhuma relação entre seu estado físico e sua atitude psicológica. Quando chamei sua atenção para essa relação, ela respondeu: "Se você diz..." Explicou que não tinha outra escolha senão aceitar minha análise do problema. Ela não gostava do próprio corpo e inconscientemente o negava. Em algum outro nível, percebia essa relação, pois, durante a terapia física, fazia um esforço para respirar mais profundamente e mobilizar os músculos por meio do movimento. Quando o esforço se tornava doloroso, ela chorava por um instante, apesar de sua relutância em fazê-lo. Comentava que já tinha sofrido muito na vida e que não via necessidade de sofrer mais. Mas também percebia que tinha vergonha de mostrar seus sentimentos, e por isso lutava contra eles. Percebeu que o choro a fazia se sentir melhor, pois lhe trazia vivacidade, e aos poucos passou a ceder cada vez mais ao sentimento e à sensação do corpo. Ela inclusive tentou expressar sua negação verbalmente dizendo em voz alta: "Não, não vou!"

Pouco a pouco, Barbara foi melhorando. Conseguia manter uma atividade por mais tempo e respirar com mais facilidade. A tendência a desabar diminuiu. Demitiu a empregada. Seus olhos brilhavam perceptivelmente e ela sorria para mim. Já não reclamava de *anomia*. Entendeu que precisava restaurar o sentimento em seu corpo para recuperar o senso de *self* e a identidade. Essa melhoria no estado de Barbara vinha, em parte, do sentimento de ter encontrado alguém capaz de ajudá-la, alguém que parecia entender sua dificuldade. Tal melhoria, no entanto, deveria ser vista como temporária. Os conflitos que engendraram sua perturbação tinham sido abordados, mas não resolvidos. Algumas ideias desses conflitos podem ser obtidas dos desenhos de figuras humanas que Barbara fez e de seus comentários sobre eles.

As Figuras 1 e 2 são dois desenhos sucessivos do feminino. Sobre a Figura 1, Barbara disse: "Ela parece tonta. Seus ombros são largos demais. Parece mefistofélica. Recatada de uma maneira diabólica". A Figura 2 a impressionou por ser "sem vida, um manequim cujo rosto é uma máscara mortuária".

Alexander Lowen

FIGURA 1

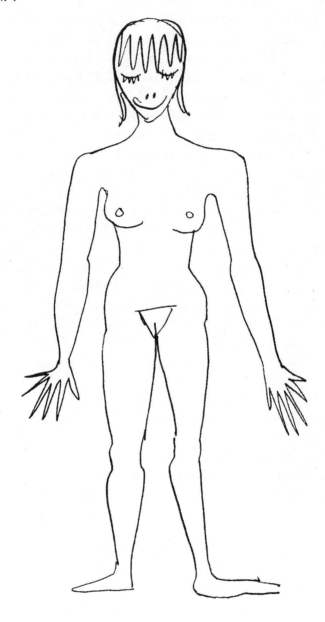

O corpo traído

FIGURA 2

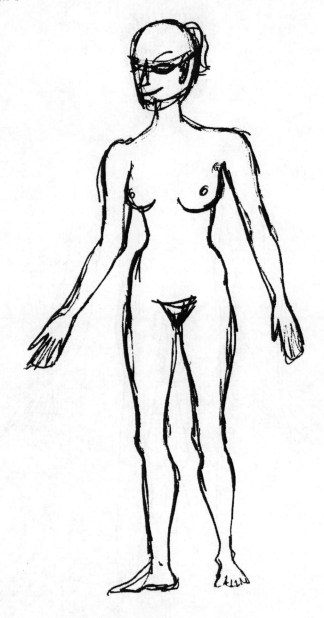

Alexander Lowen

FIGURA 3

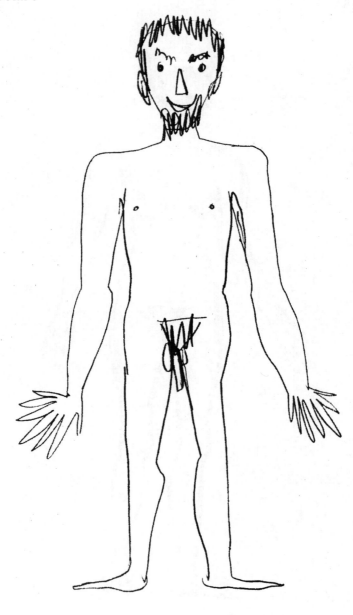

O corpo traído

A Figura 3, de um homem, chama a atenção por seu caráter demoníaco ou diabólico. Vemos certas similaridades entre as Figuras 1 e 3, que indicam a identificação de Barbara com o masculino.

A acentuação do contorno do corpo na Figura 2 revela uma deficiência ou fraqueza na percepção da periferia de seu corpo. É uma tentativa de impor forma a algo que é sentido como disforme. A perda de tônus muscular no corpo de Barbara lhe dava um caráter amorfo, que ela compensava desenhando o contorno da figura com traços fortes.

Quem era Barbara? Era o corpo da Figura 2, retratado como uma boneca de cera, ou a donzela recatada e diabólica mostrada na Figura 1?

Olhando para Barbara, teríamos dificuldade considerável para detectar um lado perverso em sua natureza. Sua expressão era recatada, tímida e apreensiva. Mas ela reconhecia o aspecto demoníaco de sua personalidade e o admitia.

Eu me sinto mais viva quando me sinto mais perversa. Na faculdade, dormir com rapazes tinha algo de perverso. Eu dormi com o namorado de uma das minhas amigas e senti orgulho disso. Eu me gabava disso, porque tinha feito algo perverso. Em outra ocasião, dormi com um homem gordo e feio que me pagou para isso. Fiquei muito orgulhosa. Senti que tinha a capacidade de fazer algo diferente.

No nível de seu corpo, sem tônus e amorfo, Barbara se via como um objeto (sem vida, um manequim) a ser sacrificado para as demandas sexuais demoníacas do homem. No nível de seu ego, expressado pela cabeça e pelas mãos, Barbara se identificava com o demônio que exigia esse sacrifício e sentia uma estranha satisfação com a própria degradação.

A mãe de Barbara também se considerava vítima ou mártir, e seu corpo era igualmente sem forma e sem contorno. Claramente, Barbara se identificava com a mãe no nível corporal, ao passo que no nível do ego era repelida pelo corpo da mãe e humilhada pelo papel desta como objeto sexual. Para dar à própria vida um significado mais positivo, ela se dissociou de sua feminilidade e se identificou com o pai.

A incorporação do ego masculino por uma mulher produz uma bruxa. A bruxa sustenta a visão do ego masculino de que o corpo feminino é um objeto a ser usado sexualmente. Assim, a bruxa se volta contra o próprio corpo e se regozija com seu sacrifício, porque representa o aspecto degradado de sua personalidade. Ao mesmo tempo, ela compensa essa degradação elevando a imagem de seu ego à de alguém superior e não conformista que rejeitou a velha moralidade.

O impulso demoníaco da bruxa também almeja destruir o ego masculino. Ao se voltar contra a própria feminilidade, a bruxa nega o papel do amor no sexo e zomba do homem que a procura. A submissão sexual de Barbara reflete seu desprezo pelo homem. Ela, com efeito, está dizendo "Eu não sou nada, e você é um idiota por me querer".

O homem que se apropria de um objeto degradado obtém uma vitória pírrica. Ele é diminuído aos olhos da mulher. Assim, Barbara se vingou de seu pai, que participara da humilhação da mulher.

Ao fazer ajustes infantis inconscientes à sua vida, ela não poderia ter previsto que a vingança da bruxa contra o homem a privaria de *todo* sentimento, ou que, ao se dissociar de sua feminilidade, ficaria presa a um corpo "amortecido" e incapaz de responder ao amor. Barbara foi deixada sem um *self*, porque seu corpo pertencia à mãe e seu ego, ao pai. Quando adulta, ela passou a perceber que fora enganada, mas não conseguia renunciar à bruxa enquanto, inconscientemente, continuava aceitando o valor da imagem de seu ego e rejeitando seu corpo.

Barbara era, ao mesmo tempo, a bruxa e a vítima, o ego demoníaco que exigia o sacrifício do corpo feminino e o corpo submisso apavorado com tal sacrifício. Essa cisão produz duas identidades conflitantes. A cisão na personalidade de Barbara poderia ser expressada em termos de vida e morte. Para salvar seu ego, ela não tinha escolha a não ser desistir de seu corpo. Submeter-se aos valores de seus pais significava voltar-se contra seu corpo, mas, com essa manobra, ela garantiu a sobrevivência, bem como a sanidade. Quando criança, ela teve de incorporar a imagem que seu pai tinha da mulher (com a qual sua mãe assentia) e fantasiar que essa atitude negativa perante a vida tinha algum significado sublime.

O sacrifício do corpo na personalidade esquizoide é um ato simbólico – não que muitos desses seres desafortunados não cometam o sacrifício literal do suicídio. O sacrifício de Barbara consistia na rejeição de seu corpo, retirando dele todo sentimento, negando sua importância como uma expressão de seu ser. Mas seu conflito continuava vivo porque seu corpo continuava vivo, e só acedia ao sacrifício simbólico sob protesto. Nessa luta, o

O corpo traído

corpo tem um aliado na parte racional da mente, que, embora incapaz de superar a força demoníaca, é, no entanto, intensa o bastante para levar o paciente à terapia.

O próximo caso ilustra a cisão de identidade num indivíduo cuja personalidade estava muito mais intacta do que a de Barbara. Henry era um homem em seus 50 anos, extremamente bem-sucedido, que me procurou por causa de uma falta de prazer e satisfação na vida. Ele havia trabalhado duro e "chegado lá", mas faltava algo. "Dinheiro não é problema", explicou, ao discutir o preço, mas o dinheiro não podia ajudá-lo. Seu sucesso provocara sentimentos de depressão, o princípio de uma úlcera estomacal e um intenso desejo de "ir para longe de tudo isso". Ele só pensava no momento em que deixaria os negócios, mas tinha um pressentimento de que essa não seria a solução. Deparava constantemente com problemas que, segundo dizia, seria capaz de enfrentar se viessem um de cada vez, mas todos juntos era muita coisa.

Ao descrever sua juventude, Henry disse que fora considerado a ovelha negra da família, incapaz de grande coisa. Então, um dia, ele resolveu provar que era capaz de alcançar o sucesso. E alcançou, mas o sucesso trouxe novos desafios e responsabilidades. Não era fácil largar tudo. Que fazer depois? Por mais que Henry reclamasse de seus problemas, ele estava entusiasmado com as oportunidades que estes apresentavam. Tendo se comprometido com o sucesso, ele precisava continuar sendo bem-sucedido. Esse é um fardo e tanto, já que não se pode escapar do sucesso a não ser por meio do fracasso.

A decisão de Henry de se submeter à terapia analítica aliviou esse fardo. Parte do fardo foi transferida para o terapeuta, e Henry se sentia melhor e mais livre. Quando observei até que ponto ele havia negligenciado seu corpo, ele ficou impressionado. Tomou a decisão de dedicar mais atenção ao corpo, e isso o ajudou temporariamente. Henry tinha a vontade e o vigor para fazer um esforço significativo a fim de mudar seu padrão de comportamento, mas era incapaz de sustentar esse esforço. De fato, ele considerava a terapia mais um desafio, ao qual reagiu com sua determinação característica. Assim, a própria terapia se tornou mais um fardo.

Um dia, enquanto Henry estava sentado em meu consultório discutindo seus problemas, ele se soltou mais do que de costume. Sua cabeça pendeu para um lado, seu rosto se abateu, ele parecia muito cansado e seus olhos tinham uma expressão derrotada. Tinha a aparência de um derrotado, mas não sabia disso.

Henry tinha uma imagem de si mesmo como invencível, o que negava a realidade interna de seus sentimentos. Não que ele acreditasse que sempre venceria; simplesmente estava determinado a nunca perder ou ser vencido. Mas, fisicamente, era um homem derrotado que se recusava a aceitar a derrota. Era derrotado em sua tentativa de encontrar um significado pessoal no sucesso financeiro. Estava em desespero por sua incapacidade de encontrar prazer na vida. Tinha buscado a terapia para evitar o *sentimento* de derrota e desespero, mas precisava aceitar esses sentimentos para encontrar a si mesmo.

O corpo de Henry era mais vivo do que o de Barbara. Sua musculatura era mais bem desenvolvida; sua pele, cálida e corada. Tinha tensões musculares graves que faziam sua coluna arquear, de modo que estava sempre curvado para a frente e precisava fazer um esforço para corrigir a postura. Os músculos de seu pescoço, que era encurtado, estavam sempre tensos. Ele tinha grande dificuldade de respirar sob tensão e mostrava essa dificuldade respiratória na tendência a soprar o ar durante a expiração. Também fumava muito. A tensão na musculatura de seu corpo era tão forte que o atava como se ele estivesse preso por correntes. Henry estava lutando contra restrições internas das quais não tinha consciência, mas comprometia todas as suas energias com o sucesso no mundo externo. Assim, estava cindido entre a imagem do ego e a realidade de seu corpo, entre os aspectos exteriores do sucesso e da conquista e o sentimento interior de derrota e frustração.

O problema de Henry podia ser entendido superficialmente como um impulso neurótico pelo sucesso. Em sua mente inconsciente, seu corpo era um animal de carga a ser submetido às demandas de seu ego. O corpo vivenciava essas demandas como um jugo que o privava de liberdade e lhe negava prazer e satisfação. O corpo de Henry, ao contrário do de Barbara, reagia. No entanto, na medida em que estava sem contato com seu corpo e não tinha consciência de seus sentimentos, Henry apresentava tendências esquizoides. O sacrifício de sua liberdade não era feito em nome do sucesso financeiro, como ele acreditava, mas em nome da imagem de sucesso que ele formara em sua juventude. Mobilizar o corpo para a satisfação de uma necessidade real (fome, sexo, prazer etc.) é fazer bom uso dele, mas subvertê-lo para a realização de um objetivo do ego é abusar dele.

O problema de Henry não era tão grave quanto o de Barbara. Ele compreendeu e aceitou a relação entre o *self* e o corpo. Barbara só admitia uma

O corpo traído

possibilidade: "Se você diz..." Henry reconhecia que precisava aliviar as tensões musculares em seu corpo, e atacava esse problema com uma intensidade que aumentava essa tensão. Barbara percebia a imobilidade de seu corpo, mas se sentia impotente para fazer alguma coisa a esse respeito. Barbara vivenciava seu corpo como alheio à sua personalidade; ela inclusive expressou o desejo de não ter um corpo, que ela via como fonte de tormento. Estivera disposta a sacrificar seu corpo para satisfazer à bruxa dentro de si. Henry, por outro lado, aceitava seu corpo, mas fazia mau uso dele. Submetia-o às suas demandas egoístas por sucesso, esperando, assim, conquistar liberdade; porém, quando o sucesso não conseguiu proporcionar liberdade, Henry percebeu que precisava de ajuda.

O conflito esquizoide é uma luta entre vida e morte e pode ser expresso como "ser ou não ser". Já o conflito neurótico deriva da culpa e da ansiedade com relação ao prazer. Isso não quer dizer que o esquizoide esteja livre de tal culpa e ansiedade, mas em sua personalidade elas estão subordinadas à necessidade imperiosa de sobreviver. A personalidade esquizoide paga um preço por sua existência: esse preço é a abdicação de seu direito de fazer exigências diretas à vida. A abdicação desse direito leva necessariamente a alguma forma de sacrifício, como vimos no caso de Barbara, e a uma existência que só encontra satisfação na negação. A negação da vida em qualquer forma é uma manifestação da tendência esquizoide e, nesse sentido, todo problema emocional tem um cerne esquizoide.

2. A perturbação esquizoide

O termo "esquizoide" tem dois significados. Denota (1) uma tendência do indivíduo a se afastar da realidade e (2) uma cisão na unidade da personalidade. Cada aspecto é um reflexo do outro. Essas duas variáveis são uma medida da saúde ou doença emocional do indivíduo. Na saúde emocional, a personalidade é unificada e está em pleno contato com a realidade. Na esquizofrenia, a personalidade é dividida e afastada da realidade. Entre esses dois extremos há uma ampla gama de estados esquizoides, em que o afastamento da realidade é manifestado por certo grau de desconexão emocional e a unidade da personalidade é mantida pelo poder do pensamento racional. A Figura 4 ilustra essas relações.

FIGURA 4 – Contato com a realidade / Unidade da personalidade

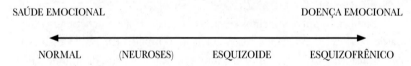

Esse esquema também inclui os transtornos psicóticos conhecidos como neuroses. As neuroses, segundo A. P. Moyes, são um "grupo relativamente benigno de perturbações da personalidade" em que "a personalidade permanece socialmente organizada".[5] Isso não quer dizer que o indivíduo neurótico tenha uma personalidade bem integrada. Todo problema neurótico se origina de um conflito na personalidade que, em certa medida, cinde sua unidade e reduz seu contato com a realidade. Tanto nas neuroses como nas psicoses há uma fuga da realidade; a diferença, como aponta Freud, é que o neurótico ignora a realidade, ao passo que o psicótico a nega. No entanto, todo afastamento ou fuga da realidade é uma expressão da perturbação esquizoide.

Opondo-se ao pano de fundo de uma personalidade aparentemente ajustada, os sintomas neuróticos têm um caráter dramático que domina o quadro clínico. Uma fobia, obsessão ou compulsão neurótica é, com frequência, tão impactante que a cisão esquizoide subjacente fica em último plano. Nesse caso, o tratamento precisa ser direcionado para o sintoma e não para o problema de personalidade mais profundo. Tal abordagem é necessariamente menos eficaz do que uma que vê os sintomas como uma manifestação do conflito básico entre o ego e o corpo e dirige o esforço terapêutico para a cura dessa cisão. Na Figura 4, coloquei as neuroses em parênteses para indicar que estão incluídas no fenômeno esquizoide.

Uma razão para o reconhecimento cada vez maior do problema esquizoide é a mudança do interesse psiquiátrico do sintoma para a personalidade. Os psicoterapeutas estão cada vez mais cientes da ausência de sentimento, da desconexão emocional e da despersonalização de seus pacientes. Hoje, é amplamente reconhecido que o estado esquizoide, com suas ansiedades arraigadas, é diretamente responsável pela formação dos sintomas. Por mais importante que seja o sintoma para o indivíduo perturbado, ocupa papel secundário no pensamento psicológico atual. Se os sintomas são aliviados na psicoterapia sem considerar a perturbação esquizoide subjacente, o tratamento é considerado auxiliar e os resultados são vistos como temporários. Entretanto, na medida em que a cisão esquizoide é superada, a melhora do paciente ocorre em todos os níveis de sua personalidade.

Embora os psicoterapeutas estejam conscientes da incidência generalizada de tendências esquizoides na população, o público em geral desconhece esse transtorno. O indivíduo médio ainda pensa em termos de sintomas neuróticos e presume que, na ausência de um sintoma alarmante, está tudo bem. As consequências dessa atitude podem ser desastrosas, como no caso do jovem que comete suicídio sem aviso ou sofre um colapso nervoso. Mas, ainda que não ocorra uma tragédia, os efeitos da perturbação esquizoide são tão graves que não podemos negligenciar sua presença no comportamento neurótico – nem esperar uma crise acontecer.

O fim da adolescência é um período crítico para o indivíduo esquizoide. Os fortes sentimentos sexuais que inundam seu corpo nesse momento muitas vezes minam um ajuste que ele até então fora capaz de manter. Muitos jovens se veem incapazes de concluir o ensino médio. Outros o fazem com esforço, mas encontram dificuldades nos primeiros anos da faculdade. À primeira vista, o problema pode parecer como descrito a seguir.

O corpo traído

Um adolescente que sempre foi bem na escola passa a ter dificuldades com os estudos. Suas notas caem, seu interesse diminui, ele se torna inquieto e começa a andar por aí com "maus elementos". Seus pais atribuem tal comportamento a falta de disciplina, pouca força de vontade, rebeldia ou o humor dos jovens de hoje. Talvez fechem os olhos para as dificuldades do filho na esperança de que ele as supere. Isso raramente acontece. Eles podem repreender o jovem e tentar forçá-lo a uma atitude mais responsável. Isso quase nunca funciona. No fim, eles, não sem relutar, aceitam a ideia de que filhos aparentemente brilhantes se tornem "desistentes", que alguns sejam naturalmente "volúveis", que muitos jovens de boa família se envolvam com atividades destrutivas ou delinquentes; e desistem de qualquer tentativa de compreender a atitude de seus filhos adolescentes.

O indivíduo esquizoide não consegue descrever seu problema. Desde que se lembra, ele sempre teve alguma dificuldade. Sabe que algo está errado, mas esse é um conhecimento vago que ele é incapaz de expressar em palavras. Sem a compreensão de seus pais ou professores, ele se resigna a um desespero interno. Talvez encontre outros que partilham de seu sofrimento e com quem ele pode estabelecer uma comunicação baseada num modo de existência que é "diferente". Ele inclusive pode racionalizar seu comportamento e desenvolver certo senso de superioridade, proclamando que não é "careta".

Apresentarei quatro casos para ilustrar algumas das diferentes formas que a perturbação esquizoide pode assumir e os elementos comuns a todas elas. Em cada caso, a perturbação foi grave o bastante para requerer ajuda terapêutica. Em todos os exemplos, foi ignorada ou negligenciada até que uma crise ocorreu.

VARIEDADES DE PERSONALIDADE E COMPORTAMENTO ESQUIZOIDE

Jack

Jack tinha 22 anos quando o conheci. Ele havia concluído o ensino médio aos 18 anos, e então passou um ano cantando músicas populares em bares. Em seguida, passou dois anos no exército, e depois disso estava sempre mudando de emprego.

A crise de Jack ocorreu depois que ele foi liberado do exército. Na companhia de amigos, ele tomou mescalina, uma droga alucinógena. O resultado foi uma experiência emocional que o chocou. Jack disse:

Eu tive alucinações que são impossíveis de descrever. Vi mulheres em tudo que é posição estimulante que se possa imaginar. Mas, quando saí desse estado, eu me odiei. Minha culpa com relação ao sexo me confunde. O estranho é que eu declaro ser não convencional, de esquerda, sem limitações sexuais etc. Posso fundamentar isso, mas não consigo me livrar do sentimento de culpa. É algo que me assusta e me deprime.

Essa experiência, induzida pela droga, rompeu o ajuste de Jack. A tendência esquizoide em sua personalidade, que ele havia conseguido manter sob controle, irrompeu nos sintomas definitivos do transtorno. Ele os descreve a seguir:

a) Medo – "Às vezes o medo é tão grande que não consigo ficar sozinho. Acho que simplesmente tenho medo de perder a cabeça".

b) Hipocondria – "Qualquer pintinha, coceira, dor etc. me apavora. Eu imediatamente penso em câncer, sífilis..."

c) Desconexão – "Uma vez senti que estava saindo da realidade, como que distante; e, nas últimas semanas, eu me senti distante quase o tempo todo, como se estivesse em outro lugar observando a mim mesmo".

Quando os sintomas aparecem com essa intensidade, o diagnóstico é fácil. Entretanto, seria um erro presumir que não houve nenhum indício anterior da perturbação esquizoide. Jack sentira medo intenso na forma de terrores noturnos quando era muito jovem. E mesmo quando criança lutava com sentimentos de irrealidade. Segundo ele,

desde que me lembro [6 ou 7 anos], sempre me senti diferente, mas os meus pais estavam constantemente me convencendo de que aquilo era normal. Na escola, eu muitas vezes me sentia meio estranho; por exemplo: sentado na sala de aula observando os outros alunos e me perguntando se eles sentiam a mesma confusão que eu sentia.

O aspecto desafortunado desse problema era que ninguém no círculo imediato de Jack parecia entender suas dificuldades. "Meus pais e amigos me convenceram de que esse sentimento [de ser diferente e estranho] era normal", disse. A experiência de Jack a esse respeito parece ser a regra. Mesmo os terrores noturnos são muitas vezes apresentados como experiências "normais", que a criança vai superar.

O corpo de Jack apresentava as típicas características esquizoides. Era magro, tenso e rígido, com uma musculatura subdesenvolvida, motilidade limitada e respiração restrita. Era um corpo que aparentava estar sem vida, do qual Jack dissociara seu ego havia muito tempo. Ele nunca se dedicou seriamente a esportes ou outra atividade física. Sua ansiedade hipocondríaca expressava seu temor ao corpo e sua ausência de identificação com ele.

Peter

Peter, um rapaz de 17 anos, foi encaminhado para avaliação psiquiátrica depois de um incidente alarmante. Ele ficara bêbado certa noite depois de uma discussão com a namorada. Então, para mostrar a ela quanto se importava, levou seu violão até a casa dela para lhe fazer uma serenata. Como era tarde da noite, os pais da garota ficaram incomodados. Para aquietá-lo, eles o convidaram a entrar. Assim que entrou, Peter exigiu ver a garota e ameaçou cortar o próprio dedo ou a mão como prova de seu afeto. Ficou tão descontrolado que precisou ser contido à força e levado para casa.

Três meses antes desse incidente, Peter se envolvera em outros problemas. Ele roubou um carro junto com alguns amigos. O carro foi devolvido e os rapazes admitiram o roubo. Mas, então, segundo Peter, eles fugiram para evitar envolver os pais. Arrombaram uma casa vazia, roubaram alguns mantimentos, se esconderam da polícia e, com isso, aumentaram suas dificuldades com a lei. Como Peter vinha de uma boa família e não tinha passagem pela polícia, foi colocado em liberdade condicional. A mãe atribuiu seu comportamento delinquente aos companheiros. Foi só depois do incidente com a namorada que ela pensou que poderia haver algo errado com Peter.

Que havia algo errado poderia ter sido percebido mais cedo. Antes de esses incidentes ocorrerem, houve problemas na escola. Depois de dois bons anos no ensino médio, Peter começou a ter dificuldade de concentração. Suas notas pioraram muito no terceiro ano. Ele chegava em casa tarde, começou a beber e se tornou intratável. Mas ninguém parecia se preocupar até que a crise ocorreu.

O corpo de Peter era bem constituído e bem proporcionado. Seu rosto tinha uma expressão inocente, mas, fora isso, era sem sentimento. O olhar de inocência enganara a família. Seus olhos eram vazios. Apesar de sua aparência normal, seu corpo era tenso e rígido, e seus movimentos, muito descoordenados. Seus joelhos e tornozelos eram tão rijos que ele mal conseguia dobrá-los. Seu corpo carecia de sentimento, e mesmo quando ele relatou o incidente em que ameaçou cortar a própria mão, ele o fez sem sentimento.

Durante nossas conversas, Peter disse que seu contato sexual com uma garota era o único afeto que ele experimentava, e que sua vida não tinha sentido sem isso. Aparentemente, a necessidade desse contato corporal era tão imperiosa que se sobrepunha a todas as considerações racionais. Sem isso, ele se sentia tão vazio e sem vida que os princípios morais não tinham valor. Vejo que esse estado é típico de todos os infratores que atendi. Sua busca de estímulo é uma tentativa de "dar carga" num corpo que, de outra forma, estaria "morto". Infelizmente, essa busca de excitação assume a forma de fugas perigosas ou de rebelião contra a autoridade. A ausência de sentimento físico normal nesses jovens explica sua preocupação com o sexo.

Se a perturbação esquizoide não for entendida, o comportamento delinquente continuará a intrigar as autoridades e as famílias desses jovens. Será atribuído a uma falta de disciplina familiar ou a uma fraqueza moral do jovem. Embora essas explicações tenham certo valor, negligenciam a dinâmica do problema. Um ego que não está baseado na realidade do sentimento do corpo torna-se desesperado. Em seu desespero, agirá de maneira destrutiva consigo mesmo e com outros.

Jane

Jane era uma jovem de 21 anos que procurou a terapia depois de terminar um relacionamento amoroso. Ela se sentia perdida e desesperada. Sentia que havia algo seriamente errado com sua personalidade, mas não sabia o que era nem como lidar com isso. A história a seguir nos dá uma ideia de seu problema:

Lembro de, na adolescência, pensar que estava em guerra comigo mesma. Especialmente à noite, na cama, eu sentia que estava em guerra com alguma coisa em mim. Era muito frustrante e desesperador. Eu me sentia tão confusa. Não sabia a quem perguntar.

Aos 11 anos, eu descobri meu corpo. Antes disso, eu não pensava nele. Então engordei muito, e fiquei constrangida. Também menstruei nessa época. Quanto mais inibida eu ficava, mais engordava e menos real me sentia. Comecei a me masturbar um ano depois. Achava que ficaria grávida ou pegaria uma doença venérea. Senti muita culpa por isso. Mas também precisava me masturbar antes que pudesse fazer qualquer coisa.

O corpo traído

Quando tinha de fazer uma redação para a escola, eu procrastinava até que finalmente me masturbava. Então conseguia escrever.

Durante todo esse período, eu tive uma fantasia constante. Eu fantasiava que estava cavalgando. Todo mundo tinha um cavalo, mas o meu era melhor do que os outros.

Os homens simplesmente me apavoravam. Eu não tive amigos durante todo o ensino médio, e um único namorado na faculdade.

Jane estava em guerra com seus sentimentos sexuais. Ela não conseguia aceitá-los nem reprimi-los. O resultado era um intenso conflito que a atormentava e do qual ela tentava escapar pelo mundo de fantasia. Em sua fantasia, o cavalo pode ser interpretado como um símbolo do corpo, especialmente da metade inferior. Sua tentativa de negar a realidade de seu corpo só funcionou em parte. Seus sentimentos invadiam sua consciência e exigiam satisfação, mesmo à custa de grande culpa.

De modo surpreendente, a cisão na personalidade de Jane também se manifestava no nível físico. Da cintura para baixo, o corpo de Jane era pesado, peludo e de tonalidade escura. Seus quadris e coxas eram largos e seu tônus muscular, parco. Acima da cintura, ela era delicada: seu busto era estreito; seus ombros eram acentuadamente caídos; seu pescoço era comprido e fino, e sua cabeça era pequena, com traços regulares. O tom de pele da metade superior de seu corpo era claro. O contraste entre as duas metades aparecia nitidamente. A parte inferior de seu corpo dava a impressão de maturidade sexual e de uma feminilidade desenvolvida – ou talvez, em vista de seu peso e flacidez, superdesenvolvida. A parte superior de seu corpo tinha uma aparência inocente, infantil.

Quem era Jane? A criatura delicada montada majestosamente sobre a metade inferior de seu corpo ou o cavalo com quem ela também se identificava e sobre quem seu ego cavalgava como uma rainha? Obviamente, ela era ambos, mas sentia-se incapaz de conciliar esses dois aspectos de sua personalidade.

Sarah

Embora menos grave em suas manifestações de doença, esse caso apresenta outro aspecto da perturbação esquizoide. Sarah era divorciada e tinha um filho de 5 anos. O fim de seu casamento foi um grande choque para ela e provocou uma depressão profunda. Eu diagnostiquei a estrutura de seu cará-

Alexander Lowen

ter como esquizoide, embora seu comportamento superficial apresentasse poucos indícios de um transtorno tão grave. Ela expressou seus problemas da seguinte maneira:

> Não é que eu não seja real, mas sinto que minhas relações com as pessoas não são reais. Muitas vezes me pergunto o que as pessoas pensam de mim quando estou fazendo alguma coisa. Tenho ilusões de grandeza. Sinto que elas devem pensar que sou incrível. Mas, na verdade, vejo que não sou capaz de lidar com isso. Meu desempenho não corresponde às minhas expectativas.

Eu já tinha notado uma arrogância nos modos e no discurso de Sarah que é típica de certos indivíduos esquizoides. Ela me impressionou como alguém que pensava ter qualidades ou inteligência superiores. Quando a questionei sobre a natureza de suas ilusões de grandeza, ela respondeu:

> Minha ilusão é de que eu tenho um bom caráter em geral. Por exemplo, mesmo agora, espero que as pessoas digam que sou uma boa mãe. Como trato bem o meu filho! Eu sempre fui o bichinho de estimação dos professores. Eu nunca desobedecia. Era a típica "boazinha".

Sarah era uma mulher pequena com um rosto miúdo e meigo, ombros quadrados e estrutura corporal delicada. Sua aparência física insinuava uma pessoa imatura e assustada, ao passo que seus modos e seu discurso refletiam maturidade e confiança. Essa contradição em sua personalidade indicava uma perturbação esquizoide. Mas havia outros sinais de irrealidade em Sarah, embora ela afirmasse o contrário. Esses sinais eram principalmente físicos: ausência de contato entre seus olhos e os meus, expressão facial petrificada, rigidez da estrutura corporal e falta de coordenação nos movimentos corporais.

Sarah exercia um papel, o da criança "boa" e complacente que fazia o que se esperava dela, e o fazia bem. Ela desempenhava esse papel de maneira tão inconsciente que esperava que as pessoas a aprovassem como se ela fosse uma criança. Muitos indivíduos exercem certos papéis na vida sem por isso se tornar esquizoides. É uma questão de grau. Quando o papel domina a personalidade, quando o todo está perdido na parte (a parte atuada), quando –

O corpo traído

como no caso de Sarah – a pessoa não consegue ser vista nem alcançada por trás do disfarce, há razões para descrever tal personalidade como esquizoide. Em relação aos sintomas, cada um dos quatro casos – Jack, Peter, Jane e Sarah – era diferente. Quanto às duas variáveis que determinam a doença, eram iguais. Cada um sofria de conflitos que cindiam a unidade de sua personalidade, e em cada um havia certa perda de contato com a realidade. O aspecto mais importante desses casos, no entanto, era que o conflito e o afastamento se manifestavam fisicamente. Jack conseguia descrever seus problemas com uma fluência verbal que contrastava nitidamente com a rigidez e a imobilidade de seu corpo. Em Peter, o conflito se expressava no contraste entre a aparência atlética de seu corpo e sua acentuada falta de coordenação. Jane mostrava o conflito no contraste entre as duas metades de seu corpo, ao passo que a atitude sofisticada de Sarah contrastava nitidamente com a imaturidade de seu corpo.

O afastamento da realidade se manifestava em cada um dos quatro pacientes pela falta de vivacidade e pela falta de reação emocional do corpo. Quem observa o indivíduo esquizoide tem a impressão de que ele não está totalmente "aqui". Frases como "está longe" ou "não está aqui" são comumente usadas para descrevê-lo. Percebemos sua desconexão ou seu afastamento. Essa impressão vem de seus olhos vagos, seu rosto que mais parece uma máscara, seu corpo rígido e sua falta de espontaneidade. Ele não é distraído como o notório professor que vive absorto em alguma preocupação mental. O indivíduo esquizoide tem consciência de seu entorno, mas no nível emocional ou corporal perdeu o contato com a situação. Infelizmente, carecemos de uma expressão para denotar tamanho alheamento. Esquizoide é a única palavra que descreve uma pessoa que está mentalmente presente, mas ausente em nível emocional.

Um ar de irrealidade é a marca da personalidade esquizoide. Explica sua "estranheza", tanto para nós quanto para si mesma. Também se expressa em seus movimentos. A pessoa caminha mecanicamente, como um soldado de madeira, ou flutua pela vida como um espírito. A descrição que Ernst Kretschmer faz da aparência física do indivíduo esquizoide enfatiza esse ponto: "Essa falta de vivacidade, de reação imediata, de expressão psicomotora é encontrada também nos integrantes mais dotados do grupo, com sua capacidade interna hipersensível para a reação"[6].

Quando a aparência de um indivíduo é tão estranha que sua irrealidade é claramente manifesta, ele é chamado de psicótico, esquizofrênico ou insano.

Alexander Lowen

A pessoa esquizoide experimenta essa irrealidade como um vazio interno e uma sensação de estar afastado ou desconectado de seu ambiente. Seu corpo pode se sentir estranho a ele ou quase inexistente, como indica o depoimento a seguir.

> Enquanto ia para o trabalho ontem, eu não sentia o meu corpo. Eu me sentia só pele, como um saco de ossos. Nunca me senti tão sem corpo. Eu simplesmente flutuava. Foi horrível. Eu me senti estranho no escritório. Tudo parecia diferente, irreal. Precisei me esforçar para conseguir trabalhar.

Essa descrição gráfica de despersonalização mostra a perda de sentimento do corpo e, ao mesmo tempo, a perda de contato com o ambiente. Em outros casos, o contato tênue com a realidade é ameaçado quando o indivíduo esquizoide usa drogas que dissociam ainda mais sua mente de seu corpo. Por exemplo, Virginia fumou um "baseado" certa noite. Assim ela relatou a experiência: "Sentia estar observando a mim mesma. Sentia que meu corpo estava fazendo coisas que não estavam conectadas comigo. Foi muito assustador, e por isso fui me deitar. Fiquei paranoica. Temi que pudesse pular pela janela".

Pode-se dizer que o esquizoide vive no limbo, isto é, ele não está "longe", como o esquizofrênico, mas também não está totalmente "aqui". Com frequência encontra-se à margem da sociedade, onde, com outros do mesmo tipo, ele se sente mais confortável. Muitos esquizoides são indivíduos sensíveis que se tornam poetas, pintores e músicos. Outros exploram os vários cultos esotéricos que florescem às margens da sociedade. Esses cultos são de vários tipos – aqueles que usam drogas para alcançar estados mais elevados de consciência, aqueles que utilizam filosofias orientais para encontrar um significado na vida e aqueles que praticam vários exercícios físicos que oferecem a promessa de um "eu" mais pleno. Mas seria um grande erro presumir que a personalidade esquizoide só é encontrada nesse meio. Pode ser também o engenheiro que leva a vida como uma máquina, ou o professor quieto, retraído, tímido e homossexual. Pode ser a mãe ambiciosa que tenta ser muito bem informada e fazer o que é certo por seus filhos, ou a garota brilhante, ávida, excitável e compulsiva. Quando crianças, essas pessoas são caracterizadas por insegurança; quando adolescentes, por ansiedade; e, quando adultas, por um sentimento interno de frustração e fracasso. Essas reações são mais graves do

O corpo traído

que as palavras implicam. A insegurança na infância está relacionada com um sentimento de ser diferente e de não pertencer. A ansiedade na adolescência beira o pânico e pode acabar em terror. Ao sentimento de frustração e fracasso na vida adulta subjaz o desespero.

ABORDAGENS AO PROBLEMA ESQUIZOIDE

A perturbação esquizoide tem sido investigada segundo várias linhas, três das quais são importantes para este estudo: a psicológica, a fisiológica e a constitucional. A psicologia tenta explicar o comportamento em termos de atitudes mentais conscientes ou inconscientes. A fisiologia procura as respostas para atitudes disfuncionais no mau funcionamento das funções corporais. A abordagem constitucional relaciona a personalidade com a estrutura corporal.

Do ponto de vista psicológico, o termo "esquizoide" é usado para descrever comportamentos que qualitativamente se assemelham à esquizofrenia, mas que estão mais ou menos dentro dos limites normais.[7] Os padrões de comportamento específicos que sugerem esse diagnóstico são assim resumidos:

1. Tendência a evitar relações próximas com as pessoas; acanhamento, isolamento, timidez, sentimentos de inferioridade.

2. Incapacidade de expressar hostilidade e sentimentos agressivos diretamente – sensibilidade a crítica, desconfiança, necessidade de aprovação, tendência a negar ou distorcer.

3. Atitudes autistas – introversão, devaneios excessivos.

4. Incapacidade de concentração, sentimentos de estar atordoado ou dopado, sensações de irrealidade.

5. Surtos histéricos com ou sem provocação aparente, como gritos, berros e acessos de raiva.

6. Incapacidade de sentir emoções, especialmente prazer, e falta de receptividade emocional a outras pessoas, ou reações exageradas de hiperexcitação e mania.[8, 9, 10]

O comportamento esquizoide, no entanto, muitas vezes parece ser normal. Como Otto Fenichel assinalou, o indivíduo esquizoide consegue "substituir o contato real com outras pessoas por pseudocontatos de muitos tipos".[11] Os pseudocontatos assumem a forma de palavras que substituem o toque. Outra forma de pseudocontato é a interpretação de papéis, que substitui o envolvimento emocional com determinada situação. As principais queixas

Alexander Lowen

dos indivíduos esquizoides, como afirma Herbert Weiner, "giram em torno de não ser capazes de sentir emoção: eles são estranhos aos outros, retraídos e desconectados"[12].

Pode-se mostrar que a psicologia que caracteriza o indivíduo esquizoide está relacionada com sua falta de identidade. Confuso quanto a quem ele é, e sem saber o que quer, o indivíduo esquizoide se desconecta das pessoas e se retrai para um mundo interno de fantasia ou adota uma pose e interpreta um papel que aparentemente o adaptará à vida normal. Se ele se retrair, predominarão sintomas de acanhamento, isolamento, desconfiança e irrealidade. Se interpretar um papel, os sintomas mais visíveis serão tendência a negar ou distorcer, sensibilidade a críticas, sentimento de inferioridade e queixas de vazio ou falta de satisfação. Pode haver alternâncias entre retraimento e atividade, depressão e excitação, com mudanças de humor rápidas ou exageradas. O retrato do esquizoide apresenta muitos contrastes. Alguns são extremamente inteligentes e criativos, embora seus interesses possam ser limitados e atípicos, ao passo que outros parecem tolos e levam vidas vazias, dóceis e discretas.

Outra visão da personalidade esquizoide, desta vez fisiológica, é oferecida por Sandor Rado.[13] De acordo com Rado, a personalidade esquizoide é caracterizada por dois defeitos fisiológicos. O primeiro, uma "deficiência de integração de prazer", denota incapacidade de sentir prazer. A segunda, "uma espécie de diátese proprioceptiva", refere-se a uma percepção distorcida do eu corporal. A deficiência de prazer prejudica o indivíduo em sua tentativa de desenvolver um "eu de ação" – ou identidade – eficaz. Uma vez que o prazer é "o laço que realmente nos une" (Rado), o "eu de ação" que emerge na ausência dessa força unificadora do prazer é débil, frágil, propenso a se desintegrar sob tensão, hipersensível. Essa deficiência de prazer à qual Rado se refere caracteriza todos os pacientes esquizoides que atendi. Mas, enquanto Rado a considera uma predisposição herdada, eu a explico em termos de luta pela sobrevivência. Incerto quanto ao seu direito de existir, e dirigindo todas as suas energias para a luta pela sobrevivência, o indivíduo esquizoide necessariamente ignora a área de atividade prazerosa. Para um homem lutando por seu direito de existir, o prazer é um conceito irrelevante.

A aparente distorção na percepção de si mesmo é, muitas vezes, a característica mais marcante da personalidade esquizoide. Como explicar a observação de Jack, "sinto-me separado do meu corpo, como se eu estivesse de fora

O corpo traído

me observando"? Há uma falha na percepção que Jack tem de si mesmo ou sua desconexão se deve à ausência de algo a ser percebido? Quando um corpo é destituído de sentimento, a autopercepção desaparece. No entanto, também é verdade que, quando o ego se dissocia do corpo, este se torna um objeto estranho para a mente que percebe. Somos confrontados, aqui, com a mesma dualidade que descrevemos no início deste capítulo. O afastamento da realidade produz uma cisão na personalidade, assim como toda cisão resulta numa perda de contato com a realidade. Podemos compreender a importância da percepção corporal ao aceitarmos a observação de Rado de que "a percepção proprioceptiva [do corpo] é a mais profunda raiz interna da linguagem e do pensamento".[14]

A fraqueza na autopercepção do indivíduo esquizoide está diretamente relacionada com sua incapacidade de sentir prazer. Sem prazer, o corpo funciona mecanicamente. O prazer mantém o corpo vivo e promove a identificação com ele. Quando as sensações físicas são desagradáveis, o ego se dissocia do corpo. Um paciente disse: "Eu fiz meu corpo morrer para evitar os sentimentos desagradáveis".

A abordagem constitucional ao problema esquizoide é mais bem representada pelo trabalho de Ernst Kretschmer, que fez uma análise detalhada do temperamento e da psique esquizoides. Ele descobriu que há uma íntima relação entre os dois, e que indivíduos com temperamento esquizoide tendem a ter uma constituição corporal astênica ou, mais raramente, atlética. Em linhas gerais, o corpo astênico pode ser descrito como longo e fino, com uma musculatura subdesenvolvida, ao passo que o corpo atlético é mais bem proporcionado e tem uma musculatura mais desenvolvida. Além disso, Kretschmer e Sheldon[15] chamam a atenção para a presença de elementos displásicos no corpo esquizoide. A displasia ocorre quando as diferentes partes do corpo não estão proporcionadas harmoniosamente.

Os quatro pacientes cujos casos foram discutidos no início deste capítulo apresentavam esses traços esquizoides típicos. O corpo de Jack era alongado e fino, com a musculatura subdesenvolvida do tipo astênico. O corpo de Peter, que parecia bem proporcionado e com musculatura desenvolvida, poderia ser descrito como atlético. Jane apresentava displasia: a metade superior de seu corpo tinha características astênicas, ao passo que a metade inferior era amorfa e mal definida. O corpo de Sarah também tinha uma aparência displásica: a metade superior de seu corpo era astênica, em contraste com a metade inferior, marcadamente atlética. Os músculos de suas panturrilhas eram tão desenvolvidos quanto os de uma bailarina profissional, embora Sarah nunca tivesse praticado esportes nem dança.

A estrutura corporal é importante na psiquiatria porque é uma expressão da personalidade. Não reagimos a um homem grande e pesado da mesma maneira que a um homem pequeno e magro. Mas estabelecer a personalidade de acordo com o tipo físico é aceitar uma visão estática, em vez de dinâmica, da relação entre o corpo e a personalidade. Ignora a motilidade e a expressividade do corpo, que são os elementos essenciais da personalidade. A definição de corpo astênico é útil apenas porque indica o grau de rigidez muscular de um indivíduo. O corpo atlético só denota uma tendência esquizoide quando seus movimentos são marcadamente descoordenados. Fatores como vivacidade, vitalidade, graça, espontaneidade de gestos e calor físico são importantes porque afetam a autopercepção e influenciam o sentimento de identidade.

A visão que Rado tem da perturbação esquizoide se baseia na hipótese de que tal estado resulta de disfunções fisiológicas. Esta é oposta à visão psicanalítica, expressada por Silvano Arieti, de que o problema é essencialmente psicológico. Kretschmer, por outro lado, afirma que o estado esquizoide é determinado pela constituição do indivíduo. Enquanto tanto Rado como Kretschmer acreditam que essa doença tenha origem hereditária, Arieti afirma que "a esquizofrenia [e, portanto, a condição esquizoide] é uma reação específica a um estado de ansiedade extremamente intenso, originado na infância e reativado numa etapa posterior da vida"[16].

Rado, Kretschmer e Arieti se concentraram, cada um deles, em um único aspecto do problema, que os outros consideraram secundário. Arieti admite, por exemplo, que "é um fato bem conhecido que a maioria dos esquizofrênicos pertence ao tipo astênico"[17], mas afirma que isso é consequência do transtorno, e não causa. Para evitar a discussão sobre o que vem primeiro, devemos presumir que são fenômenos inter-relacionados. As perturbações vistas na estrutura corporal e na fisiologia são uma expressão, na esfera física, de um processo que na esfera psicológica aparece como transtornos de pensamento e comportamento.

Do ponto de vista psicológico, o problema esquizoide se manifesta em uma falta de identidade e, necessariamente, portanto, em uma perda de relações emocionais normais com as pessoas. Do ponto de vista fisiológico, o estado esquizoide é determinado por perturbações na autopercepção, deficiências na função de prazer e distúrbios na respiração e no metabolismo. Do ponto de vista constitucional, o corpo esquizoide tem um déficit de coordenação e integração. É rígido demais ou desconjuntado. Em ambos os casos, carece da vitalidade da qual depende uma autopercepção adequada. Sem essa autopercepção, a identidade se torna confusa ou perdida, e aparecem os sintomas psicológicos típicos.

Uma visão geral da perturbação esquizoide deve apresentar, num conceito unificado, tanto os sintomas físicos como os sintomas psíquicos do problema:
1. Falta de identidade psicológica.
2. Perturbação na autopercepção.
3. Relativa imobilidade e tônus diminuído da superfície do corpo.

A relação entre esses níveis da personalidade pode ser apresentada da seguinte maneira: o ego depende, para seu senso de identidade, da percepção do corpo. Se o corpo for intenso e receptivo, suas funções de prazer serão fortes e significativas, e o ego se identificará com o corpo. Nesse caso, a imagem do ego estará apoiada na imagem do corpo. Quando o corpo estiver "sem vida", o prazer se torna impossível, e o ego se dissocia do corpo. A imagem do ego se torna exagerada para compensar a imagem corporal inadequada. Constituição, no sentido dinâmico, refere-se ao grau de vitalidade e vivacidade do corpo. Sua relação pode ser demonstrada na forma de um triângulo.

Figura 5 – Níveis de personalidade

As conexões entre esses níveis de personalidade são ilustradas no caso a seguir. A paciente era uma mulher cuja imagem egoica de si mesma a retratava como uma pessoa superior, acima da média em inteligência e sensibilidade. No decurso da terapia, essa imagem egoica se dissipou. Ela relatou um sonho em que duas crianças, um menino e uma menina, se escondiam no porão de um edifício e faziam greve de fome. Disse ela:

> No meu sonho, eu sinto que eles estão fazendo isso por despeito. Eu desço até o porão, onde vejo os dois deitados lado a lado, como se estivessem mortos, mas percebo que seus olhos estão abertos e o rosto deles parece vivo em contraste com o aspecto cadavérico dos corpos. Sinto que eles me representam. Muitas vezes agi de forma despeitosa na minha vida. Eu me pergunto se os olhos abertos simbolizam a mente, já que eu sinto que essa é a parte mais vivaz em mim.

Essa paciente tinha um corpo alto e magro e um rosto vazio e abatido que davam à sua aparência um aspecto cadavérico. Ela experimentou esse estado certo dia enquanto caminhava pela rua com a mãe. Ela observou: "Senti tanta vergonha dela que me desconectei de mim mesma para não estar envolvida com ela. Caminhei ao lado dela sentindo-me apartada dela e do mundo, como um fantasma". Ao relatar esse incidente, a paciente percebeu que havia uma íntima relação entre o sonho dos corpos que pareciam cadáveres, a experiência de sentir-se como um fantasma, a desconexão de seu corpo e a aparência de seu corpo. E então ela me perguntou: "Por que eu precisei me amortecer?" A resposta a essa pergunta requer uma compreensão da dinâmica, do mecanismo e da etiologia do problema esquizoide.

O corpo traído

3. A defesa contra o terror

MEDO E TERROR

O medo tem um efeito paralisador sobre o corpo. Normalmente, reagimos ao medo lutando ou fugindo. Tentamos eliminar o perigo ou escapar dele. Se essas reações são bloqueadas, nosso autocontrole é abalado. Nossa personalidade desmorona e nossa sanidade é ameaçada. Nessa situação, a insanidade pode ser evitada por certas manobras que negam e reprimem o medo. Alguma medida de autocontrole é restabelecida, mas o medo não é eliminado. Em seu estado reprimido, torna-se um terror vago. Transforma-se no medo de perder o controle ou de sair de si.

Por trás do medo da insanidade há um terror que é ainda mais apavorante, pois não tem nome nem rosto. Seu horror se expressa em imagens como um ninho de cobras. Esse terror está à espreita nas profundezas de cada indivíduo esquizoide e pode ser comparado com uma bomba que não explodiu. A explosão do terror na consciência é uma experiência de "mundo desabando" para o indivíduo. É representada, na mente esquizoide, como uma fantasia de *Weltuntergang*, ou fim do mundo, um sentimento de aniquilação total. O indivíduo esquizoide reage a essa ameaça com a sensação de estar "desmoronando" ou se "desintegrando". Contra esse terror e seus efeitos catastróficos, ele ergue defesas desesperadas. Se essas defesas falham, o único meio que resta para evitar esse terror é a fuga completa para a irrealidade da esquizofrenia.

Superficialmente, o terror parece estar relacionado com o temor à insanidade. Jack, cujo caso foi apresentado no Capítulo 2, afirmou: "Acho que simplesmente tenho medo de perder a cabeça". A maioria dos pacientes vivencia o terror de maneira similar. No entanto, pode-se mostrar que o próprio terror é a força que ameaça sobrepujar o ego e destruir a sanidade do indivíduo, sendo a esquizofrenia uma tentativa derradeira de escapar a esse terror. O que é esse pavor sem nome?

Os medos se tornam anônimos quando são reprimidos. No inconsciente, eles sobrevivem, com o efeito apavorante que tiveram sobre a criança. Depois que um paciente consegue se livrar das garras desse terror, alguns de seus elementos se tornam claros. São o medo de ser abandonado, o medo de ser destruído e o medo de destruir alguém. Mas estes são medos específicos porque conscientes, ao passo que o terror inconsciente do esquizoide é um pavor amorfo cujos tentáculos congelam os ossos e paralisam a vontade. Esse terror é como o famoso esqueleto no armário, que se torna menos assustador quando a porta é aberta e a realidade é confrontada. Diante da porta fechada que esconde o desconhecido, a pessoa é tomada de um medo avassalador que mina sua coragem e frustra sua resolução. A terapia deve ajudar o paciente a ganhar coragem e força para enfrentar seus medos. No processo, ele inevitavelmente vivenciará seu terror. Com o apoio e a compreensão do terapeuta, essa experiência pode ter um efeito positivo.

Paul relatou uma experiência como essa depois de aproximadamente um ano de terapia:

> Tive uma semana estranha. Alternei entre períodos de absoluto desamparo e outros em que me senti muito mais vivo. Na sexta eu estava bem ativo, mas no sábado eu simplesmente não conseguia me levantar. Senti o dia todo escorregar por entre os meus dedos. Fiquei muito deprimido e chorei um pouco. O domingo foi melhor. Eu saí. Na segunda eu me senti tão morto que só queria ficar deitado na cama pelo resto da vida.
>
> Naquela noite, eu estava saindo de um sonho e num estado semiacordado; virei de barriga para cima e fiz movimentos de sucção com a boca. Meus lábios estavam tremendo, e fiquei muito ansioso e quase paralisado. Meus braços estavam pesados e sem vida, como pesos mortos que eu não conseguia mover. Precisei usar toda minha força de vontade para não sucumbir à paralisia. Eu sentia que, se me entregasse a ela, algo catastrófico aconteceria. Eu me forcei a despertar completamente.

A análise da experiência de Paul mostra que o terror manifestado nos tremores de ansiedade e o sentimento de paralisia surgiram quando ele fez um gesto espontâneo em busca de prazer. Os movimentos de sucção com a boca despertaram certas memórias de infância em que uma atividade similar ameaçou ter um resultado catastrófico. Quando bebê, Paul deparou com uma

O corpo traído

reação hostil de sua mãe ao demandar alguma coisa dela. Sua hostilidade foi expressada em um olhar furioso, que a criança entendeu como "Estou farta das suas demandas; se não ficar quieto, vou abandonar ou destruir você!" Tais expressões de hostilidade por parte dos pais não são incomuns. Muitas mães gritam para expressar sua raiva e exasperação. Algumas inclusive me contaram quantas vezes sentiram que poderiam ter matado seus filhos. Se for um acontecimento isolado, uma experiência como essa não causará à criança grande terror; porém, se representar uma atitude inconsciente por parte da mãe, o efeito sobre a criança será o medo de que toda demanda que ela fizer possa levar ao abandono ou à destruição. Por sua vez, a criança desenvolve uma fúria assassina contra a mãe, o que é igualmente aterrador.

O efeito geral de tais experiências é inibir a agressão do indivíduo. O indivíduo esquizoide passa a ter medo de fazer demandas à vida que levariam ao prazer e à satisfação. Abrir-se ao mundo evoca uma vaga sensação de terror. Ele se protege contra esse terror estreitando seu ambiente e restringindo suas atividades. Tive uma paciente que se sentia muito desconfortável quando precisava viajar. Em outros pacientes, isso é experimentado como um pânico ante a ideia de sair na rua sozinho ou fazer uma viagem. Em todos os pacientes esquizoides, o terror está relacionado com um medo de perder o controle, já que isso permitiria a manifestação de impulsos reprimidos que, como no caso de Paul, trazem consigo a possibilidade de resultados catastróficos.

A inibição da agressividade, a restrição da atividade e a necessidade de controle impõem uma rigidez sobre o corpo que limita os gestos autoassertivos. Os impulsos são restringidos e, por fim, a formação dos impulsos se enfraquece. Tendo reprimido seus desejos por medo, o indivíduo esquizoide acaba não sabendo o que quer. A negação do prazer leva a uma rejeição do corpo. Para sobreviver diante do terror, ele amortece seu organismo, reduzindo sua respiração e sua motilidade.

Em vista dessa situação, é fácil compreender que o não envolvimento e a desconexão do indivíduo esquizoide compõem sua defesa contra o terror. Na medida em que ele pode se manter à parte das relações emocionais, consegue evitar o terror que poderia se seguir à irrupção de impulsos reprimidos. Sua rigidez física serve ao mesmo propósito. Mas a desconexão e o isolamento diminuem seu contato com a realidade, minam seu ego e enfraquecem seu senso de identidade. O não envolvimento também priva o indivíduo de satisfações emocionais que sustentam relações normais e fornecem um sentimento interior de bem-estar. Finalmente, a rigidez cria um vácuo e um vazio internos que ameaçam destruir a estrutura esquizoide.

Essa defesa contra o terror requer outra manobra. O indivíduo esquizoide usa "pseudocontatos" e "intelectualizações" para manter o contato com a realidade e sustentar um padrão de comportamento que lembra o normal; isto é, ele interpreta um papel. Esse papel inconsciente lhe confere identidade e um significado para suas atividades. Enquanto o papel puder ser mantido, evita-se o perigo de descompensação ou de colapso no terror e na insanidade. Mas essa manobra também tem suas dificuldades. A interpretação de papéis restringe a base da existência. Uma identidade assumida pode se desintegrar no confronto com o *self* quando se está só. Por essa razão, o esquizoide muitas vezes tem medo de ficar sozinho. Assim, todos os aspectos de sua defesa (e as manobras daí derivadas) tornam o esquizoide vulnerável aos mesmos perigos que eles deveriam evitar.

O comportamento esquizoide difere do comportamento normal em aspectos importantes. Carece das motivações que determinam o comportamento normal; isto é, não é motivado pela busca de prazer, e sim pela necessidade de sobreviver e pelo desejo de escapar da solidão imposta pela desconexão emocional. Apoia-se em racionalizações (as "formulações técnicas" de May), e a interpretação de papéis não deriva de sentimento genuíno. Assim, embora o esquizoide seja capaz de existir, seu comportamento e suas ações têm o aspecto bizarro que associamos com autômatos e criaturas que passam pela vida sem o sentimento de estar vivas.

Seria um erro, no entanto, considerar o indivíduo esquizoide privado de todo sentimento. Por trás de suas defesas reside um anseio intenso por contato real, afeto e amor. Esses desejos não estão totalmente ausentes de sua motivação. Por mais que ele às vezes dê a impressão de autômato, outras vezes parece uma pessoa em dificuldade. Suas ações não só lembram o normal, elas compõem do normal. A diferença com relação ao normal é fundamentalmente de grau. Na medida em que o desejo de prazer e satisfação motiva seu comportamento, ele é normal. Na medida em que reprime esses sentimentos, mas age *como se* eles determinassem seu comportamento, é esquizoide.

A DINÂMICA DA DEFESA ESQUIZOIDE

A defesa esquizoide é um mecanismo de emergência para lidar com um risco à vida e à sanidade. Nessa batalha, todas as faculdades mentais estão envolvi-

O corpo traído

das na luta pela sobrevivência. A sobrevivência depende do absoluto controle e domínio do corpo pela mente. Se a mente relaxar sua vigilância, uma catástrofe pode acontecer. No indivíduo normal, em que não há terror à espreita, o corpo não é imobilizado pela luta pela sobrevivência e está livre para perseguir seu desejo natural de prazer.

Um de meus pacientes viu repetidas vezes, em um teste do Rorschach, a imagem de uma pessoa agarrada à beira de um precipício. Essa visão era uma projeção de sua percepção inconsciente de que ele estava suspenso sobre um abismo, e que, para preservar a vida e a razão, precisava se agarrar com toda a sua força. Também indicava a magnitude do terror contra o qual ele lutava. O esforço físico de se agarrar, literalmente, consumia toda sua energia. Sua melhora foi acompanhada por uma sensação de exaustão e uma necessidade de dormir. Isso indicava que seu estado de perigo havia passado e que ele fora capaz de relaxar pela primeira vez. Na terapia, a exaustão é um dos primeiros sinais de que o paciente está entrando em contato com seu corpo de maneira significativa.

A imobilização do corpo esquizoide resulta numa falta de vivacidade e de reação. O indivíduo esquizoide percebe essa apatia como um "vazio" em seu corpo. Se o estado se agrava, isto é, se há mais perda de sentimento, ele se sente "apartado". Sua mente, como afirmou Jack, sente-se desconectada de seu corpo. Ele se sente fora de si próprio, observando a si mesmo.

A mente e o corpo de um indivíduo normal funcionam como sistemas complementares para aumentar o bem-estar e os sentimentos agradáveis. Quando surge um impulso no corpo, a mente determina seu significado, adapta-o à realidade e regula sua liberação. Em todos os animais superiores nos quais existe a dualidade mente-corpo, a mente funciona para controlar e coordenar o movimento em nome da realidade, ao passo que o corpo fornece o ímpeto, a energia e o mecanismo para a ação. O comportamento em que esse aspecto está integrado tem uma constituição emocional. Começa com um impulso, que então dá origem ao sentimento, ao pensamento e à ação pertinente. Esse tipo de relação mente-corpo é operante em respostas emocionais motivadas pelo desejo de prazer.

No indivíduo esquizoide, cujos impulsos são rigidamente controlados por causa do terror subjacente, há uma ausência de sentimento com base no qual a mente possa agir. No lugar do sentimento, a mente usa o pensamento lógico como motivação para a ação. O corpo se torna um instrumento da

Alexander Lowen

vontade, obedecendo aos comandos da mente. Eu explico essa diferença a meus pacientes da seguinte maneira: normalmente, comemos quando sentimos fome, mas, no estado esquizoide, o indivíduo almoça porque é meio-dia. Embora muitas pessoas que não são esquizoides sejam obrigadas a comer em horários fixos, isso ilustra o princípio para meus pacientes. O indivíduo esquizoide pratica esportes ou faz exercícios para melhorar seu controle sobre o corpo, e não pelo prazer da atividade ou do movimento. Carecendo do poder unificador do prazer, a unidade de sua personalidade é ameaçada. Ele compensa essa carência com um aumento no controle direto da mente sobre o corpo, a qual age por meio da vontade. Por tal mecanismo, os indivíduos esquizoides frequentemente se tornam excelentes dançarinos, atores ou atletas.

No indivíduo normal, além de regular e controlar a ação dos impulsos, a mente pode também, às vezes, comandar o corpo para agir contra seus instintos naturais. Habitualmente, as ações são motivadas pelo desejo para que o prazer e a satisfação derivem da realização de um objetivo. Se a atividade que leva a alcançar um objetivo é uma experiência agradável, o comportamento do organismo é espontâneo, coordenado e aparentemente sem esforço. Mas surgem situações em que a realização de um objetivo exclui a experiência de prazer. A ação diante do perigo, como a de um soldado num campo de batalha, é motivada por outras considerações que não o prazer. O aluno médio faz sua lição de casa por necessidade e não por prazer. Muitas situações requerem um esforço consciente para mobilizar o corpo, isto é, um esforço da vontade em que a mente comanda o corpo para que este aja de maneiras contrárias a seus sentimentos ou desejos espontâneos. O desejo espontâneo de um soldado é evitar o perigo. Ele se obriga a enfrentar o perigo pelo exercício da vontade. O aluno preferiria brincar a estudar, mas é ensinado a se submeter à disciplina da mente.

Há tempos o mundo conhece o caráter único da vontade humana. Expressões como "força de vontade", "vontade de viver" e "onde há vontade há um caminho" dão alguns indícios da natureza da vontade – que funciona como um mecanismo biológico de caráter emergencial quando todos os outros meios falharam. A vontade pode alcançar um objetivo que parece impossível. O incrível poder da vontade humana reside em sua capacidade de contornar o desejo natural de prazer ou segurança e realizar o aparentemente não natural. A vontade atua por meio do controle do ego sobre a musculatu-

O corpo traído

ra voluntária do corpo. Paul usou a vontade para manter sua integridade e combater a tendência de seu corpo a sucumbir à paralisia. Como a vontade é capaz de prevalecer sobre os sentimentos do corpo, é de crucial importância na vida do indivíduo esquizoide.

Quase sempre a vontade ocupa posição secundária ou acessória na economia psíquica. Ainda assim, o fato é que muitas pessoas em nossa cultura são forçadas a usar a vontade em atividades rotineiras. Quantas vezes ouvimos alguém comentar: "Precisei usar toda minha força de vontade para ir trabalhar hoje de manhã". Se isso soa uma declaração esquizoide, deve-se perceber que as condições de trabalho na cultura moderna alienam o indivíduo do processo criativo e lhe negam o prazer e a satisfação de seu esforço produtivo. Trabalha-se nessas condições por necessidade e não por desejo. Arregimentar-se à mecanização e à padronização de um sistema de produção em massa requer um esforço da vontade. Quando esta se torna o principal mecanismo da ação, tomando o lugar do prazer (que seria a força motivadora normal), o indivíduo está agindo de maneira esquizoide.

O indivíduo esquizoide é extremamente voluntarioso – tanto no sentido de ser obstinado e insolente como no de que todas as suas ações são forçadas e determinadas pela vontade. Às vezes ele tem sucesso, mas com mais frequência isso não ocorre. Geralmente, cada esforço da vontade acaba em desespero e impotência. Como observou um dos meus pacientes: "Estou sempre começando uma nova página, mas ela fica amarelada antes de eu conseguir concluir qualquer coisa". O que falta na estrutura esquizoide é confiança no funcionamento natural e espontâneo do corpo. Outro paciente esquizoide me disse: "Não consigo entender como meu corpo continua funcionando por si mesmo. Acho que vai parar a qualquer momento. Fico surpreso de que continue funcionando. Estou sempre com medo de que fuja do controle".

A BARRICADA ESQUIZOIDE

Sem uma base para sua identidade no funcionamento normal do corpo, o indivíduo esquizoide depende da própria vontade para manter a unidade de sua personalidade. Para fazer esse trabalho, a vontade deve estar constantemente ativa. Em consequência, a musculatura está num estado contínuo de contração. A espasticidade dos músculos explica a rigidez característica do corpo esquizoide, que então serve como uma barricada contra o terror. A perda de controle é uma ameaça ao indivíduo esquizoide porque pode engen-

FIGURA 6

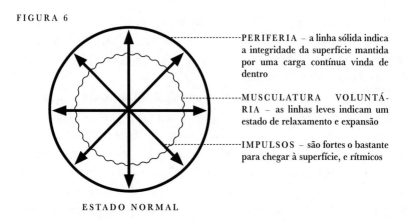

ESTADO NORMAL

drar uma ruptura de sua personalidade, um desmoronamento literal dessa barricada. Em contraste com o esquizoide, o indivíduo normal mantém sua unidade e identidade por meio da força de seus impulsos e sentimentos. A diferença entre os dois estados pode ser comparada num diagrama que relaciona a formação de impulsos com a atividade muscular. A Figura 6 mostra o estado normal; a Figura 7, o estado esquizoide.

No estado normal (Figura 6), os impulsos que se originam no centro do corpo e fluem para a periferia agem como raios de uma roda para manter a totalidade e a integridade do organismo. O fluxo constante de impulsos que procuram prazer por meio da satisfação de necessidades no mundo externo carrega a periferia do corpo, de modo que este está sempre num estado de prontidão emocional para reagir. No corpo vivo, a carga na periferia se manifesta no tônus e na cor da pele, no brilho dos olhos, na espontaneidade dos gestos e no estado relaxado da musculatura corporal.

No estado esquizoide (Figura 7), a formação de impulsos é fraca e esparsa e não alcança a periferia do corpo, que está, portanto, relativamente descarregada. Uma vez que os impulsos não atingem a superfície do corpo com força suficiente para manter sua integridade, ocorre uma contração da musculatura voluntária para manter o corpo unido como um repositório rígido e evitar o colapso ameaçado pelo vazio interior. A carga reduzida na periferia do corpo esquizoide resulta na maior permeabilidade das membranas superficiais aos estímulos externos, o que explica a hipersensibilidade apresentada pela maioria desses indivíduos. Necessariamente, o contato com o ambiente externo é tênue e a ação sobre o mundo para obter satisfação, ineficaz. A

FIGURA 7

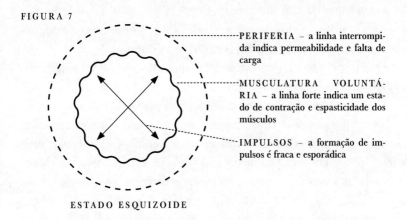

ESTADO ESQUIZOIDE

contração crônica dos músculos profundos é responsável pelo estreitamento do corpo que lhe dá a típica aparência astênica.

A imobilização da musculatura corporal no estado esquizoide tem duplo significado. De um lado, é uma defesa contra o terror e um meio de manter certa unidade na personalidade. De outro, é uma expressão direta do terror, já que representa a atitude física de alguém que está petrificado de medo. Paul não conseguia perceber essa característica em seu corpo porque era incapaz de reagir emocionalmente. Enquanto se mantivesse petrificado, o terror estaria escondido, como um esqueleto num armário fechado. Ele precisou relaxar e sair para que essa percepção se tornasse possível. Somente por meio da experiência do terror e de sua resolução nos temores que o compõem havia alguma esperança de melhora significativa em sua personalidade.

O colapso da rigidez esquizoide submeteria o indivíduo a uma crise esquizofrênica. Tal colapso provoca uma perda das fronteiras do ego e a destruição da unidade e da integridade inerentes à personalidade. Isso não acontece ao indivíduo normal. Uma vez que se faça um contato intenso com a realidade externa, esse contato age a fim de sustentar a vivacidade periférica. Essa diferença é ilustrada nas reações desses dois tipos à tensão excessiva. Sabe-se que, condicionada a estresse significativo, a estrutura esquizoide pode ceder, produzindo um surto psicótico agudo. No indivíduo normal, por outro lado, o colapso que ocorre devido a estresse insuportável em geral acontece nos tecidos e órgãos do corpo e resultam em doença somática, não em doença mental. Ao que parece, as forças que unem a mente ao corpo são diferentes nos dois casos. Podemos comparar esses fenômenos à ação de certos tipos de cola. Algumas

Alexander Lowen

são tão fortes que, quando uma ruptura é forçada, é a superfície que cede e não a substância adesiva. Outras, como a cola de contato, permitem que os objetos unidos sejam separados sem que se perturbe sua estrutura.

Que forças unem a personalidade no indivíduo normal e no indivíduo esquizoide? Na pessoa normal, corpo e mente são ligados pela função integrativa do prazer, ou seja, pela capacidade de sentir prazer. Uma vez que o prazer é um princípio do corpo, a mente que antecipa o prazer afirma sua identidade com o corpo no nível mais profundo da experiência. A capacidade de sentir prazer também garante que um fluxo constante de impulsos chegue ao mundo em busca de satisfação. Na ausência dessa função, os impulsos são errantes e infrequentes. O indivíduo esquizoide, portanto, depende de sua vontade para cimentar a mente ao corpo. Mas a vontade, embora dura como o ferro, é frágil, ao passo que o prazer é flexível e penetrante. Age como a seiva na árvore viva para dar força e elasticidade.

A ideia de que há dois mecanismos diferentes para manter a unidade da personalidade sugere que pode haver certa lógica no conceito de que as doenças somáticas e as doenças mentais tendem a ser mutuamente excludentes e antitéticas, e que, em linhas gerais, um indivíduo é predisposto a um tipo ou a outro, mas não a ambos ao mesmo tempo. Em situação de estresse insuportável, pode-se esperar que essas duas forças unificadoras cedam, com resultados diferentes. Quando as funções de prazer se desintegram, em geral podemos esperar doenças somáticas, ao passo que a desintegração da vontade produz doenças mentais. Desse modo, antecipamos um intercâmbio de sintomas, dependendo do estado de funcionamento do organismo como um todo. Leopold Bellak comenta sobre esse mesmo fenômeno: "A baixa incidência de distúrbios alérgicos em psicóticos, e o retorno de queixas alérgicas após melhora e recuperação, é provavelmente um dos exemplos mais bem documentados de tal intercâmbio".[18]

Minha experiência clínica é de que os esquizofrênicos raramente manifestam sintomas de um resfriado comum; quando o fazem, considero isso um sinal de melhora clínica. Também é bem documentado que estados de agitação e excitação emocional intensa podem aliviar males físicos em indivíduos normais. Um exemplo é o efeito do choque emocional sobre a artrite reumatoide. A remissão da doença devido a choque emocional foi uma das observações que levaram ao uso de cortisona no tratamento desse problema. A cortisona tem ação similar à dos corticosteroides que são produzidos pela glândula adrenal em situações de estresse ou choque.

O corpo traído

O intercâmbio dos sintomas é ricamente ilustrado no caso a seguir, de um paciente esquizofrênico que tratei durante vários anos. No decurso da terapia, a maior parte de suas tendências e manifestações esquizofrênicas foi consideravelmente reduzida. Em certo momento, após o que considerei ter sido uma melhora significativa, o paciente desenvolveu um câncer epidermoide na ponta do nariz. Na verdade, ele estivera ciente do tumor por algum tempo, mas o havia ignorado. O paciente tinha um histórico de tratamentos de raio-X no rosto para acne, muitos anos antes. No entanto, a aparição do câncer nesse momento particular da terapia pareceu significativa para mim. Talvez, quando sua fuga para a psicose a fim de se afastar da realidade foi impedida pela exploração analítica dos mecanismos esquizofrênicos, ele tenha tentado se afastar da vida desenvolvendo um câncer. Essa interpretação foi aceita pelo paciente e se mostrou útil para sua terapia. Uma cirurgia foi realizada com sucesso, o que o levou a comentar: "Acho que cortei meu nariz para machucar meu rosto". Depois da cirurgia, no entanto, o paciente fez um grande avanço rumo à construção de uma personalidade estável.

Não quero afirmar que as doenças físicas não ocorrem entre esquizofrênicos ou que a esquizofrenia não pode se desenvolver na presença de doenças somáticas. Estamos lidando com tendências que, ainda que sejam mutuamente excludentes como postulados teóricos, o são apenas relativamente na vida real. Seria possível supor que, uma vez que o ego é ancorado na realidade, não pode ser desalojado facilmente.

A RETIRADA ESQUIZOIDE

O indivíduo esquizoide se defende do terror e da insanidade por meio de duas estratégias de defesa. A mais comum, como vimos, é uma rigidez física e psicológica que serve para reprimir o sentimento e manter o corpo sob o controle do ego. É estruturada para suportar insultos do mundo exterior na forma de rejeição e desapontamento. É uma fortaleza dentro da qual o esquizoide vive na relativa segurança da ilusão e da fantasia.

Mas nem todos os indivíduos esquizoides apresentam essa rigidez característica. Muitos, inclusive Barbara, cujo caso foi apresentado no Capítulo 1, mostram em sua estrutura corporal uma flacidez superficial ou falta de tônus muscular, e não rigidez. A formação de impulsos é ainda mais reduzida – a tal ponto que o corpo parece mais morto do que vivo, a carga periférica é extremamente baixa e a pele mostra-se pálida ou descorada. Logicamente, tal

Alexander Lowen

estado se seguiria ao colapso da defesa rígida e levaria à esquizofrenia. No entanto, no caso de Barbara, pode-se postular que um colapso ocorreu na primeira infância, antes que uma defesa rígida fosse estruturada por sua personalidade. Barbara se entregou antes que conseguisse lutar.

Para explicar uma personalidade que permanece sã, mas cuja estrutura corporal revela colapso, é necessário que o conceito da defesa esquizoide contra o terror seja ampliado para além da noção de rigidez. Quando o terror é extremo, uma manobra mais desesperada se faz necessária. O que poderia ser mais apavorante do que retratar a si mesmo como vítima de um sacrifício humano? Os sentimentos que essa imagem evoca seriam suficientes para fazer alguém perder a cabeça. Mas Barbara e outros pacientes conviveram com esse terror e não enlouqueceram. Eles preservaram sua sanidade acreditando na necessidade e no valor do sacrifício. Desistiram de seu corpo e aceitaram sua morte simbólica – mas, com essa ação, roubaram do terror sua pungência. Um corpo que carece de todo sentimento já não pode ficar assustado ou chocado.

Assim, as duas manobras pelas quais o esquizoide se defende podem ser assim descritas: (1) a barricada rígida; (2) a retirada do campo de ação. Na retirada, o indivíduo esquizoide entrega a maioria de seus soldados (seu tônus muscular) e perde a capacidade de revidar, embora mantenha o controle do resto de sua personalidade. Pode ser comparado a um general sem exército, mas está em situação muito melhor do que um exército no caos sem um general. O estado esquizofrênico é um de caos em que cada faculdade da personalidade abandona as demais. A retirada esquizoide é uma manobra para evitar uma debandada.

Tanto na rigidez esquizoide como na retirada esquizoide, a defesa contra a insanidade é a capacidade da mente racional de sustentar a função do indivíduo na sociedade em todas as situações. Na rigidez esquizoide, a mente age por meio da vontade. Na retirada esquizoide, a vontade é inoperante, mas a mente une forças com o inimigo para evitar uma derrota final. Barbara fez isso ao se identificar com seu demônio. Sem vontade nenhuma de lidar com o perigo, ela evitou o desastre sendo submissa em todas as situações. Essa submissão era tolerável, já que podia ser racionalizada como um sacrifício em nome da sobrevivência.

Em geral, essas duas manobras de defesa são mutuamente excludentes. O indivíduo que dedicou todas as suas energias à barricada rígida não pode se retirar se sua defesa for destruída. Seu ego carece de flexibilidade para racio-

O corpo traído

nalizar uma derrota, e o colapso de sua resistência poderia levar a um surto psicótico. O indivíduo esquizoide cuja defesa se baseia na retirada e no sacrifício perdeu a possibilidade de tomar posição. Uma retirada posterior se torna impossível e, se exigida, ocorrerá a descompensação para a esquizofrenia. Entretanto, essas duas manobras de defesa estão relacionadas uma com a outra, lógica e historicamente. A rigidez esquizoide, por certo, é uma defesa contra o colapso, ao passo que a retirada deriva do colapso de uma resistência prévia. Historicamente, pode-se mostrar que a manobra esquizoide da retirada e do sacrifício se desenvolveu em tenra idade na criança, após um esforço malsucedido de erigir uma defesa rígida contra o impacto da hostilidade parental.

COLAPSO E ESQUIZOFRENIA

Uma vez que a defesa esquizoide serve para manter impulsos reprimidos sob controle, ela depende de um grau de controle que sobrecarrega a tolerância do indivíduo. Em consequência, muitas forças podem perturbar o equilíbrio esquizoide e provocar um episódio psicótico. Não é sua defesa que protege a pessoa esquizoide de um colapso nervoso, e sim a quantidade de saúde que persiste em sua personalidade. Vejamos algumas das situações comuns que podem produzir um colapso numa estrutura esquizoide.

1. Muitas vezes, um surto psicótico agudo é provocado pelo uso de determinada droga que, temporariamente, impede a mente de exercer controle sobre o corpo. A mescalina e o LSD funcionam dessa maneira. Sob influência dessas drogas alucinógenas, o contato direto com o corpo é rompido. As sensações e fantasias que inundam a mente esquizoide muitas vezes produzem um sentimento de terror tão avassalador que abala o ego. Recordemos que Jack ficou chocado com sua experiência com mescalina. O perigo do LSD no tratamento de esquizofrênicos limítrofes é hoje reconhecido.

2. Falta de sono, como Paul Federn assinalou[19], é outro fator que pode causar um surto psicótico em indivíduos predispostos. Demonstrou-se que a privação de sono produz fenômenos alucinógenos até mesmo em indivíduos normais. A falta de sono enfraquece o controle da mente sobre o corpo. Um colapso pode ocorrer num indivíduo esquizoide que passa as noites estudando para provas.

3. Situações emocionais com as quais o indivíduo esquizoide não é capaz de lidar podem levar a um colapso. Sabe-se que os pacientes esquizoides

Alexander Lowen

desmoronam diante de um casamento iminente, uma crise financeira ou após o nascimento de um filho. Uma das minhas pacientes tentou suicídio depois de ser rejeitada por um jovem.

4. Períodos críticos da vida: adolescência e menopausa. A adolescência, caracterizada pelo aumento dos impulsos sexuais, é um período particularmente difícil para a personalidade esquizoide. De fato, a esquizofrenia já foi chamada demência precoce porque ocorria com mais frequência no início da vida adulta. A menopausa é outro período em que os ajustes inadequados do ego colapsam sob o impacto de emoções fortes, muitas vezes lançando o indivíduo numa crise emocional.

Um colapso nervoso é uma perda de controle sobre sentimentos e comportamentos. Suas manifestações diferem, no entanto, de um paciente para outro. Em alguns, aparecem como confusão e ansiedade avassaladoras. Outros se tornam extremamente destrutivos e precisam ser contidos. Outros, ainda, desenvolvem ilusões paranoicas. E alguns se tornam cada vez mais retraídos e apáticos. Cada um reage de acordo com a dinâmica de sua estrutura de personalidade, isto é, de acordo com a força relativa dos impulsos reprimidos e das defesas erigidas contra eles. Em todos os casos, a experiência contém elementos comuns que mostram que um processo similar está atuando. Esses elementos são:

1. Confusão e sentimentos de ansiedade que beiram o terror.
2. Estranhamento – um estado de irrealidade parcial em que a pessoa não sabe dizer se está sonhando ou acordada. Nessa situação, ela se belisca para saber a diferença. O estranhamento ocorre quando a pessoa é oprimida por sensações.
3. Despersonalização – a perda do sentimento de *self*.
4. Finalmente, esquizofrenia – retração e regressão para níveis infantis ou arcaicos de funcionamento como meio de sobrevivência.

A pessoa que passa por um colapso não está ciente de que sentimentos reprimidos romperam suas defesas. Tal consciência requereria um autoconhecimento e uma força egoica que o esquizoide não tem. Quando ele os adquire por meio de terapia, está em posição de liberar a repressão sem riscos para si mesmo ou para outros. O incidente que desencadeia o colapso pode ser quase insignificante. Se as condições forem adequadas, age como o pavio que deto-

O corpo traído

na a dinamite. O resultado catastrófico só pode ser explicado em termos do terror que está enterrado em sua personalidade. É só com base nisso que podemos entender os passos extremos que a pessoa dará se o terror continuar.

O estado esquizofrênico é uma negação da realidade. Se a negação for completa, o terror desaparece. Visto que um aspecto de seu terror é o medo de ser destruído, o estado do esquizofrênico é um refúgio. Ele dificilmente pode ser destruído se não está "aqui", isto é, se não existe no tempo e no espaço presentes. Ele não pode ser punido se não é ele mesmo, ou seja, se na verdade é Napoleão, Jesus Cristo ou algum deus disfarçado. Por outro lado, se seu terror deriva de seu medo de destruir outra pessoa, então um mecanismo paranoide remove esse medo. Ele não tem motivo para se repreender, pois, por meio de uma ilusão paranoide, está convencido de que outros estão tramando para destruí-lo. É incrível a pouca ansiedade que o indivíduo paranoide demonstra ao relatar sua história de perseguições imaginadas. Finalmente, não sentir e não pensar dissipam todo temor.

4. O corpo abandonado

A POSSE DE SI

Há algo na aparência física do indivíduo insano que nos chama a atenção como sendo estranho ou bizarro. Sentimos que ele está fora de contato com as coisas à sua volta. Essa impressão é causada por certos sinais físicos que distinguem os esquizofrênicos dos normais.

Algum tempo atrás, atendi em meu consultório uma moça que se encontrava em nítido estado psicótico. Sua cabeça pendia para um lado, como se o pescoço estivesse dobrado em certo ângulo. Seu olhar era perturbado e aflito. Seu rosto tinha uma expressão de medo e agonia. Ela puxava os cabelos com ambas as mãos, gemia e murmurava. Sua fala era desarticulada, e eu não consegui entendê-la. Senti, no entanto, que ela entendia o que eu estava dizendo.

Ela era paciente de um dos meus colegas, que, naquele momento, estava atendendo uma ocorrência no hospital. Embora não tivesse consulta marcada comigo, seu desespero a levou ao meu consultório. Ela não se acalmava e resistia forçosamente a toda tentativa de ser tranquilizada. Continuava a gemer e a puxar os cabelos. Quando seu médico foi contatado, ele falou com ela por telefone, e ela ficou mais tratável. Finalmente, o médico chegou e colocou fim ao episódio, pois conseguiu acalmá-la e levá-la para casa.

A aparência dessa moça indicava uma perturbação tão evidente que bastou um olhar para revelar o diagnóstico. No entanto, nenhum diagnóstico de esquizofrenia deve se basear unicamente no estado de agonia e tormento do indivíduo, pois se sabe que emoções agonizantes similares podem ocorrer em reação a um acontecimento trágico. Por exemplo, uma mãe poderia reagir de modo parecido à morte de um filho. Ela poderia gemer, puxar os cabelos e recusar-se a se mover. A agonia e o tormento do insano não são menos reais porque não estamos cientes do motivo de seu sofrimento. As duas situações diferem, é claro, quanto aos fatores causais. No caso da mãe, a angústia é relacionada e proporcional a uma causa conhecida e aceita; o comportamento de um indivíduo insano parece desproporcional às tensões aparentes de sua situação imediata. O observador não consegue perceber a causa de suas ações; e o indivíduo insano, conhecendo a causa ou não, é incapaz de comunicá-la para nós.

A situação oposta também pode existir na insanidade. A causa talvez seja conhecida ou visível, mas a reação do indivíduo psicótico parece não ter relação nenhuma com ela. O exemplo mais simples é a falta de reação a uma perda ou dano óbvio, como no caso de um pai esquizofrênico que mata um filho, mas não mostra tristeza. Portanto, a falta de reação significativa aos acontecimentos da situação externa é um indício aceito de que "algo está fora do lugar".

Quando dizemos que o psicótico está fora de contato com a realidade, não necessariamente queremos dizer que ele não tem consciência do que está acontecendo à sua volta. O catatônico, por exemplo, tem plena consciência do que alguém diz ou faz a ele. E a moça do exemplo anterior, tenho certeza, sabia o que eu estava fazendo e ouviu minhas perguntas. Eu lhe perguntei o que a estava perturbando. Mas ela não foi capaz de responder a essa pergunta. Estava reagindo a uma situação dentro de si mesma, isto é, a certos sentimentos e sensações corporais que ela não entendia e lhe eram avassaladores. Não é uma questão de intensidade do sentimento. O pesar de uma mãe que acabou de perder um filho seria igualmente intenso. Ela também poderia ignorar temporariamente o ambiente à sua volta, mas seria capaz de descrever seus sentimentos e de relacioná-los com uma causa imediata.

O indivíduo psicótico está fora de contato com seu corpo. Ele não percebe os sentimentos e sensações em seu corpo como próprios/provenientes deste. São forças alheias e desconhecidas que agem sobre ele de maneira misteriosa. Portanto, ele não consegue apresentá-las a nós como explicações significativas de seu comportamento. Ele se sente apavorado, e seu comportamento expressa esse sentimento, mas ele não consegue relacioná-lo com um acontecimento específico.

O esquizofrênico age como se estivesse "possuído" por alguma força estranha sobre a qual não tem controle. Antes do advento da psiquiatria moderna, era habitual considerar que esses indivíduos estivessem "possuídos por demônios", motivo pelo qual deveriam ser punidos. Nós rejeitamos essa explicação para sua doença, mas não conseguimos evitar a impressão de que o esquizofrênico está "possuído". Independentemente da expressão externa do

O corpo traído

psicótico – seja cômica, trágica, delirante ou retraída –, essa impressão está sempre presente. Ainda serve como um valioso indício da doença para o observador de hoje.

É significativo que usemos o conceito de "possessão" (ou "posse") em nossa língua para designar a sanidade. Descrevemos uma pessoa como estando "de posse de si mesma" ou "de posse de suas faculdades", ou, contrariamente, dizemos que ela "perdeu a posse de si mesma". A posse, nesse sentido, se refere, é claro, ao controle do ego sobre as forças instintivas do corpo. Quando a posse é perdida, essas forças estão fora do controle do ego. No indivíduo psicótico, o ego se desintegrou a tal ponto que pode ser comparado a um estado de anarquia em que a pessoa não sabe o que está acontecendo e fica apavorada por causa disso. Por outro lado, a perda de controle que ocorre num surto histérico pode ser comparada com uma rebelião. Sabemos que a autoridade do ego logo será restaurada e que as emoções rebeldes serão controladas. A posse de si pode ser medida pela capacidade da pessoa de reagir corretamente às situações cotidianas. O esquizofrênico carece totalmente dessa capacidade. E, no indivíduo esquizoide, a capacidade de reagir é prejudicada pela rigidez de seu corpo.

A MÁSCARA ESQUIZOIDE

A primeira característica que o observador pode considerar estranha no que concerne à aparência do indivíduo esquizofrênico ou esquizoide é o olhar. Seus olhos são descritos como "vazios", "vagos", "alheios" etc. Essa expressão é tão característica que, por si só, pode ser usada para diagnosticar a presença de esquizofrenia. Diversos autores comentaram sobre ela. Wilhelm Reich, por exemplo, afirma que tanto a personalidade esquizofrênica como a esquizoide "têm um típico olhar *distante*, de afastamento. O psicótico parece olhar através de nós, de um modo ausente, porém profundo, como se olhando para um olhar muito distante"[20]. Esse olhar especial nem sempre está presente. Em outros momentos, os olhos simplesmente parecem vazios. Reich observou que quando as emoções transbordam no esquizofrênico, seus olhos como que "desligam".

Silvano Arieti se refere a um "olhar ou expressão estranha nos olhos", que ele atribui a muitos observadores. Ele próprio descreve uma retração da pálpebra superior que faz os olhos ficarem arregalados, e relaciona isso com a expressão de "espanto e retraimento" comum nos esquizofrênicos. Arieti

Alexander Lowen

também comenta a chamada "loucura" oriunda da falta de constrição e convergência normais nos olhos de alguns esquizofrênicos.[21] Acredito que esse olhar constitui uma expressão de terror que pode ser interpretada como loucura porque não está relacionada com uma causa conhecida. Mais comumente, vemos o olhar "distante" que Reich descreve ou uma expressão de medo e perplexidade. O denominador comum em todos os casos, no entanto, é a incapacidade do esquizofrênico de focar os olhos em outra pessoa *com sentimento*. Seus olhos podem estar arregalados de medo, mas ele não olha para nós com medo; podem estar cheios de raiva, mas esta não se dirige a nós. Ficamos desconfortáveis na presença de um indivíduo nesse estado porque sentimos nele uma força impessoal que poderia irromper e nos destruir sem sequer reconhecer nossa existência.

Um dos meus pacientes, cujos olhos ficaram vidrados quando ele entrou num estado catatônico, mais tarde me disse ter visto tudo o que aconteceu.

Embora parecesse estar "longe", ele viu minha mão quando eu acenei. A função mecânica da visão estava intacta; a luz que entrava em seus olhos agia sobre sua retina da mesma maneira que age sobre o filme sensível de uma câmera. Quando o paciente saiu da catatonia, seus olhos perderam o aspecto vidrado e recuperaram uma aparência mais normal. A experiência catatônica desse paciente ocorreu depois de um exercício de socar o divã ao mesmo tempo em que dizia "Não!" O exercício evocou sentimentos com os quais o paciente não conseguia lidar e aos quais ele reagiu "amortecendo" a si mesmo. Seu amortecimento aparente foi uma defesa contra sua raiva. Ele suprimiu essa raiva afastando-se de praticamente todo contato com o mundo exterior; o afastamento produziu o aspecto vidrado em seus olhos.

A impressão subjetiva de que o esquizoide é incapaz de fazer contato visual é o aspecto mais perturbador de sua aparência. Não sentimos que ele olha para nós ou que seus olhos nos tocam, e sim que ele nos encara com olhos que veem, mas não sentem. Por outro lado, quando seus olhos focam em nós, conseguimos identificar o sentimento neles; é como se nos tocassem.

Ortega y Gasset faz uma análise interessante da função da visão em seu ensaio "Ponto de vista nas artes". Ele observa:

A visão próxima tem uma qualidade tátil. Que misteriosa ressonância do tato é preservada pela vista quando esta converge sobre um objeto próximo? Por ora, não tentaremos adentrar esse mistério. É suficiente reconhe-

O corpo traído

cermos essa densidade quase tátil do globo ocular, que lhe permite, com efeito, abraçar, tocar o vaso de barro. Quando o objeto é retirado, a vista perde sua capacidade tátil e, pouco a pouco, torna-se pura visão.[22]

Outra maneira de descrever a perturbação nos olhos do esquizofrênico é dizer que ele "vê, mas não olha". A diferença entre ver e olhar é a mesma entre passividade e atividade. Ver é uma função passiva. De acordo com o *Webster's new international dictionary*, ver se refere à faculdade da visão "na qual o elemento de atenção não é enfatizado". Olhar, por outro lado, é definido nesse dicionário como "dirigir os olhos ou a visão de certa maneira, com certo propósito ou sentimento". Como o esquizofrênico não consegue dirigir sua visão com sentimento, ele carece da plena posse dessa faculdade ou do controle normal dessa função corporal. A posse de si está limitada.

Olhamos para os olhos das pessoas para saber o que elas sentem ou perceber como reagem a nós. Estão felizes ou tristes, bravas ou contentes, assustadas ou relaxadas? Como os olhos do esquizoide não nos contam nada, sabemos que ele reprimiu todo sentimento. Ao tratar esses pacientes, presto muita atenção a seus olhos. Quando eu os atinjo emocionalmente, isto é, quando eles reagem a mim como um ser humano, seus olhos se acendem e entram em foco. Isso também acontece espontaneamente quando um paciente ganha mais sentimento em seu corpo em consequência da terapia. A cor de seus olhos fica mais vívida, e eles parecem mais vivos. Seu aspecto vago ou vazio é, portanto, uma expressão da relativa falta de vivacidade da personalidade como um todo. A receptividade, ou a falta dela, nos olhos do paciente esquizoide me dá um indício mais claro do que está acontecendo com ele do que qualquer comunicação verbal. Mais do que qualquer outro sinal isolado, a expressão nos olhos de uma pessoa indica em que medida ela está "de posse de suas faculdades".

Todos sabemos que os olhos revelam inúmeros aspectos da personalidade. Os olhos de um fanático ardem com o fogo do fanatismo, e os de um apaixonado cintilam com o calor de seu sentimento. O brilho nos olhos de uma criança reflete seu interesse pelo mundo; a opacidade que pode aparecer nos olhos de um idoso indica que esse interesse talvez tenha desaparecido. Os olhos são as janelas do corpo. Embora não necessariamente revelem o que o indivíduo está pensando, sempre mostram o que ele está sentindo. Como janelas, podem estar fechados ou abertos, opacos ou límpidos.

Se pais, educadores e médicos olhassem (dirigissem sua visão com sentimento) para os olhos das crianças, a tragédia da criança esquizoide que não é compreendida poderia ser parcialmente evitada.

No indivíduo esquizoide, a incapacidade de focar deriva de sua ansiedade com relação aos sentimentos que seriam comunicados por seus olhos. Ele tem medo de deixar que estes expressem medo ou raiva ativamente, porque isso o tornaria consciente desses sentimentos. Olhar com sentimento é estar ciente deste. A supressão do sentimento requer que os olhos se mantenham vazios ou distantes. A falta de expressão nos olhos, como a falta de responsividade no corpo, é parte da defesa esquizoide contra o sentimento. No entanto, quando o sentimento rompe a defesa e inunda o ego, os olhos "desligam", como apontou Reich, ou o medo e a raiva jorram deles caoticamente, sem foco nem direção, como no caso da moça esquizofrênica no meu consultório. Desse modo, quer os olhos tenham a aparência "distante" ou uma expressão de terror ou fúria insana e não direcionada, denotam esquizofrenia. Olhos vagos e distantes indicam um estado esquizoide.

Quando passamos dos olhos à expressão total do rosto, outros sinais da perturbação esquizoide são observados. O mais importante é uma ausência de expressão facial, similar à falta de sentimento nos olhos. Afirma-se que o rosto esquizoide tem um aspecto de máscara. Carece da representação normal de sentimentos que faz o rosto saudável parecer vivo. A máscara assume várias formas: pode mostrar o espanto do palhaço, a inocência ingênua da criança, o olhar conhecedor do sofisticado, a soberba do aristocrata. Seu traço característico é um sorriso "fixo", do qual os olhos não participam. Esse sorriso esquizoide típico pode ser reconhecido pelos seguintes aspectos: (1) é invariável; (2) é impróprio; (3) não está relacionado com um sentimento de prazer. Pode ser interpretado como uma tentativa de aliviar a tensão do rosto mascarado quando surgem sentimentos que o esquizoide não consegue expressar ou comunicar. O sorriso esconde e nega a existência de qualquer atitude negativa. Hervey Cleckley se refere a essa expressão esquizoide como "máscara da sanidade".[23]

Por trás da máscara do sorriso fixo e do olhar de conhecedor, pode-se discernir no rosto esquizoide uma expressão que eu descreveria como cadavérica. Ela lembra uma caveira ou a própria morte. Em alguns casos, só pode ser vista se exercermos uma pressão contínua com os polegares sobre os ossos das maçãs do rosto de ambos os lados do nariz. Sob essa pressão, o sorriso fixo

O corpo traído

desaparece, os ossos faciais se destacam, o rosto perde a cor e os olhos parecem órbitas vazias. É uma expressão fantasmagórica que nos chama a atenção porque faz lembrar a morte. O paciente não tem consciência dessa expressão, uma vez que está oculta sob a máscara, mas sua presença é outra medida da intensidade de seu medo. Seria correto afirmar que o indivíduo esquizoide está literalmente "morto de medo". Essa expressão também aparece nos desenhos de figuras humanas feitos por alguns pacientes, como mostram as Figuras 2 e 13.

A máscara esquizoide não pode ser removida pela força da vontade. A expressão facial do esquizoide está congelada por um terror subjacente, e a máscara é sua armadura contra esse terror. A máscara também permite que ele apareça ante o mundo sem causar a reação de choque que sua expressão cadavérica provocaria. Para remover a máscara, é preciso abrandar o "rigor mortis", trazer à consciência o medo e o terror e afrouxar o controle sobre a personalidade.

Kretschmer apresenta a questão que deve desafiar a mente de qualquer pessoa que tenha tido contato com a personalidade esquizoide. "O que há lá no fundo, sob todas essas máscaras?", ele pergunta. "Talvez não haja nada, um nada escuro e vazio – uma anemia afetiva".[24] E prossegue: "Não sabemos o que eles sentem: às vezes, eles mesmos não sabem, ou só têm uma vaga ideia". Se perguntarmos ao indivíduo esquizoide o que ele sente, a resposta mais comum é: "Nada. Eu não sinto nada". Mas quando, no decurso da terapia, ele permite que seus sentimentos venham à tona, revelará que tem os mesmos desejos e vontades que qualquer outra pessoa, e que estes sempre estiveram presentes. Sua máscara e sua negação de sentimento são uma defesa contra seu terror e sua raiva, mas também servem para suprimir todos os seus desejos. Ele acredita que não pode se permitir sentir ou querer, já que isso o tornaria vulnerável a alguma catástrofe, rejeição ou abandono. Se não queremos nada, não podemos nos machucar.

Às vezes, quando o paciente esquizoide está fora de controle e oprimido por seus sentimentos interiores, sua expressão facial se torna tão distorcida que parece inumana. Quando ele permite que surja um sentimento de raiva, ou quando adota a expressão facial da raiva, seu rosto frequentemente parece demoníaco. O que vemos não é raiva, mas os olhos escuros e o cenho franzido de uma fúria assustadora. No esquizofrênico que apresenta regressão e retraimento, o rosto e a cabeça muitas vezes parecem uma carranca. Em outros, o rosto parece derreter, e um sorriso infantil é esboçado pela boca – sem, no entanto, envolver os olhos.

Essa dissociação entre o sorriso na boca e a falta de expressão nos olhos é típica da personalidade esquizoide. Eugen Bleuler definiu a divisão na expressão facial do esquizofrênico da seguinte maneira: "A mímica carece de unidade – o cenho franzido, por exemplo, expressa algo como surpresa; os olhos, com suas pequenas rugas, dão a impressão de risada; e os cantos da boca podem estar voltados para baixo, como na tristeza. Muitas vezes, a expressão facial parece exagerada e extremamente melodramática"[25].

Outro traço característico do rosto esquizoide é o maxilar rígido. Este está invariavelmente presente. Junto com o sorriso fixo, cria uma acentuada falta de coordenação entre as partes inferior e superior do rosto. O maxilar rígido exprime uma atitude de desafio que contradiz o olhar vago ou assustado. A rigidez do maxilar ajuda a impedir que qualquer sentimento de medo ou terror se manifeste nos olhos. Com efeito, o esquizoide está dizendo: "Não vou sentir medo".

Descobri que é quase impossível para o paciente mobilizar uma expressão consciente em seus olhos antes que a tensão seja reduzida de maneira considerável. Isso quase sempre acontece quando o paciente se entrega a seus sentimentos de tristeza e chora.

Se observarmos o choro de um bebê, veremos que começa com um tremor no queixo. O queixo recua, a boca se abre e o maxilar cai quando o bebê se entrega à liberação convulsiva do sentimento no choro. A rigidez do maxilar esquizoide inibe essa liberação. Funciona, portanto, como uma defesa geral contra todo sentimento.

Uma interpretação dinâmica da tensão na cabeça do indivíduo esquizoide me foi sugerida por uma breve monografia não publicada sobre o reflexo de rosnar.[26] Em geral, o paciente esquizoide não consegue rosnar, isto é, não consegue dobrar o lábio superior e mostrar os dentes. Os indivíduos normais consideram fácil fazer esse gesto. A dificuldade do esquizoide deve-se à imobilização da metade superior do rosto, estendendo-se por sobre o crânio até a região da nuca, na junção da cabeça com a parte de trás do pescoço. Esses músculos da nuca estão extremamente contraídos no estado esquizoide. Podemos avaliar a tensão envolvida se assumirmos uma expressão exagerada de susto: arregalando os olhos, erguendo as sobrancelhas e jogando a cabeça para trás. Então, sentimos os músculos na base do crânio se contraírem. Ros-

O corpo traído

nar e morder requerem uma direção de movimento exatamente oposta à que ocorre no susto. Ao morder, a cabeça é trazida para a frente, para que os dentes superiores inflijam a mordida enquanto os inferiores seguram o objeto. Como o esquizoide está petrificado no estado de terror, não consegue executar esse movimento nem fazer o gesto de rosnar.

A inibição do indivíduo esquizoide para rosnar e morder está relacionada com uma profunda perturbação oral que também se manifesta em sua relutância em fazer movimentos de sucção com a boca. Essa perturbação oral deriva de um conflito infantil com uma mãe que não pôde satisfazer as necessidades eróticas orais da criança. A frustração do bebê leva a impulsos de morder, aos quais a mãe reage com tal hostilidade que a criança não tem alternativa senão suprimir seus desejos orais e reprimir sua agressão oral.

RIGIDEZ CORPORAL, FRAGMENTAÇÃO E COLAPSO

Outra descoberta comum no corpo esquizoide é a falta de alinhamento entre a cabeça e o resto do corpo. A cabeça muitas vezes é carregada a um certo ângulo do tronco, inclinada para a esquerda ou para a direita. Esse é outro indício da dissociação entre a cabeça e o corpo, mas eu nunca entendi totalmente a razão para essa posição da cabeça até que um paciente fez a observação a seguir. Ele estava numa entrevista, sob considerável pressão emocional. De repente, sua visão ficou turva e os objetos pareceram perder a forma. Quando ele inclinava a cabeça para um lado, sua visão clareava. Se tentasse manter a cabeça reta, a perturbação voltava a ocorrer. Ele conseguiu passar por toda a entrevista apoiando a cabeça sobre a mão. A explicação provável para esse fenômeno é que a posição inclinada da cabeça lhe permitiu usar um olho, o olho dominante, para a visão, e evitar a dificuldade de convergência e acomodação requerida quando ambos os olhos tentam focar um objeto.

A rigidez e a tensão também caracterizam o restante do corpo esquizoide. Quase sempre vemos uma rigidez no ombro e no pescoço, que parece estar relacionada com uma atitude de soberba e retraimento. Interpreto essa expressão como uma atitude de "estar acima disso", isto é, acima do corpo e dos sentimentos e desejos corporais. Essa atitude se torna generalizada; a pessoa parece estar acima dos outros ou dos prazeres corporais da vida. A soberba se manifesta mais claramente em pacientes que têm um pescoço longo e fino que parece se separar da cabeça e do resto do corpo. Nesses casos, os ombros estão caídos, acentuando a separação. Em outros casos, os ombros

Alexander Lowen

estão elevados, como se o paciente estivesse tentando se sustentar pelos ombros. Em consequência da rigidez das escápulas, os braços pendem como se fossem apêndices, em vez de extensões de um organismo unificado.

A rigidez esquizoide não é igual à rigidez do neurótico compulsivo, a qual deriva de uma tensão que contém forte carga emocional. O neurótico é frustrado e furioso; o esquizoide é aterrorizado por uma raiva reprimida. A estrutura corporal do indivíduo neurótico rígido tem uma unidade essencial que está ausente na estrutura esquizoide. A rigidez do esquizoide é como gelo, ao passo que a do neurótico é como aço. Na personalidade esquizoide, a rigidez é tão frágil quanto dura; constringe tanto quanto contém. Kretschmer cita Strindberg, que se tornou esquizofrênico: "Sou duro como gelo, embora tão cheio de sentimento que sou quase sentimental"[27].

O sentimento esquizoide é sentimentalismo porque carece de uma conexão direta com a sensação física. Pode ser descrito como um sentimento "frio", que reflete a negação da necessidade e a rejeição do prazer corporal. O sentimento normal é emocional em vez de sentimental, porque se baseia na sensação física; os sentimentos emocionais, portanto, são cálidos ou quentes (apaixonados). Por outro lado, o esquizoide não é desprovido de sentimento nem de paixão quando se trata de defender os direitos dos desprivilegiados ou lutar por uma causa. Sua dedicação a princípios reflete um altruísmo que está no cerne de suas dificuldades pessoais. Isso não quer dizer que a defesa da justiça seja domínio exclusivo do esquizoide. O que queremos dizer aqui é que o esquizoide, carecendo de um senso de identidade pessoal, busca em causas sociais, "ismos" e panaceias uma justificativa para viver. O sentimentalismo esquizoide é resultado da abstração do sentimento do *self* e do corpo. Denota uma perda da identidade pessoal, que é compensada por meio de identificações sociais.

Um exame mais detalhado do corpo esquizoide revela vários outros distúrbios característicos. Normalmente percebemos que a metade superior do corpo tem uma musculatura relativamente subdesenvolvida. O tórax tende a ser estreito, rígido e mantido num estado de contração. Essa constrição torácica, particularmente visível nas costelas inferiores, necessariamente limita a respiração. Em outros casos, no entanto, em que a doença é menos grave, podemos encontrar uma expansão compensatória do peito, considerada "máscula" por alguns pacientes e desenvolvida por meio de exercícios de halterofilismo. No corpo abatido, o peito é contraído, mole e sem tônus. Em to-

O corpo traído

dos os casos, há uma acentuada constrição do corpo na região da cintura, devido a uma contração crônica do diafragma.

Em muitos pacientes, a constrição na região da cintura dá a forte impressão de que o corpo está dividido em duas metades. Sugere a interpretação de que a pessoa está tentando dissociar a metade superior do corpo, com a qual o ego se identifica, da sexualidade da metade inferior. Tratei uma paciente que era totalmente desenvolvida na metade superior de seu corpo, mas subdesenvolvida na porção inferior. Da cintura para cima, ela parecia uma mulher; da cintura para baixo, tinha a aparência de uma menininha. Ela me contou uma história interessante sobre si mesma, que refletia seu problema. Um dia, depois de ser operada por conta de uma apendicite, ela recebeu um penico. A paciente explicou à enfermeira que não conseguia usá-lo porque sua urina fluía para a frente, e não para baixo. Quando a enfermeira insistiu, a paciente tentou – e se molhou. O que ela tinha dito era verdade. Sua pelve manteve a posição voltada para a frente característica das meninas. Na puberdade, ocorre uma rotação da pelve para trás e para baixo que posiciona a vagina entre as coxas. Essa rotação não ocorrera em minha paciente, e ela estava ciente disso.

A rotação da pelve para baixo, junto com o alargamento dos quadris, produz a estrutura normal do corpo feminino. Os joelhos se aproximam um do outro na linha mediana, enquanto as coxas giram para dentro e se unem. Esse desenvolvimento é apenas parcial na maioria das mulheres esquizoides: a pelve mantém a inclinação para a frente, e há uma separação visível entre as coxas.

Outra característica do corpo esquizoide é a displasia, isto é, a presença de traços que pertencem ao sexo oposto. Características androides como quadris estreitos, coxas esguias e uma distribuição masculina dos pelos pubianos são frequentemente encontrados na mulher. No homem, tendências ginecoides aparecem na forma de pelve cheia e arredondada, monte de vênus incipiente (concentração de tecido adiposo acima do osso púbico na mulher) e uma distribuição feminina dos pelos pubianos, na forma de triângulo invertido.

A displasia é encontrada com menos frequência no tipo físico longo e fino (astênico). Tais estruturas corporais têm um caráter imaturo que diminui as diferenças sexuais secundárias. Os quadris são estreitos e pequenos, como em meninos e meninas pré-adolescentes; os ombros, estreitos; e a musculatura, subdesenvolvida. Os músculos são longos e finos. No entanto, na estrutura corporal astênica, a acentuada constrição na cintura, que parece separar as duas metades do corpo, reduz muitíssimo a coordenação.

As pernas e os pés dos indivíduos esquizoides também apresentam certos distúrbios. Os joelhos e os tornozelos são rígidos, e os pés, contraídos, diminuindo a flexibilidade das pernas. A limitação de motilidade resultante é mais evidente na incapacidade desses pacientes de dobrar os joelhos por completo quando seus pés estão totalmente apoiados no chão. Por outro lado, a maioria dos pacientes esquizoides consegue esticar a perna e o pé em linha reta e dobrar os dedos de forma preênsil. Eu interpreto essa condição como um indício de que o pé esquizoide parece mais adaptado para agarrar e segurar do que para se locomover.

Em muitos pacientes, os pés são invertidos, isto é, voltados para dentro. Essa inversão transfere o peso do corpo para a borda externa dos pés e produz um leve arqueamento das pernas. O pé invertido sugere o estado pré-natal e do recém-nascido, em que os pés estão voltados de frente um para o outro. Denota uma falha de desenvolvimento e indica uma fixação no nível infantil. Nessa situação, os músculos do pé estão cronicamente contraídos para sustentar o peso do corpo, exagerando enormemente o arco normal.

O infantilismo também é visto em pacientes cujos pés são atipicamente pequenos. Em geral, esses pés pertencem a meninas-mulheres, pequenas e delicadas. Às vezes, no entanto, compõem um corpo grande e pesado: nesses casos, podem ser interpretados como um sinal de tendências infantis na personalidade. Onde a metade inferior do corpo é pesada e flácida, os músculos dos pés também perdem o tônus. O arco cede e o peso é jogado para o lado interno do pé. Num seminário clínico realizado em meu consultório, apresentei um paciente que pesava cerca de 120 quilos. Seus pés eram pequenos e rígidos e ele não conseguia afastar nem dobrar os dedos. Seus pés tinham um tom azulado que indicava certo grau de cianose. Um dos médicos presentes comentou sobre sua aparência: "Acho que ele carece de contato com o solo, e acredito que é por isso que suas ideias flutuam no ar e não têm fundamento. Seus pés e pernas não parecem fortes o bastante para carregar seu corpo".

O paciente respondeu a seu comentário com a declaração: "Sinto que estar enraizado no solo é uma função adulta que não tenho".

Duas observações feitas por pacientes relacionam o distúrbio na função das pernas e pés com o dos olhos. Uma paciente relatou: "Parece que quando não consigo ficar em pé sou incapaz de focar os olhos. Eu não consegui focá-los ontem, por isso dobrei os joelhos e, depois de um tempo, meus olhos focaram melhor". A observação da paciente sobre dobrar os joelhos se refere à

O corpo traído

prática terapêutica de manter os joelhos dobrados para atenuar a rigidez das pernas e proporcionar um melhor contato com o solo. Essa prática contraria uma tendência geral no paciente esquizoide a ficar com os joelhos travados e as pernas rígidas.

Outra observação foi feita por uma paciente sobre suas experiências em uma aula de dançaterapia:

> Eu estava ajoelhada e curvada para a frente, a fim de alongar o pescoço e as costas. Pude sentir toda a minha coluna, exceto um ou dois pontos. Consegui respirar profundamente e com facilidade, sem esforço consciente. Eu me senti totalmente conectada. Então me levantei, e minhas pernas começaram a tremer. Minha vista embaralhou. Eu não conseguia focar. O tremor aumentou até que chegou à barriga e à pelve, quando comecei a soluçar de maneira involuntária.

Isso mostra que focar os olhos depende da capacidade de *sustentar* os sentimentos do corpo. Os conceitos implicados nos termos "sustentar-se em pé" e "sustentar o sentimento" parecem relacionados. A primeira paciente adquiriu a capacidade de focar os olhos quando sentiu os pés no chão; a segunda perdeu essa capacidade quando não foi capaz de sustentar as sensações em seu corpo.

Vimos que o corpo esquizoide é petrificado de medo. O modo como o terror afeta o corpo é mostrado no relato a seguir. Uma paciente contou que, certa tarde, enquanto caminhava pela casa, antecipou estar cara a cara com o relógio de pêndulo que ficava no corredor. Quando pensou no relógio, imaginou uma cabeça com a pele descamando. A imagem a apavorou. Disse ela:

> Meu corpo ficou petrificado. Senti os ombros contraírem; minha cabeça ficou dura; meus olhos ficaram opacos e meus tornozelos, rígidos. Eu não conseguia respirar. Foi necessário um esforço enorme para me mover. Por vários dias depois dessa experiência, eu me senti desajeitada ao caminhar e meu equilíbrio parecia incerto.

A rigidez funciona como uma defesa enquanto é inconsciente, isto é, enquanto a pessoa não está ciente de sua rigidez ou do significado desta. Embora o observador veja terror na imobilidade do corpo esquizoide, o indivíduo esquizoide, que está fora de contato com seu corpo, vê apenas sua necessidade desesperada de manter sua integridade. O colapso da rigidez permite que o terror chegue à consciência.

Quando o estado do corpo esquizoide é de colapso em vez de rigidez, o ânimo dominante da personalidade é o medo. Geralmente, tais casos estão mais próximos da extremidade esquizofrênica do espectro do que os tipos rígidos. Tive uma paciente que tinha ataques de ansiedade tão intensos que beiravam o terror absoluto. Durante esses ataques, sua visão se turvava, ela ficava confusa e começava a gemer. Às vezes, se escondia no vão da minha mesa ou num canto da sala, encolhida como um bebê. Seu corpo não apresentava a contração e a rigidez comuns ao indivíduo esquizoide. Seus músculos superficiais pareciam flácidos e careciam do tônus normal. Sob a maciez superficial, no entanto, era possível palpar a tensão nos músculos profundos na base do crânio, no começo do pescoço, em torno do diafragma e nas regiões pélvica e lombossacra. Essas tensões eram tão graves que literalmente impediam a circulação de sangue e energia para a superfície de seu corpo. Assim, sua pele era sensível e seca e tinha uma coloração entre acastanhada e amarelada. Seus olhos não tinham sentimento, e seus pés e pernas pareciam fracos.

O ataque de ansiedade se manifestava por meio de um tremor em todo o corpo. Sucessivos calafrios a atravessavam. Ela tremia como se pudesse realmente se desintegrar. Esses ataques duravam de cinco a dez minutos, e diminuíram espontaneamente quando a paciente percebeu que não sofreria nenhum dano. Depois que um desses episódios acabava, ela sempre se sentia melhor. Com mais terapia, os ataques diminuíram em intensidade e frequência. Ela percebeu que eles ocorriam sempre que ela "se abria", isto é, sempre que permitia que qualquer sentimento de afeto chegasse a mim, e saber disso a tranquilizou. Mas, mais do que qualquer outra coisa, foram minha presença e meu apoio que a sustentaram durante os períodos difíceis. Pouco a pouco, ela adquiriu a capacidade de tolerar e aceitar seus sentimentos, e a cor de sua pele mudou. Tornou-se "rosada", como ela dizia. Quando se sentia bem, ela descrevia a si mesma como estando "no rosa". Suas tensões musculares profundas também relaxaram um pouco, e seu corpo, antes frio, se tornou morno.

Conforme essa paciente se tornou capaz de sustentar seus sentimentos, também adquiriu a capacidade de se sustentar sobre os próprios pés. Esse avanço levou sua terapia a um desfecho dramático. Quando eu me recusei a

O corpo traído

seguir com o papel de figura materna protetora e apoiadora, ela me perguntou: "*Você* quer que eu fique bem? *Você* quer que eu viva?" Se eu dissesse que sim, isso significaria (para ela) que eu assumiria a responsabilidade por seu bem-estar. Por outro lado, eu não podia dizer que não. Ela estava com medo de cortar o cordão umbilical que a sustentara durante suas crises e de depender de recursos próprios. Só consegui responder que a decisão de viver e ficar cabia apenas a ela. Não sem relutar, ela aceitou minha resposta e decidiu se sustentar sozinha. Eu acompanhei seu progresso durante mais de seis meses após o término da terapia. Tanto sua capacidade de sustentar seus sentimentos quanto a de se manter em pé sem ajuda continuaram a melhorar.

Tal abordagem à personalidade por meio da interpretação da expressão corporal depende da capacidade do analista de relacionar as características físicas de um indivíduo com suas atitudes e seu comportamento. Todo mundo, inconscientemente, interpreta a personalidade com base na expressão física. O analista precisa fazer essas interpretações de maneira consciente. Ele deve conhecer o significado das distorções físicas que o corpo de um paciente apresenta. Kretschmer tinha essa capacidade. De fato, seu trabalho é mais importante por suas descrições clínicas do que por sua tentativa de classificar os pacientes por tipo físico. Essas descrições são produto de um olho criterioso, uma mente clínica e uma imaginação criativa. Este é um bom exemplo:

> Ela é muito clara, e parece etereamente transparente, com um nariz fino e têmporas com veias azuis salientes. Há uma atmosfera de "distância" em torno dela. Seus movimentos são lentos, refinados e aristocráticos, um pouco desajeitados aqui e ali. Se alguém fala com ela, ela se reclina um pouco e se apoia contra o armário. Carrega em si algo de estranho e muito sonhador. Seu cabelo é fino, longo e muito maleável. Ao cumprimentar alguém, ela estende as pontas dos dedos, que são frios e bem transparentes. Ela sorri de maneira distante, confusa e incerta.[28]

Tal descrição ilustra até que ponto o afastamento e a dissociação do mundo exterior encontram paralelos no afastamento e na dissociação do corpo. A descrição de Kretschmer acerca dessa esquizofrênica delirante mostra a transformação do corpo vivo em espírito desencarnado e em corpo abandonado. Ela é etérea, azul, transparente e distante, como o céu. Faltam, tanto em sua aparência física como em sua personalidade, o vermelho, o terreno, a corporalidade da carne e do sangue. O que resta é a casca transparente de uma pessoa.

Kretschmer observou e notou o aspecto da pele, a distribuição do cabelo, a forma das feições etc. Ele escreveu: "A compleição dos esquizofrênicos de todas as idades geralmente é pálida, com um toque de amarelo ou opacidade láctea, por um lado, e com uma tendência à pigmentação marrom-clara, por outro".[29] O autor abordou diversas vezes a frequência das características displásicas: infantilismo (mãos pequenas), feminilidade no homem (cintura fina, nádegas grandes, quadris largos e distribuição feminina de pelos) e eunicoidismo (órgãos genitais pouco desenvolvidos). Mas, apesar de sua fina atenção aos detalhes, Kretschmer alertou que devemos dirigir a "atenção para o quadro geral"[30].

Apenas o quadro geral, em cada caso, permite-nos diagnosticar a personalidade esquizoide. Os detalhes podem variar, porque cada pessoa é única e tem uma experiência de vida singular, que se reflete em seu corpo. Mas quando esses detalhes são reunidos, compreendemos até que ponto o indivíduo está de posse de si. O olhar, a expressão do rosto, a inclinação da cabeça, a postura do corpo, a cor da pele, o tônus dos músculos, o timbre de voz, a posição das pernas, a motilidade da pelve, a espontaneidade dos gestos – esses e muitos outros indícios contribuem para o quadro geral que estamos buscando. Quando esse quadro geral é de unidade, integração e governo de si, consideramos que a pessoa está aí "por inteiro", de plena posse de suas faculdades e emocionalmente saudável. O corpo esquizoide carece dessas qualidades. O quadro esquizoide é o de um corpo abandonado do qual a psique fugiu aterrorizada.

O corpo traído

5. A imagem corporal

Um indivíduo saudável tem uma clara imagem mental de seu corpo, a qual é capaz de reproduzir verbal e graficamente. Ele consegue descrever sua expressão facial, sua postura e suas atitudes corporais. É capaz de desenhar um fac-símile razoável de um corpo humano. O indivíduo esquizoide não consegue fazer isso. Seus desenhos da figura humana geralmente são tão bizarros e estilizados que a fraqueza de sua imagem corporal logo se manifesta.

No primeiro capítulo, discuti o conflito entre a imagem do ego e a realidade da aparência do corpo tal como se apresenta a um observador. O assunto deste capítulo é a disparidade entre a maneira como o indivíduo se vê como ser social (sua imagem egoica) e o modo como ele se vê como ser físico (sua imagem corporal). A disparidade entre essas duas imagens é uma medida da perturbação esquizoide. A fraqueza da imagem corporal é compensada por um exagero da imagem egoica. Esse exagero fica claro para o paciente quando sua imagem egoica é contrastada com sua imagem corporal revelada, por exemplo, em seus desenhos da figura humana.

Esse tipo de desenho revela muitos aspectos da imagem corporal de um indivíduo, refletindo o grau de integração, o estado de harmonia entre as partes do corpo, o sentimento com relação à superfície do corpo, a aceitação de características sexuais, o estado de ânimo básico do corpo e a atitude geral com relação a este. Uma razão pela qual os desenhos da figura humana são tão reveladores é que a pessoa que os faz não tem outro modelo além da própria imagem corporal para se guiar. Portanto, ela expressará em seu desenho a maneira como percebe o próprio corpo. Se o indivíduo carece do sentimento de prazer em seu corpo, ficará perturbado ao desenhar o corpo humano e bloqueará muitas de suas características.

Como uma imagem corporal é distorcida? Para responder a essa pergunta, é preciso saber como a imagem corporal se desenvolve. Pesquisas mostraram que a imagem corporal é formada por meio da síntese de sensações que derivam de inúmeros contatos físicos entre a criança e os pais. Essas sensações têm um sinal positivo ou negativo conforme sejam sentidas como agradáveis ou dolorosas. As sensações positivas favorecem a formação de uma imagem corporal clara e integrada. As sensações negativas levam a distorções ou lacunas na imagem corporal.

Deve-se perceber, como observam S. F. Fisher e S. E. Cleveland, que "as atitudes [dos pais] para com ela [a criança] são expressas na maneira como tratam de satisfazer sua sensação de fome, como a pegam e seguram, e como tentam regular processos físicos como a eliminação da urina e das fezes"[31]. O "como" se refere à qualidade do toque, ao olhar, à delicadeza dos gestos, todos os quais são registrados na consciência da criança como sensações físicas que afetarão sua imagem corporal.

Quando a imagem corporal é distorcida, sempre denota uma perturbação na relação entre mãe e filho, já que a mãe é a pessoa mais envolvida com as necessidades físicas da criança. Uma mãe que rejeita o filho o priva da oportunidade de experimentar o prazer de seu corpo na intimidade física da relação entre ambos. Uma mãe possessiva nega à criança o direito de experimentar seu corpo como próprio, usurpando o corpo do filho para seu prazer e sua satisfação pessoais.

Uma vez que, no início da vida, a identidade da criança é essencialmente corporal, a qualidade do contato físico entre mãe e filho determinará seu sentimento por seu corpo e a natureza de suas reações à vida. Braços afetuosos, ternos e firmes dão à criança uma sensação agradável no próprio corpo e reforçam seu desejo de mais contato com o mundo. O modo como uma mãe olha para o filho terá um efeito importante sobre a responsividade dos olhos da criança. Faz uma grande diferença se o olhar da mãe é gentil e amoroso ou se é duro e raivoso.

A imagem corporal exerce duas funções importantes na vida adulta. Serve como modelo para a execução da atividade motora consciente. A atividade motora dirigida de maneira consciente é ensaiada inconscientemente antes que se faça uma tentativa de executá-la. A sequência de movimentos é visualizada em termos de imagem corporal. Uma imagem corporal inadequada prejudicará a execução. A imagem corporal também serve para localizar sensações. A capacidade de definir a localização de uma sensação depende de uma imagem corporal bem formada. Crianças pequenas não conseguem descrever a localização exata da dor porque sua imagem corporal é muito nebulosa.

O corpo traído

FIGURA 8

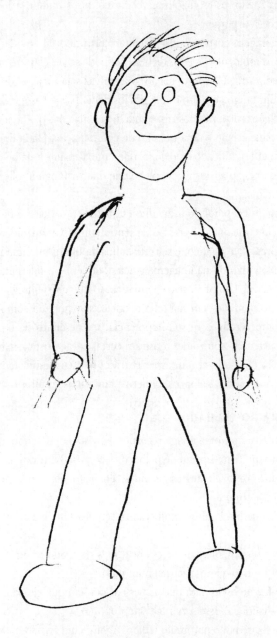

Pela mesma razão, os esquizofrênicos são confusos quanto à localização de suas sensações corporais.

Uma imagem corporal pode facilitar certo tipo de atividade e impedir outro. Por exemplo, um jogador de beisebol pode se ver claramente rebatendo uma bola com graça e coordenação, mas talvez seja incapaz de se imaginar dançando um tango com a mesma graciosidade. Nesse caso, seria de esperar que sua imagem corporal mostrasse uma deficiência nas qualidades relacionadas com a dança. Não é uma questão de coordenação. Cada uma dessas atividades tem um significado emocional diferente. Rebater uma bola de beisebol tem uma conotação agressiva, ao passo que dançar tango implica sensualidade e sexualidade.

A imagem corporal do indivíduo esquizoide é deficiente nas qualidades que se relacionam com a expressão de sentimento. O esquizoide vê seu corpo como inexpressivo e apático, e seus desenhos da figura humana refletem essa limitação. No entanto, sua imagem egoica pode ser bem diferente: ele pode se imaginar sensível, compreensivo e empático. O que não consegue fazer é conciliar sua sensibilidade com sua falta de afeto, sua empatia com sua desconexão, sua compreensão com sua impotência. Os desenhos da figura humana feitos por pacientes esquizoides mostram certas características em comum: os desenhos não têm vida e, muitas vezes, são grotescos, estilizados ou esboçados. Parecem estátuas, palhaços, bonecas, fantasmas, zumbis ou espantalhos.

A MÁSCARA DO PALHAÇO

Uma distorção comum da imagem corporal é vista em desenhos que retratam o corpo humano com aspecto de palhaço. A Figura 8 ilustra bem esse tipo de desenho feito por pacientes esquizoides. Foi feito por Paul, cujo terror foi descrito no Capítulo 3.

Quando pedi a Paul que comentasse seu desenho, ele disse:

Ele tem boa índole, parece criança, mas de modo vazio. Está tentando dizer: "Eu não quero fazer nenhum mal".

Ele se faz de bobo para que as pessoas pensem que ele não é inteligente, que é superficial. Isso serviria a seu propósito.

Eu me fiz de bobo por muito tempo. Agora tento ser filosoficamente sofisticado. Nunca consegui deixar de me fazer de bobo, embora tenha usado diversos recursos para encobrir isso.

O corpo traído

Qual é o propósito dele? O que o palhaço está tentando esconder? Uma hipótese plausível é que por trás da máscara do palhaço há uma tristeza profunda e um anseio pungente. Isso por certo é verdade com relação a Paul, que ficou temporariamente paralisado quando tentou expressar seu anseio. Descobri que isso era verdade com relação a todos os outros pacientes que se faziam de tontos ou adotavam o papel de palhaços. No entanto, o desenho de Paul também mostra uma hostilidade reprimida, que é expressada nos dedos, desenhados como espinhos ou agulhas. Paul descreveu os braços da figura como "separados e pendentes", o que indica que ele os considera inaptos como órgãos agressivos e está dissociado do sentimento de hostilidade presente neles.

O "bobo" e o "intelectual" denotam uma cisão na personalidade de Paul. Ele era um jovem inteligente, educado e instruído. Sua capacidade de discutir ideias filosóficas era impressionante. Mas parecia bobo. Em situações sociais, mostrava-se tímido, retraído e desajeitado. Não sabia o que dizer a uma garota. Portanto, era emocionalmente torto, como revelam os pés em seu desenho, apesar de ter uma mente aguçada. Duas características corporais determinavam o palhaço. Ele tinha um sorriso insípido, que mantinha todo o tempo, como que para dizer: "Não quero fazer mal nenhum". E seus movimentos eram descoordenados e desajeitados. A inaptidão de seu corpo estava em nítido contraste com a perícia de sua mente. Compreensivelmente, ele rejeitava seu corpo, considerando-o "bobo", e nunca tinha praticado esportes ou atividades físicas até começar a terapia.

Paul teve uma visão distanciada de seu corpo durante uma experiência com maconha. Ele contou que fumou uma quantidade imensa. Teve o mesmo efeito que o LSD ou outras drogas alucinógenas que parecem desconectar a mente do corpo, de modo que a pessoa vê a si própria como que de fora. O resultado é, muitas vezes, uma percepção mais clara da inépcia do corpo. Ele relatou sua experiência da seguinte maneira:

Meus olhos ficaram muito vivos, excitados, relaxados. Eu via as coisas com clareza.

Eu me senti totalmente fora disso. Sentei numa cadeira que não parecia estar apoiada no chão. Senti que estava flutuando acima do solo. Eu parecia sentir o padrão das tensões no meu corpo: faixas de tensão em volta da cabeça, através do peito, pelas pernas e em volta das axilas. Meus braços

Alexander Lowen

pareciam separados da linha do corpo. Eu era como uma camisa de força sem braços. Minha perna esquerda parecia mais curta que a direita. [Observe-se a diferença entre as duas pernas no desenho.] Toquei piano sem esforço. Experimentei um anseio incrível e a sensação de que podia fazer qualquer coisa. Era um sentimento muito dividido, absurdamente positivo com relação ao piano, quando antes os sentimentos em relação ao instrumento eram negativos. Mas eu sentia que não era eu tocando. Eu estava fora de mim, observando a ação. Senti que havia outra pessoa na sala além de mim e dos meus amigos. Senti um mau espírito em mim, uma força mefistofélica pairando sobre mim e me dirigindo. Parece que eu toquei impecavelmente, mas isso porque, se eu cometesse um erro, teria sido deliberado ou proposital.

Basicamente, a experiência foi insatisfatória. Terminou com uma dor de cabeça, e eu fiquei muito letárgico.

A similaridade entre a autopercepção de Paul sob o efeito da droga e seu desenho é impressionante. Sua percepção dos braços como separados e pendentes, de suas pernas como tendo tamanhos diferentes e de seu corpo como estando numa camisa de força equivale às distorções idênticas no desenho. A impotência que ele sente em seu corpo é retratada na figura do simplório ou palhaço. A sensação de poder é percebida como uma força dissociada fora do corpo.

Paul ficou impressionado com o poder que o gênio representava. Parecia onipresente em comparação com o sentimento de que seu corpo estava numa camisa de força. Enquanto tocava, Paul se sentiu possuído pelo gênio. Mais tarde percebeu que esse poder estava dentro de si em algum lugar, e que se pudesse possuir o gênio em vez de ser possuído por ele conseguiria realizar grandes feitos.

Conforme Paul adquiria mais sentimento em seu corpo, a máscara do palhaço foi desaparecendo. Ele emergiu como um jovem triste, ciente de sua infelicidade, mas comprometido com seu desejo de viver e encontrar prazer.

O espírito do indivíduo esquizoide está preso num corpo congelado. Embora ele sonhe com realização pessoal, sua energia está indisponível para isso, pois permanece amarrada em tensões musculares crônicas; seu espírito está trancado em sentimentos reprimidos. É parte do trabalho terapêutico ajudar

O corpo traído

o paciente a se libertar de suas tensões restritivas. Também é preciso ajudá-lo a descobrir seus sentimentos reprimidos e a lidar com eles. Isso implica uma viagem ao submundo (seu inconsciente) e uma batalha contra os demônios (seus sentimentos reprimidos) para que ele possa reconquistar o "poder" que é a vida.

A BONECA

Outra distorção comum da imagem corporal normal aparece em desenhos que retratam o corpo como uma boneca. Também a aparência física do indivíduo, geralmente de mulheres, por vezes insinua um aspecto de boneca na personalidade. Na jovem Mary, essa característica se manifestou tanto em seus desenhos como em sua estrutura corporal. A melhor forma de descrevê-la seria como *mignon*. Ela tinha 1,50 m de altura e pesava em torno de 50 quilos. Seu corpo parecia muito jovem, a ponto de ser quase infantil, apesar dos seus 33 anos. Ela me impressionou por seu aspecto imaturo e pouco desenvolvido, isto é, de uma menina-mulher. Estruturalmente falando, seus traços eram elegantes e bem proporcionados. Em termos funcionais, seu corpo era rígido. Sua pele era pálida, seca e sem vida. Seu rosto era inexpressivo; seus olhos tendiam a ficar vagos, a perder foco e sentimento. Ainda assim, havia algo de atraente e cativante em Mary.

Que imagem ela fazia de seu corpo? Qual era sua atitude com relação a ele? Os desenhos de figuras masculina e feminina reproduzidos nas Figuras 9 e 10, junto com seus comentários sobre eles, fornecem algumas informações.

O fato de que ela espontaneamente desenhou três figuras para representar seu conceito do corpo feminino é significativo. Indica uma cisão tripla em sua personalidade. O desenho superior na Figura 10 tem uma aparência extremamente infantil e de menino, sem mãos, pés nem características sexuais. O desenho do meio, a matrona com a cabeça separada do corpo, sugere seu aspecto de mulher; no entanto, é uma imagem corporal não integrada. O desenho inferior, que mostra apenas uma cabeça com expressão sofisticada, representa seu ego dissociado.

Todos os desenhos são estilizados, o que denota um conceito pobre do corpo humano. Eles parecem irreais e carecem de sentimento. O comentário de Mary sobre esses desenhos foi: "Eles se parecem um pouco comigo. Todas as minhas mulheres são muito bem-feitas, com a aparência que eu gostaria de ter".

Alexander Lowen

FIGURA 9   FIGURA 10

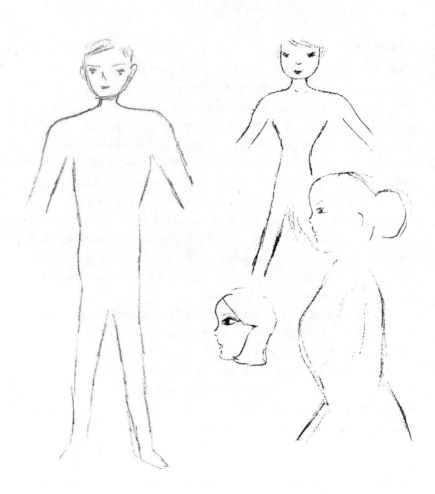

O corpo traído

A Figura 9 é o conceito que Mary tem do corpo masculino. Depois de desenhá-lo, ela comentou:

Instintivamente, eu não desenharia um pênis num homem. Também não desenho os braços, nem as mãos. Não consigo fazer que as mãos pareçam mãos. Sem quadris e sem sexo. Ótima aparência. Rosto e cabeça de menino. É assim que eu costumava querer ser – como uma bicha [homossexual]. Eu costumava gostar delas. Ele não tem sentimentos; é intelectual e de bom gosto.

Quando pedi a Mary que descrevesse seus sentimentos com relação às mãos, ela disse: "As mãos são como garras, especialmente quando os dedos são longos, finos e bem vermelhos – como os da minha mãe". Então acrescentou: "Eu morro de medo de gatos. Tenho a fantasia de que um gato vai pular em cima de mim e me arranhar até eu morrer. Meu sangue congela quando eu olho nos olhos de um".

Evidentemente, Mary identificava sua mãe com um gato, e seu medo desse animal é um reflexo de seu medo da mãe. A identificação da mãe com um gato insinua o jogo de gato e rato em que Mary se sentia um objeto impotente, um brinquedo da progenitora. A ausência de mãos e pés em seu desenho denota sua impotência para lutar ou fugir.

Diante disso, cheguei à conclusão de que a imagem corporal de Mary era a de uma boneca. Seus desenhos parecem bonecas, ela é descrita por outras pessoas como uma boneca e se considerava uma delas. Certo dia, afirmou: "Sou uma bonequinha – bonita, assexuada e sem vida". Mas se sua imagem corporal era a de uma boneca, sua imagem egoica era a de uma mulher madura, sofisticada, sexualmente excitante. Ela muitas vezes reclamava que os homens não lhe davam sossego. Muitos deles se sentem fortemente atraídos por meninas-mulheres com ar de bonecas, que não apresentam desafio nenhum à sua masculinidade. Assim, Mary tinha uma personalidade dividida: sua imagem egoica, que determinava seu comportamento consciente, estava em desacordo com sua imagem corporal, que refletia seus verdadeiros sentimentos.

Na personalidade esquizoide, a imagem do ego se desenvolve como uma reação à imagem do corpo. O ego não consegue aceitar o valor negativo que o corpo representa. Cria sua própria imagem da personalidade, em oposição a uma imagem corporal inaceitável. No entanto, as duas imagens contrastantes se desenvolvem simultaneamente em reação às forças externas que dividem a unidade da personalidade. Para elucidar essas forças, é preciso analisar a estrutura do caráter do paciente com relação às experiências infantis.

Que identificações moldaram a personalidade de Mary? Que experiências transfiguraram seu corpo? Durante uma sessão, enquanto discutia o significado simbólico de sua estrutura corporal, Mary disse:

> Minha mãe sempre dizia que adorava ter uma boneca que ela podia vestir e exibir. Eu lembro que isso me fazia sentir que eu não pertencia a mim mesma. E suas mãos me tocando me davam arrepio. Meu corpo pertencia à minha mãe como se eu fosse sua boneca. Se eu pedia que parasse e ela continuava, eu ficava paralisada.

Mary abandonou seu corpo porque sua mãe se apropriara dele. Seu corpo foi possuído por um espírito, por assim dizer – o espírito de sua mãe. Pela reação de Mary, podemos presumir que era um espírito malévolo, mas sua natureza exata ainda era desconhecida. Naquele momento, tudo que Mary podia dizer era que, em seu papel de boneca e brinquedo da mãe, ela era "menininho-menininha".

Em outra ocasião, Mary relatou o seguinte:

> Lembro claramente que toda noite eles me colocavam de pé sobre o assento do vaso e me aplicavam um enema. Faziam isso porque eu gritava à noite e eles achavam que eram gases. Eu ficava nua e, se os amigos deles aparecessem, assistiam. Minha mãe é uma pessoa muito fálica.

Então, numa voz histérica, Mary gritou:

> Eu simplesmente não consigo suportar o sentimento no meu corpo. Sinto que estou sendo violada o tempo todo. A todo momento estou ciente da minha pelve e da minha vagina. Sinto como se houvesse coisas rastejando por elas. Sinto que não quero respirar. Não quero me mexer.

Ela começou a chorar histericamente, então prosseguiu: "Eu fiz o meu corpo morrer. Eu o fiz simplesmente congelar. Acabei de fazer isso agora. Quero ser um menino".

O corpo traído

A "boneca" pode ser explicada como uma manobra inconsciente para eliminar e reprimir sentimentos sexuais que são percebidos como alheios e ameaçadores. Ao se tornar uma boneca ou um manequim (uma boneca em tamanho real), a pessoa amortece seu corpo e o despersonaliza. A rejeição de Mary ao seu corpo e à sua feminilidade, visível em seus desenhos, está relacionada com as sensações estranhas em sua pelve e em seus genitais. Sua declaração torna evidente que sua tendência a morrer, isto é, a se despersonalizar, é uma reação contra essas sensações que ela percebia como ameaça à integridade de sua personalidade. Encontrei o mesmo fenômeno em todos os casos de personalidade cindida que tratei.

DESPERSONALIZAÇÃO

O mecanismo de despersonalização implica a inibição da respiração e do movimento. Mas, na realidade, essa manobra não é feita de maneira tão consciente como a declaração de Mary parece sugerir. À espreita, no fundo, está um sentimento de terror percebido conscientemente como uma "sensação estranha" contra a qual o organismo se defende "morrendo". Diante desse terror, o corpo se petrifica, a respiração é presa e todos os movimentos cessam.

Uma vez que ocorre a despersonalização e o ego é cindido do corpo, tem início um círculo vicioso. Enquanto o corpo estiver desprovido de percepção, suas sensações serão experimentadas como estranhas e aterrorizantes. Sem uma imagem corporal adequada, a mente não consegue interpretar corretamente o que acontece no corpo. É por isso que a hipocondria é um sintoma tão comum em indivíduos com tendências esquizoides. Ao passo que uma pessoa normal poderia entender e, portanto, tolerar fenômenos como constrição da garganta, palpitação ou frio na barriga, o indivíduo esquizoide reage a esses acontecimentos com grande preocupação. O esquizofrênico realmente os "vê" como resultado de influências externas, embora ocorram no interior de seu corpo, sem nenhuma interferência de fora.

Eugen Bleuer oferece uma série de exemplos da distorção na percepção de si que caracteriza o estado despersonalizado.

Os pacientes são espancados e queimados; eles são perfurados por lanças, adagas ou agulhas em brasa; seus braços são arrancados; a cabeça é dobrada para trás; as pernas são encurtadas; os olhos são puxados para fora, de modo que, no espelho, parecem estar totalmente fora das órbitas; a

Alexander Lowen

cabeça é esmagada [...] Eles têm olhos dentro da cabeça; eles foram colocados na geladeira. Sentem óleo fervente dentro do corpo; sua pele está cheia de pedras. Seus olhos tremulam, assim como o cérebro.[32]

Duas razões explicam a natureza assustadora dessas sensações. Em primeiro lugar, elas ocorrem num corpo que, de outro modo, mostra-se relativamente sem sentimento. O contraste entre o corpo "amortecido" e a sensação espontânea explica, em parte, sua intensidade anormal. Em segundo lugar, o esquizofrênico carece da capacidade de integrar seus sentimentos e impulsos em atividades orientadas para um objetivo. No indivíduo normal, os impulsos são organizados em padrões de ação que canalizam a energia do impulso em ações expressivas ou agressivas dirigidas ao mundo exterior. Isso o esquizofrênico não consegue fazer. Em consequência, o impulso caótico continua trancado no interior do corpo, onde superexcita os órgãos e produz sensações percebidas como estranhas e ameaçadoras.

Psicologicamente, as sensações corporais alheias e perturbadoras relatadas pelos pacientes estão inconscientemente associadas com experiências assustadoras na infância. As sensações estranhas que Mary relatou na pele e nos genitais a faziam recordar sensações similares experimentadas em seus primeiros anos de vida. Geralmente, essa associação precisa ser elucidada por meio da análise de sonhos e lembranças. No entanto, simplesmente tornar a associação consciente não alivia a ansiedade. Enquanto o ego continuar cindido do corpo, as excitações genitais que ocorrem na vida adulta serão vivenciadas com ansiedade. Essa ansiedade leva a uma separação ainda maior do sentimento corporal como um todo.

A ausência de uma imagem corporal adequada, baseada numa superfície corporal viva e responsiva, explica o comportamento sexual promíscuo. A excitação genital é sentida como uma força estranha e perturbadora, que precisa ser eliminada ou descarregada. Isso resulta numa sexualidade compulsiva, indiscriminada e desprovida de afeto. Tal sexualidade serve para aliviar a excitação genital, mas, uma vez que o corpo como um todo não está emocionalmente envolvido, não consegue proporcionar prazer ou satisfação positiva. A homossexualidade, em particular, é caracterizada por esse tipo de sentimento sexual, como apontei em meu livro *Amor e orgasmo*. Todo homossexual que tratei mostra essa perturbação, que está relacionada com uma imagem corporal inadequada.

O corpo traído

A experiência revela que, quando o corpo ganha vida, o comportamento sexual compulsivo e a promiscuidade cessam. A sexualidade assume um novo significado para o paciente: representa o desejo de intimidade física, e não a necessidade de descarregar uma tensão desagradável. Torna-se uma expressão de amor e de afeto. Nesse novo estado do ser, o paciente experimenta a excitação genital como parte de seu sentimento geral e, portanto, como agradável.

No decurso da terapia, conforme Mary adquiriu mais sentimento no corpo e um contato melhor com ele, tomou consciência das experiências de infância que a forçaram a abandonar seu corpo. Assim ela relata tais lembranças:

Muitas vezes, agora, eu me deito na cama e sinto meu corpo inteiro. É tão bom sentir que ele está ali por completo. Mas, mesmo nesses momentos, estou consciente das tensões que cindiram a parte de baixo dele. É onde os pais fazem cócegas nos filhos. Meu pai costumava me fazer cócegas aí até eu não aguentar mais. Eu sentia que morreria se ele não parasse. Parecia que ele nunca parava a tempo. Ele costumava me agarrar pelos joelhos. Era horrível! Agora, nem sequer consigo tocar essa parte do meu corpo.

Há um elemento perverso num pai que leva o filho à beira da histeria em nome do afeto. Tal comportamento insinua um envolvimento sexual inconsciente com a criança. Em certo sentido, a aplicação de um enema também pode ser interpretada como violação sexual. A inserção da seringa no ânus é demasiado comparável ao ato sexual para não ter esse significado, ainda que os pais não estejam conscientes disso. De fato, pais que aplicam repetidos enemas nos filhos não têm consciência do simbolismo sexual do ato, mas essa cegueira reflete sua insensibilidade para com a criança. Em vista do comportamento da mãe e do pai de Mary, não é de surpreender que ela se sentisse violada. Após uma visita aos pais certo fim de semana, ela relatou sua reação:

Percebi que minha mãe era lésbica. Ela me tocou e senti vontade de matá-la.
Naquela noite, senti o meu corpo péssimo, e tive sensações sexuais na pelve que eram muito desagradáveis, erradas. Eu me senti mal, como se houvesse algo em mim que eu precisasse extirpar. Então, quando fui para a cama, eu me masturbei. A sensação foi só no clitóris. Eu me peguei me mastur-

bando de modo violento, como se estivesse tentando eliminar alguma coisa. O orgasmo foi forte, tenso e furioso. Só ajudou um pouco.

Eu tinha as mesmas sensações quando adolescente. Eu costumava me masturbar do mesmo jeito – querendo me livrar desses sentimentos sexuais ruins. Uma vez, tentei me entregar a esses sentimentos com pensamentos homossexuais sobre a minha mãe. Foi muito excitante, mas horrível. Terrivelmente insatisfatório. Nessa época, saí com uma garota por um tempo, mas não foi bom.

Então Mary acrescentou: "A boca do meu pai me provoca a mesma sensação. Quando eu era criança, ele costumava me lamber e me chupar de brincadeira, para fazer carinho".

Mary chamou a mãe de lésbica porque percebeu que esta obtinha excitação sexual ao tocar o corpo da filha. A mãe havia confidenciado a Mary que apenas tolerava o sexo e que nunca tivera um orgasmo. Mary descreveu a progenitora como uma mulher agressiva e masculina, que dominava a casa e o marido. Enquanto a mãe desempenhava um papel masculino na família, o pai assumia uma posição passiva e feminina.

SEDUÇÃO E REJEIÇÃO

Mary era seduzida tanto pela mãe como pelo pai. Uma criança é seduzida quando o pai ou a mãe tiram vantagem de sua necessidade de proximidade e afeto para obter da relação uma excitação sexual inconsciente. Pais sedutores não têm consciência do significado sexual de suas ações, como quando beijam os filhos na boca ou expõem o próprio corpo para os filhos. Tal comportamento é racionalizado como afeto ou liberalismo, mas a criança sente as conotações sexuais dessas ações. Outro elemento presente na situação sedutora é que a criança é colocada numa posição submissa. O comportamento sedutor é iniciado pelo adulto, e a criança não consegue resistir, já que não pode rejeitar as investidas de um adulto de quem ela depende. Na sedução, a criança é atraída para a intimidade ao ser excitada sexualmente, e fica atada ao pai ou à mãe por essa mesma excitação.

A sedução coloca a criança num sério dilema. Ela adquire um sentimento de proximidade, mas perde seu direito à autoafirmação e às demandas por satisfazer sua busca de prazer. Fisicamente, o efeito da sedução também é desastroso. A criança é sexualmente excitada, mas, por causa de sua

O corpo traído

imaturidade fisiológica, não consegue descarregar totalmente essa excitação. Como não pode focar a excitação intensamente no aparelho genital não desenvolvido, a excitação se torna uma sensação corporal desagradável. Ao mesmo tempo, a culpa sexual associa a excitação à ansiedade. A criança não tem outra escolha a não ser eliminar o sentimento corporal. Ela abandona o próprio corpo.

Pais sedutores também são pais que rejeitam. Usar o corpo da criança como fonte de excitação sexual é violar seus sentimentos de privacidade e negar-lhe o respeito e o amor de que sua personalidade em desenvolvimento necessita. Com efeito, a criança usada dessa forma é rejeitada como uma pessoa independente. Em geral, não se considera que os pais que rejeitam sejam também sedutores. A rejeição quase sempre é baseada no medo que os pais têm da intimidade, porque ela desperta sua culpa sexual. Esses pais têm medo de tocar e acariciar os filhos e, quando o fazem, é com tal inaptidão que a criança sente como manifestação de ansiedade sexual. Ela percebe essa ansiedade como expressão de um sentimento sexual inibido e reage com interesse sexual exagerado pelos pais que a rejeitam. Mas a criança passa a ter medo de abordar os pais, por causa da reação hostil que desperta, e que ela posteriormente associará com a própria sexualidade.

Pais que estão fora de contato com o próprio corpo não têm consciência de até que ponto são sedutores com seus filhos. Por outro lado, a criança, que vive mais próxima de seu corpo, é extremamente sensível a todas as nuanças de sentimento e capta o interesse sexual oculto. Geralmente, uma mãe seduzirá o filho a ter com ela uma intimidade erótica aparentemente inocente, ao passo que um pai expressará por meio do olhar, de palavras ou de ações o seu interesse sexual pela filha. Obviamente, essas relações são incestuosas.

Uma paciente me contou que sua mãe lhe mostrou seus órgãos genitais quando ela tinha 6 anos, em nome de uma educação sexual liberal. A menina se sentiu repelida pelo que viu e saiu correndo do quarto. Ela sentiu repulsa pelo corpo da mãe e ficou revoltada com a ideia de ter um órgão genital. Uma criança se choca mais com a insensibilidade de um pai ou mãe capaz de fazer tal coisa do que com o ato em si. Outro exemplo dessa insensibilidade foi relatado por uma paciente que revelou que, quando tinha 10 anos, sua mãe notou que seus seios estavam começando a se desenvolver. "Ela veio até mim, colocou a mão debaixo do meu seio e disse, num tom malicioso: 'Ah, você está crescendo.' Eu me senti extremamente enojada. Tive vontade de sumir."

Essa paciente prosseguiu: "A ideia de minha mãe me tocando fazia eu me encolher. Eu queria me afastar do toque dela. Sentia que era sexual. Seus seios e seu corpo me repeliam. Uma vez, quando eu tinha 15 anos, ela entrou no quarto com a calça rasgada. Falei inocentemente: 'Tem um furo na sua calça'. Ela respondeu: 'Na sua também'. Eu quase vomitei. Ela era tão pervertida, suja e sedutora".

No caso de Mary, o comportamento de sedução e rejeição por parte dos pais a levou a rejeitar seu corpo e sua feminilidade. Sua personalidade – o aspecto de boneca, a falta de feminilidade madura, sua passividade homossexual – vinha de sua submissão à agressividade fálica da mãe e à sedução oral do pai. Em consequência, a submissão a um homem se tornou impossível para ela. "Eu posso seduzi-los; isso me dá controle. A situação oposta me assusta." Mary se tornou sedutora a fim de se defender. Ao mesmo tempo, morria de medo de sentimentos sexuais espontâneos, que a transformariam numa mulher e numa ameaça para a mãe.

Havia, na personalidade de Mary, uma cisão entre sexualidade e genitalidade. Quanto mais ela tentava evitar a sexualidade de seu corpo, mais preocupada ficava com a genitalidade. A paciente observou: "Percebo que presto atenção a genitais o tempo todo. Eu me sinto inumana. Eu realmente quero vê-los ou estou tentando me defender deles?" Essa obsessão com órgãos genitais era alimentada por uma ansiedade e uma curiosidade sexuais reprimidas. A resposta é sim para ambos os questionamentos de Mary.

A ansiedade sexual reprimida reduzia a percepção que ela tinha de seu corpo, especialmente da metade inferior. Certo dia, durante uma sessão, Mary afirmou: "Eu não sinto minhas pernas. Não sinto que sejam parte do meu corpo". A perda de sensação nas pernas que Mary observou é uma perturbação comum e básica na imagem corporal esquizoide. Em seus desenhos da figura humana, as pernas muitas vezes estão ausentes ou mal desenhadas. Gisela Pankow, cujo trabalho com esquizofrênicos consiste fundamentalmente na reconstrução dinâmica da imagem corporal, relata a "cisão entre a região da cabeça e a região das pernas", com a consequente rejeição da "noção de um corpo sexualizado".[33] Há uma ligação direta entre as pernas e a função sexual. Genitalidade implica maturidade (manter-se sobre os próprios pés), e vice-versa. Ao separar o ego (a região da cabeça) de sua genitalidade (a região das pernas), o esquizoide nega sua independência e maturidade e se retira para uma posição infantil e impotente. Em outras palavras, ao separar a imagem da parte inferior de seu corpo para evitar o sentimento sexual, o esquizoide se dissocia das funções de suas pernas, que representam independência e maturidade. Mary expressou essa tendência esquizoide: "Eu não me permito sentir nada da cintura para baixo. Se sinto alguma coisa na pelve, é uma agonia. Tenho medo de perder a cabeça. Eu quero ser uma sereia".

Mary teve um sonho em que aparecia deitada na cama com o pai, que estava nu. Ela tentava evitar o contato entre as porções inferiores de seus corpos para que "não ficasse sexual". Assim, a negação de sua sexualidade derivava de um medo de envolvimento sexual com o pai.

Isso despertaria o ciúme e a ira da mãe, dos quais Mary tinha pavor.

Incapaz de se aceitar como mulher, Mary tentou se identificar com o irmão. Quando menina, ela se perguntava: "Como eles sabem que eu sou menina, e não menino?"

"Eu pensava no pênis", disse, "e o sentia, mas não tinha um. Se eu fosse menino, teria". Sua identificação final não foi masculina nem feminina; ela se tornou o "menino sem pênis", o jovem homossexual.

Traçamos aqui algumas das experiências e identificações que determinaram a atitude de Mary para com seu corpo. Essas atitudes, manifestadas tanto em sua imagem corporal como em sua aparência física, refletem-se em seus desenhos da figura humana. Depois da análise de suas atitudes, do trabalho com seu corpo e de minha aceitação dela como ser humano, sua imagem corporal mudou. Um dia ela disse: "Sabe o que estou sentindo hoje? Estou sentindo mais os contornos do meu corpo. Ele já não me parece tão vago".

A supressão do sentimento da periferia do corpo é o mecanismo de defesa esquizoide. A perda de carga na superfície do corpo reduz a consciência do contorno corporal e torna impossível o desenho correto da figura humana. Diminui a barreira a estímulos externos e torna o esquizoide extremamente sensível a forças exteriores.

Há uma identidade funcional entre a imagem corporal e o corpo real. Para alcançar uma imagem corporal adequada, é necessário mobilizar o sentimento total do corpo. O corpo só é experimentado como vivo e saudável se funcionar dessa maneira. Além de remover os bloqueios psicológicos à aceitação do corpo, a terapia deve fornecer meios para que o paciente experimente seu corpo "de imediato". Ele deve ser incentivado a se mover e a respirar, pois se essas funções estiverem reduzidas perde-se o sentimento. Meu trabalho com Mary envolveu uma ênfase considerável a essas atividades. Entre outras coisas, ela chutava, esmurrava o divã, se alongava e respirava. O efeito de sua melhora é mostrado no seguinte relato:

Eu comprei um biquíni e, apesar dos meus receios, o usei na praia. Eu me senti tão sexual e feminina! Você sabe como me sinto com relação ao meu corpo. Foi uma sensação maravilhosa. Não me lembro de ter me sentido tão bem antes. Eu me senti outra pessoa.

Na discussão que acabei de apresentar sobre o caso de Mary, enfatizei o desenvolvimento e a função da imagem corporal. No Capítulo 13, discutirei outro aspecto de sua terapia, o desmascaramento de seu papel de "bonequinha".

No indivíduo esquizoide, os sentimentos estão engarrafados como o gênio da lâmpada de Aladim. Mas o esquizoide parece ter esquecido a fórmula mágica capaz de libertar o gênio. Se a história de Aladim e da lâmpada mágica for interpretada como uma metáfora, a lâmpada corresponde ao corpo, os encantamentos são palavras de amor e o ato de esfregar a lâmpada é o equivalente a uma carícia. Quando o corpo é acariciado, se acende como uma lâmpada e emite uma forte exalação, a aura da excitação sexual. Quando o corpo é "aceso", os olhos brilham e o gênio do sexo pode realizar suas transformações mágicas. Na realidade, o esquizoide não esqueceu a fórmula mágica; ele fala de amor e faz sexo, mas a lâmpada está perdida, rachada ou quebrada, e nada acontece. Em desespero, ele recorre à perversão, experimenta drogas ou se torna promíscuo. Nenhuma dessas manobras desesperadas liberta o gênio do amor e do sexo.

O corpo traído

6. A psicologia do desespero

COMPORTAMENTO AUTODESTRUTIVO

Muitos indivíduos se envolvem em atividades que eles reconhecem como nocivas para si mesmos, mas que, ainda assim, continuam a repetir. Às vezes, temos a impressão de que a pessoa, especificamente o indivíduo esquizoide, é motivada por um demônio malévolo a realizar ações que põem em risco sua vida ou sua sanidade. Mesmo nos casos menos graves, há na personalidade uma tendência autodestrutiva, que quase sempre é muito difícil de superar na terapia.

Seria de supor que, ao se tornar ciente de que certas atividades ou padrões de comportamento são autodestrutivos, a pessoa mudasse de atitude. Até mesmo terapeutas experientes fazem essa suposição, e ficam surpresos e decepcionados quando o paciente não reage positivamente à análise. Essa situação – conhecida como reação terapêutica negativa – levou Freud a postular o conceito de "compulsão à repetição", isto é, a necessidade de repetir experiências traumáticas dolorosas. Pode ser ilustrada pelo exemplo do indivíduo que tem um sentimento íntimo de rejeição, mas se expõe continuamente a situações em que é rejeitado, muitas vezes percebendo de antemão que o será. A ideia da compulsão à repetição foi posteriormente desenvolvida por Freud na hipótese de um "instinto de morte".

É verdade que todos os pacientes que analisei tinham tendências autodestrutivas. Era por isso que estavam em tratamento. Mas em nenhum deles encontrei qualquer indício que corroborasse a hipótese de Freud. Muitos expressavam o desejo de morrer, mas desejo de morte não é instinto de morte. Com frequência, o comportamento autodestrutivo pode ser radicalmente modificado. O fato de a pessoa ser autodestrutiva indica a presença de uma força na personalidade que dissipa a energia vital do organismo. Tal força contrária à vida aparece na personalidade esquizoide, mas é resultado direto da cisão esquizoide, e não sua causa. Uma vez que todos os aspectos da personalidade

Alexander Lowen

esquizoide estão sujeitos ao processo dissociativo, sua própria existência se torna dividida entre as forças de vida e de morte.

Um exemplo comum de tendência autodestrutiva é o vício em tranquilizantes e sedativos. Uma de minhas pacientes fora alertada por seu médico de que esses comprimidos eram prejudiciais à sua saúde. Eles diminuíam sua energia, mantinham seu estado anêmico e a deixavam letárgica e cansada. "Sei que morro um pouco cada vez que tomo os comprimidos", observou. Ela fizera várias tentativas de se abster dos remédios. Cada vez que tentava, sentia-se melhor, mais viva e mais otimista com relação à vida. Estranhamente, no entanto, voltava a tomar a medicação justamente quando se sentia bem. E, tão logo voltava a depender dos comprimidos – para conter a ansiedade e conseguir dormir –, perdia todas as boas sensações.

Sua ansiedade, como a de todas as personalidades esquizoides, aumentava quando as coisas iam bem e ela se sentia bem. As boas sensações, disse ela, levam à percepção da dor e da desgraça. Finalmente, a ansiedade se torna insuportável. "Eu não quero me sentir tão bem, porque vou ter que pagar por isso depois", afirmou. Os comprimidos diminuíam a ansiedade produzindo uma espécie de esquecimento. A associação de sensações boas com ansiedade parece tão estranha para o pensamento normal que é preciso presenciar essa situação muitas vezes para aceitá-la sem surpresa.

Tratei uma mulher alcoólatra cuja resposta à terapia era positiva. Ela discutia seus problemas e seus sentimentos abertamente e com facilidade. No fim de cada sessão, comentava sobre quanto se sentia melhor, mas quando voltava para casa não conseguia resistir à tentação de tomar um drinque. Outro paciente, que fizera progresso significativo na terapia, de súbito expressou um pavor da morte. Antes, sua luta desesperada para sobreviver evitava essa ansiedade. Ele se tornou consciente de seu medo de morrer no momento em que sentiu que tinha alguma coisa pela qual viver. Tal ansiedade surge do medo de ser punido pelas boas sensações. Se tal ansiedade se torna intensa demais, o indivíduo não tem outra escolha a não ser destruí-las.

A ansiedade associada a sentimentos positivos com relação à vida deriva de uma sensação subjacente de tragédia. Em geral, o indivíduo não percebe que está tomado por tal sensação, embora por vezes sentimentos inconscientes de desespero possam irromper na consciência. Esses sentimentos, no entanto, logo são reprimidos em nome da sobrevivência, e a pessoa continua com suas batalhas inúteis. Quando, no decurso da terapia, seu padrão de comporta-

O corpo traído

mento autodestrutivo é analisado, o paciente admite que pressentira o fracasso. Em algum nível de consciência, ele sabia que não poderia – ou não deveria – ter sucesso.

Por que o sucesso deveria ser tão temido, ou qual seria esse sucesso tão temido? Trata-se da posse sexual do pai ou da mãe, mas quase sempre é necessária uma longa análise para que o paciente adquira essa compreensão. No início, ele não está ciente de que a sensação de tragédia que paira sobre si é o terror de cometer incesto, o risco de quebrar o terrível tabu e o medo da dura represália que inevitavelmente se seguiria. Em sua defesa contra esse terror, o indivíduo esquizoide sacrifica seu direito de desfrutar do próprio corpo e de experimentar o calor do contato humano. Assim, ele se sente banido da sociedade por sua incapacidade de partilhar o prazer da gratificação e do desejo erótico. Uma vez que seu exílio é psicológico, a barreira é a culpa – não a culpa da relação sexual (que os sofisticados são capazes de racionalizar), mas a culpa do prazer derivado da intimidade erótica. Dissociado do sentimento, o ato sexual não evoca o conflito edipiano, uma vez que o corpo funciona de forma mecânica. O prazer, porém, requer que se afrouxem as restrições, que se suspenda a repressão e que se aceitem os desejos e anseios incestuosos. A aceitação desses sentimentos sexuais permite que estes sejam integrados na personalidade e transferidos para outros numa relação madura.

A tragédia que paira sobre o indivíduo esquizoide é a ameaça de ser abandonado ou destruído por violar o tabu do incesto. Para evitá-la, ele reprimiu seus sentimentos sexuais e abandonou seu corpo. Agora, quando adulto, ele descobre que o caminho normal para as relações humanas está bloqueado por causa dessa repressão. Assim, sua defesa o isola, o aliena da sociedade e o sentencia à própria desgraça que ele temia. O dilema do esquizoide é que ele não pode seguir em frente para um relacionamento satisfatório por causa do terror, e não pode permanecer onde está por causa da solidão e do isolamento.

Porém, enquanto há repressão o conflito edipiano não está adormecido por completo, pois tal repressão nunca é total. Os sentimentos sexuais vivem ameaçando irromper, e o temor à terrível punição nunca está ausente. O indivíduo esquizoide luta contra a sensação de que a desgraça é inevitável, não importa o que ele faça. Em vista dessa sensação, seu único recurso é aprender a conviver com ela.

Se conseguimos nos acostumar à ideia de catástrofe, eliminamos seu caráter pernicioso e amenizamos seu terror. Se não há nada a ganhar, não há o risco de perder coisa nenhuma. A punição autoinfligida visa evitar uma punição maior por parte de agentes externos. Essa é a explicação para as fantasias de espancamento ou para os espancamentos reais procurados por masoquistas, como demonstrou Wilhelm Reich em sua análise do caráter masoquista.[34] No masoquismo, a punição real é sempre menor do que a punição temida, ou seja, a castração. Igualmente, o isolamento imposto a si próprio é menos assustador do que o abandono e a morte.

O comportamento autodestrutivo do indivíduo esquizoide tem caráter de sobrevivência em seu inconsciente. É uma técnica de sobrevivência, anacrônica em sua situação atual, mas válida no que concerne às suas experiências infantis. É um tipo de defesa ocasionalmente observada no reino animal: fingir-se de morto diante do perigo. Tive um paciente que literalmente encenou isso durante uma sessão. Ele estava deitado no divã numa posição relaxada quando notei que revirava os olhos, deixando à mostra o branco da parte inferior. Sua respiração diminuiu; ele ficou lá, inerte; e era como se estivesse morrendo. Quando apontei para ele o significado de sua expressão corporal, ele me contou que costumava adotar essa pose ou atitude quando menino, nas situações em que era ameaçado pelos pais. Eles ficavam assustados quando viam sua aparência de morto e mudavam de comportamento, deixando de lado as ameaças e demonstrando preocupação.

As tentativas de suicídio por parte de jovens, cada vez mais frequentes em nossos dias, estão sujeitas à mesma interpretação. Apesar do óbvio elemento autodestrutivo presente nesses atos, eles também são um dramático pedido de socorro. Muitos pais só despertam para a seriedade do estado emocional de um filho quando confrontados com tais medidas drásticas. Infelizmente, as manifestações do problema esquizoide muitas vezes são vistas como idiossincrasias pessoais, falta de interesse ou resistência proposital. A insensibilidade dos pais com frequência leva o jovem ao comportamento abertamente autodestrutivo para forçá-los a levar suas dificuldades a sério.

O perigo, em tais medidas drásticas, é que se pode ir longe demais. Cada vez que se morre um pouco, o caminho de volta à vida e à saúde torna-se mais longo. Finalmente, o desespero chega a tal ponto que a pessoa já não se importa, e a linha que separa a vida da morte pode ser ultrapassada. Por quanto tempo conseguimos gritar por um socorro que não chega? Por quanto tempo é possível viver à sombra da desgraça sem evocá-la? No fim, a manobra desesperada tem um desfecho desesperado. O indivíduo desesperado provoca sua sina.

O corpo traído

A TÉCNICA DE SOBREVIVÊNCIA

Um exemplo da psicologia do desespero é o caso de um jovem que me consultou em virtude de uma depressão prolongada e da incapacidade de trabalhar. Bill era um matemático de mente fria e precisa, capaz de analisar claramente um problema, exceto quando estava nele envolvido. No decurso da terapia, seu problema passou a se concentrar na sensação de que "nada acontece". Essa sensação surgiu nitidamente durante uma análise de dois sonhos, em ambos os quais, conforme observou, "nada acontecia". Então ele percebeu que aquela sensação dominava sua vida, estando por trás de sua depressão da incapacidade de trabalhar. A sensação se tornou acentuada quando a terapia, após um início promissor, parecia não sair do lugar. No começo, quando ele mobilizava os músculos em vários exercícios, sentia fortes vibrações involuntárias nas pernas e no corpo. Ele ficava eufórico – afinal, alguma coisa parecia estar acontecendo com ele. Mas, além de liberar algum sentimento por meio do choro, esses movimentos involuntários preliminares não levaram a lugar nenhum. Seu entusiasmo inicial diminuiu e sua depressão piorou. Ele tinha mais dificuldade de trabalhar. Eu o havia alertado sobre isso, pois a experiência demonstra que os pacientes devem confrontar seus temores internos antes de melhorar. Ambos reconhecemos a possibilidade de ele perder o emprego por sua baixa produtividade. Isso significaria que "algo aconteceria" com ele, e ele admitiu que talvez fosse isso que estava buscando, embora certamente se tratasse de um acontecimento desfavorável.

Fisicamente, Bill era um homem jovem de corpo magro e rígido que poderia ser descrito como astênico. Tinha ombros largos, pelve estreita e pernas extremamente rígidas e tensas. Seu peito, que era um tanto largo, tinha uma depressão na região do esterno, e sua musculatura abdominal era extremamente contraída. Devido a isso, sua respiração se limitava ao tórax. Embora seus braços e pernas fossem fortes, não estavam integrados com o resto do corpo. A cisão em sua personalidade também se manifestava em sua expressão facial. Em repouso, seu rosto parecia triste, cansado e velho; mas, quando ele sorria, iluminava-se como um menino. O conflito entre o otimismo e o desânimo o levava a atividades perigosas, em que, felizmente, nada acontecia.

Bill era alpinista; um dos melhores, segundo afirmou. Escalara muitos rochedos íngremes sem nenhum temor ou hesitação. Não tinha um medo consciente de altura nem de cair. Não tinha medo porque, numa parte de sua

Alexander Lowen

personalidade, não se importava em cair. Ele relatou um incidente: certa vez, em que estava escalando sozinho, perdeu o pé de apoio. Por instantes, ficou dependurado, agarrando-se a uma saliência estreita com as mãos. Enquanto buscava um apoio para o pé, sua mente se desligou e ele se perguntou: como seria se eu caísse? Não houve pânico.

O conflito na personalidade de Bill era entre o desejo de que algo significativo acontecesse e o medo de que, se acontecesse, o resultado fosse catastrófico. Esse conflito o levava a aceitar o desafio de situações que apresentavam um perigo específico: o de cair. Quando estava perto de um penhasco, ele se forçava a ir até a beira para provar que não tinha medo. Bill raciocinava que a presença do vazio não deveria fazer diferença, já que ele estava pisando em terra firme. Esse raciocínio era determinado pela psicologia do desespero. A pessoa desesperada se expõe a riscos desnecessários para provar que pode sobreviver. O desespero de Bill se revelava em algumas fantasias estranhas. Ele tinha impulsos, bem contidos no momento, de tocar cabos de alta tensão e de se colocar na frente de carros em alta velocidade para ver o que aconteceria. Inclusive comentou que, se cometesse suicídio, seria pulando de um penhasco. "Se", disse ele, "eu pudesse fazer isso com segurança". Bill queria a excitação do perigo com a segurança de que nada aconteceria.

É possível demonstrar analiticamente que as pessoas que têm medo de cair de lugares altos também temem cair no sono ou cair de amores. Contra o medo de altura, o ego pode erigir defesas que reprimem esse temor e permitem que o indivíduo funcione na situação ameaçadora. Isso pode inclusive, como no caso de Bill, forçá-lo a desafiar sua ansiedade inconsciente. Mas o ego não pode ajudar uma pessoa amedrontada a se apaixonar, já que esse sentimento está além do controle do ego. Não fiquei surpreso ao saber que Bill sofria de insônia e que suas noites em claro estavam se tornando mais frequentes. Bill também jamais havia se apaixonado de verdade. Uma pessoa capaz de amar não reclamaria de que nada acontece. O amor é um acontecimento de significância transcendente.

Tornou-se óbvio que Bill morria de medo de cair. Sua defesa contra esse medo era se sujeitar a situações em que isso poderia acontecer, para provar que ele não tinha nada a temer. Tal tática requeria um controle exagerado do corpo, sobretudo das pernas. Suas pernas eram rígidas e tensas, e ele mal conseguia dobrá-las; seus tornozelos eram inflexíveis e seu arco plantar, tão contraído que o contato dos pés com o chão era muito reduzido. Em vista

O corpo traído

dessas deficiências físicas, ele era a última pessoa que se esperaria que escalasse paredes rochosas, mas ele compensava esses problemas fazendo uso de uma grande determinação. Assim, ele vivia em estado de emergência, enfrentando cada desafio com todas as suas forças para provar que nada aconteceria.

Enquanto essa farsa continuasse, nada aconteceria para tirar Bill da depressão. Ele tinha de aprender a soltar; sua determinação precisava afrouxar o controle sobre seu corpo. Nesse momento da terapia, pedi que Bill assumisse uma posição de tensão que é usada por esquiadores e outros atletas para fortalecer os músculos das pernas. Tais exercícios corporais têm o efeito de concretizar atitudes emocionais e tornar o paciente ciente de seus problemas por meio da percepção de sua rigidez física. No caso de Bill, o exercício foi concebido para torná-lo consciente de seu medo de cair.

Em pé na borda do divã, Bill dobrou os joelhos e se curvou para a frente de modo que todo o peso de seu corpo estivesse sobre a parte frontal dos pés. Ele podia manter o equilíbrio arqueando levemente para trás e tocando o divã com os dedos. Os atletas geralmente se mantêm nessa posição por mais ou menos um minuto. Quando perguntei a Bill por quanto tempo ele conseguiria permanecer assim, ele respondeu: "Para sempre". Já que isso significava indefinidamente, eu lhe pedi que tentasse. Ele se manteve na posição por mais de cinco minutos, enquanto suas pernas tremiam e a dor aumentava. Quando a dor finalmente ficou intensa demais, Bill não caiu: ele se jogou para a frente de joelhos, como que indiferente às consequências. Ele repetiu esse exercício várias vezes, até que ficou evidente seu medo de deixar surgir a sensação de cair. Interpretei essa atitude física de Bill como uma determinação inconsciente de ficar em pé a todo custo. Psicologicamente, isso significava que ele conseguia "ficar sozinho". Inconscientemente, ele rejeitava toda dependência de outros e negava sua necessidade de contato e intimidade.

Na sessão seguinte, Bill relatou o surgimento de um sentimento forte.

Naquela noite, depois da nossa última sessão, tive o meu primeiro pesadelo. Acordei achando que havia alguém no quarto. Devo ter gritado. Acordado, pensei ter visto um vulto na porta. Tive medo de sair da cama. Finalmente, ouvi o meu gato, e quando o chamei me senti melhor. Essa experiência me fez lembrar dos meus medos de infância. Agora percebo que o fato de eu ir para a cama tarde se deve ao medo de cair no sono.

Antes desse sonho, Bill não tinha nenhuma memória de suas ansiedades de infância. Os incidentes que ele lembrava careciam de emoção. Depois do sonho, discutimos sua relação com os pais, e Bill percebeu que havia reprimido todos os sentimentos para com eles. Ele suprimira seu amor pela mãe e seu medo do pai. Assim, o tabu contra os envolvimentos sexuais da situação edipiana foi ampliado, na mente de Bill, para significar que "nada deve acontecer". Para que um tabu tenha consequências tão extremas, a situação edipiana deve apresentar uma possibilidade real de incesto e uma ameaça iminente de desastre. Nessas circunstâncias, medidas severas são adotadas para evitar uma catástrofe: a negação do corpo e de seus sentimentos e o isolamento de um membro da família por outro. Bill se sentira muito sozinho quando criança, e continuou sozinho quando adulto.

O pesadelo de Bill foi a primeira manifestação de seus sentimentos reprimidos. Ele reconheceu que o vulto estranho no sonho representava seu pai, e que ele provavelmente tinha medo do progenitor quando criança. Quando cresceu, esse medo foi encoberto por uma atitude de arrogância, já que "nada aconteceu"; ele não foi punido nem banido. No entanto, o sentimento de tragédia subjacente persistiu no inconsciente de Bill e foi transferido para sua situação de trabalho. Sua psicologia do desespero requeria que ele desafiasse as autoridades para ver se elas retaliariam, mas ao mesmo tempo ele estava morrendo de medo de perder o emprego. Bill dedicara a vida a dominar a técnica de sobreviver à beira do precipício.

A psicologia do desespero deriva de atitudes conflitantes: uma submissão exterior encobrindo um desacato interior, ou uma rebeldia exterior ocultando uma passividade interior. Submissão significa que a pessoa aceita a posição de "intruso", de minoria, de despossuído ou de rejeitado. Implica o sacrifício do direito à realização e à satisfação pessoal – em outras palavras, a rendição do direito ao prazer e ao gozo. O desacato interior requer que o indivíduo desesperado desafie essa situação. O desacato força o indivíduo ao comportamento provocador, que gera a desgraça que ele teme. Mas a sobrevivência requer que a provocação não vá até as últimas consequências, de modo que a tragédia é evitada.

Bill era um "solitário". Sua atitude exterior denotava rebeldia. Ele desafiava todas as situações, mas sabia que eram desafios que não poderiam suceder, porque eram negados por sua passividade interior. Enquanto Bill aceitasse estar sozinho como estado necessário para sua existência, teria de se

O corpo traído

abster da busca de prazer e dedicar toda sua energia a fortalecer sua capacidade de estar sozinho.

Logo depois do pesadelo, Bill relatou outro sonho. Ele estava num quarto com outro homem. Ambos estavam nus. O outro homem, que Bill achava que talvez também fosse ele próprio, se debruçou sobre uma janela para ver do lado de fora. Então, Bill se aproximou por trás dele e inseriu o pênis em seu ânus. Bill observou: "Eu não sentia nada. Só me perguntei como seria".

Quando sugeri que o outro homem representava seu anseio de contato e sua necessidade de receber algo, ele irrompeu num choro angustiado. Bill suprimira o lado passivo de sua personalidade, que representava submissão homossexual, e assim refreara seus sentimentos. Seu medo de cair também estava relacionado com seu medo de submissão homossexual. Ele precisava trabalhar esses sentimentos para resolver suas dificuldades, já que sua incapacidade de trabalhar direito representava o medo de se submeter a seu empregador.

O comportamento autodestrutivo que hoje é visto no alcoolismo, na dependência de drogas, na delinquência e na promiscuidade reflete o grau em que os indivíduos em nossa cultura se tornaram seres isolados, desconectados e desesperados. Se a depressão é real ou imaginada faz pouca diferença, exceto que no desespero real a estratégia defensiva cessa quando a emergência passa. O indivíduo esquizoide, no entanto, vive num estado contínuo de alarme. A sina específica que ele teme pode ser determinada com base em seu comportamento, já que este é ao mesmo tempo um desafio à sua sina e uma tentativa de se resignar às suas consequências. Quando o indivíduo esquizoide age forçando a mão do destino, ele pode dizer: "Viu? Eu estava certo. Você me odiou. Você me rejeitou. Você me destruiu". Assim, explica seu isolamento, sua inutilidade e seu vazio. E pode tratar de provar a si mesmo e ao mundo que é capaz de se colocar acima de sua desgraça.

O caso a seguir ilustra as forças complexas por trás do comportamento autodestrutivo que consistia de atividade sexual promíscua após uma noite de bebedeira. Penny, como a paciente será chamada, muitas vezes terminava suas noites na cama com um homem que conhecera em um bar onde passara a noite bebendo. Quando acordava na manhã seguinte a um de tais episódios, ela não conseguia lembrar o que acontecera na noite anterior. Nessas circunstâncias, Penny ficou grávida várias vezes e teve de se submeter a abortos ilícitos, que lhe causavam pavor. A única explicação de Penny para esse

Alexander Lowen

comportamento era que ela não conseguia ficar em casa sozinha à noite. Mas sua explicação não passava de uma racionalização. Penny tinha 20 anos quando a conheci, e esse padrão vinha acontecendo havia vários anos. Ela era uma dessas pessoas desesperadas, isoladas e vagando no limbo da semiexistência. Quando usei essa expressão para descrever seu estado, ela observou que tinha acabado de escrever sobre isso.

Escuta.
Cai fora e me deixa sozinha.
Deixada não para descansar em paz,
mas para continuar e vagar
no limbo,
onde sou conhecida,
não amada nem amorosa,
mas conhecida.
E deixada sozinha,
perdida
em meio a lajes de pedra
sem vida,
cinzentas e frias
e laceradas
com a escuma
da minha loucura.

Então ela me perguntou:

O que aconteceu comigo? Por que passei a vida atada a um ou outro nó? O que será capaz de penetrar nos milhares de dias e noites que me fizeram ser quem eu sou? E como isso vai acontecer? Eu não acredito que possa acontecer, mas preciso tentar, e confiar na sua capacidade, no seu conhecimento, e – espero – nos seus bons sentimentos com relação a mim. Do contrário, o que hoje é insuportável logo se tornaria impossível, e isso seria o fim.

Penny viera a Nova York de uma cidadezinha do centro-oeste e trabalhava como secretária executiva. Ela era inteligente e sensível, o que tornava seu comportamento ainda mais irracional. Mas sua irracionalidade era mais apa-

O corpo traído

rente do que real. Se ficar sozinha ameaçava sua sanidade, ela não tinha alternativa senão encontrar companhia a todo custo. Por que Penny tinha tanto medo de ficar sozinha? A solidão significava não ser amada e não amar, e uma sexualidade desesperada parecia ser preferível a essa sina. Mas cada tentativa desesperada de encontrar amor fazia Penny se sentir mais rejeitada do que antes. Em seu desespero, ela não conseguia recusar uma investida. Segundo ela, sempre havia a possibilidade de que este fosse quem ela buscava.

Quando a atendi pela primeira vez, Penny tinha a típica aparência esquizoide: seus olhos eram opacos e vagos, sua pele era pálida e descorada, e seu corpo, extremamente rígido. Apresentava uma respiração muito superficial. Quando tentou respirar fundo, entrou em pânico. Por um minuto não conseguiu recuperar o fôlego; então começou a chorar. Ela percebeu quanto estava amedrontada e sem contato com o próprio corpo. Eu lhe mostrei que o caminho para se livrar do sofrimento era aceitar uma identificação com seu corpo. Isso fez sentido para Penny, porque ela percebeu que tinha vergonha de seu corpo e que suas atividades sexuais promíscuas eram tentativas desesperadas de obter algum contato com ele.

Pessoas desesperadas como Penny muitas vezes se envolvem em atividade sexual para adquirir algum sentimento corporal. Essa atividade compulsiva pode dar a impressão de que esses indivíduos são hipersexualizados. Eles são, quando muito, hipossexualizados, pois a atividade deriva de uma necessidade de estimulação erótica, e não de um sentimento de carga ou excitação sexual. Esse tipo de atividade sexual nunca leva a uma realização ou satisfação orgástica; em vez disso, deixa a pessoa vazia e decepcionada. Posteriormente na terapia, Penny falou da "excitação da decepção", explicando que cada aventura tinha em seu cerne a esperança de que pudesse ser significativa e o temor de que fosse desastrosa. Essa mistura de esperança e temor subjaz a psicologia do desespero. Cega o indivíduo para a realidade e o obriga a situações que só podem ter um efeito destrutivo sobre sua personalidade.

Penny não se aceitava como mulher. Ela disse: "Consigo aceitar o fato de ser mulher, mas duvido que algum dia seja capaz de sentir prazer nisso". Mas, sem o prazer, a aceitação denota submissão à própria sina. Para Penny, sua sina era ser humilhada, degradada e, finalmente, rejeitada e destruída. Ela se submetia a essa sina porque se sentia danificada e mutilada em seu ser. Em vista do que fora e fizera, sentia que ninguém poderia respeitá-la, muito menos ela própria. Ela comentou: "Eu me sinto como uma mercadoria de segunda mão, como uma tigela de porcelana rachada". Então, captou o significado de seu lapso freudiano e exclamou: "O que foi que eu disse!"

Uma pessoa não escolhe sua sina; apenas a cumpre. Estará presa a ela enquanto aceitar os valores que a determinam. Se ser mulher significa ser inferior, Penny era um caso perdido. Mas ela era sofisticada e inteligente demais para aceitar esse juízo de valor. Não era a feminilidade que a estigmatizava, e sim a sexualidade feminina. Casamento e maternidade eram virtudes, mas prazer sexual era pecaminoso para uma garota. Penny não estava ciente de pensar dessa maneira; ela se considerava uma mulher moderna e sofisticada, que aceitava o sexo. Entretanto, sua promiscuidade era um sinal de culpa sexual. Essa combinação de sofisticação e culpa era responsável por seu comportamento sexual desesperado.

Os verdadeiros sentimentos de Penny foram expostos quando eu a questionei sobre masturbação. "Masturbação" era uma palavra que ela não conseguia pronunciar. A própria ideia lhe causava repulsa. Uma análise posterior de seus sentimentos revelou que ela considerava a vagina suja, intocável. Como Mary, Penny rejeitava a parte inferior de seu corpo e, no processo, negava o corpo todo como fonte significativa de prazer. Envergonhada de seu corpo e com medo de suas sensações, ela não conseguia ficar sozinha consigo mesma. Não podia recorrer a si mesma – isto é, ao próprio corpo – em busca de conforto e segurança. Em seu desespero, obrigava-se a experiências sexuais que aumentavam a culpa e a vergonha.

A satisfação na masturbação é um indicador de que a pessoa é capaz de "fazer por si mesma". Sendo incapaz de agir assim, ela fica desesperada e precisa encontrar alguém que possa fazer por ela. Uma vez que pedinte não escolhe, a pessoa muitas vezes é forçada a adotar medidas desesperadas. A necessidade que Bill tinha de escalar paredes rochosas era uma manobra tão desesperada quanto a de Penny ao recorrer à promiscuidade sexual. Ambos buscavam o perigo para sentir uma excitação que nenhum dos dois conseguia obter por meio da experiência do próprio corpo. O problema não é a masturbação em si, e sim a culpa sexual e a rejeição do corpo. A incapacidade de se masturbar com satisfação é o principal sintoma dessa culpa.

A técnica de sobrevivência de Penny era se entregar à sua culpa até que esta perdesse seu aspecto terrível, o que nunca aconteceu. Mas há uma estranha salvação nesse comportamento. A pessoa aprende que é capaz de sobreviver a uma depravação aparente. A consequência nunca é tão ruim quanto o

O corpo traído

previsto. A pessoa não é fatalmente atingida por seus pecados. O pavor à sexualidade diminui um pouco, e a sanidade é preservada, apesar dos tormentos da experiência.

O indivíduo que perde contato com seu corpo enfrenta a ameaça da esquizofrenia. A manobra desesperada é um meio extremo de proporcionar esse contato. Penny, com seu comportamento promíscuo, deslocava seu sentimento de vergonha do corpo para a ação. Bill, ao desafiar as alturas, deslocava seu medo do corpo para a parede rochosa. A vergonha e o medo tornam-se toleráveis se puderem ser projetados em fatos externos. A manobra desesperada é um meio de preservar a sanidade transferindo o terror para situações reais. A mente é capaz de lidar com temores específicos; sente-se vulnerável diante do desconhecido. Se essa manobra falha, o último ato desesperado para evitar a desgraça é o suicídio.

Sexo e morte estão intimamente relacionados na personalidade cindida. O medo do sexo é o medo da morte. Quando um indivíduo está lutando para continuar vivo, qualquer coisa que ameace minar seu autocontrole é um perigo mortal. Os sentimentos sexuais apresentam tal perigo. Outra paciente expressou isso claramente: "Estou lutando para continuar viva. Se eu relaxar, alguma coisa vai assumir o comando e me jogar no precipício". Bill tentou ter certeza de que não poderia ser jogado no precipício. Penny estava continuamente se jogando de cabeça. Em ambos os casos, a força que os impelia era a sexualidade. Ocasionalmente, esse demônio mostra sua cara, como na observação a seguir: "Tive sentimentos sexuais intensos e fiquei apavorada". Essa observação, feita por uma mulher casada, não expressa medo da atividade sexual, mas apenas do sentimento sexual. Nesse sentido, a promiscuidade de Penny tinha o efeito de diminuir seus sentimentos sexuais e, desse modo, protegê-la de um terror maior. Esse terror vinha à tona de tempos em tempos. Ela relatou:

> Alguma coisa acontece comigo que me assusta terrivelmente. Quando eu desperto, mas antes de estar totalmente consciente, percebo que meu coração está batendo forte e depressa, e que não consigo respirar. Percebo que, se não respirar em cerca de um minuto, vou morrer. É como se eu estivesse morrendo. Sinto a cabeça latejando e parece que o meu peito vai explodir. Isso me faz lembrar a descrição que li de uma pessoa tendo um ataque do coração.

Alexander Lowen

Mais tarde, Penny relatou um sonho que explicava parcialmente seu terror:

Eu estava num quarto, olhando através de um obstáculo para outro cômodo, no qual eu me via. Fiquei apavorada, e acordei com o coração disparado. Acordada, pensei sobre o sonho, e percebi que o obstáculo era meus pais na cama fazendo sexo. Isso me deixou horrorizada.

Por que tal visão deveria horrorizar uma criança? Por que a ideia de relação sexual entre os pais é tão difícil de aceitar? Se, na mente da criança, a intimidade física está associada com medo e vergonha, o ato sexual será visto como um ataque ao ego e ao corpo. A criança o vê como uma violação de privacidade, um insulto à personalidade. Num nível mais profundo, a reação da criança à visão da intimidade sexual reflete os sentimentos inconscientes dos pais sobre o ato sexual. O horror de Penny refletia o medo consciente ou inconsciente da mãe com relação ao sexo. Penny descreveu sua mãe como pouco atraente, indiferente à sua aparência física, e como uma mulher que não encontrava prazer no próprio corpo. Seu pai, segundo ela, era desinteressado e incapaz de demonstrar afeto. Para um homem como ele, o sexo é uma necessidade de aliviar tensões. Para uma mulher como a mãe de Penny, o sexo é a submissão a um dever desagradável.

A qualidade da intimidade física entre mãe e filho reflete os sentimentos da mãe com relação à intimidade do sexo. Se o ato sexual é visto com repulsa, todo contato corporal íntimo será maculado com esse sentimento. Se uma mulher tem vergonha de seu corpo, é incapaz de oferecê-lo graciosamente ao bebê que amamenta. Se é repelida pela metade inferior de seu corpo, sentirá certa revulsão ao lidar com essa parte do corpo da criança. Cada contato com a criança é uma oportunidade para que esta experimente o prazer da intimidade ou seja repelida pela vergonha e pelo medo de viver aquela situação. Quando a mãe tem medo de intimidade, a criança sentirá esse medo e o interpretará como rejeição. O filho de uma mulher que tem vergonha de intimidade desenvolverá um sentimento de vergonha com relação ao próprio corpo.

O trauma fundamental da personalidade esquizoide é a ausência de intimidade física prazerosa entre mãe e filho. A falta de contato corporal erótico é experimentada pela criança como abandono. Se as demandas da criança desse contato não forem satisfeitas de maneira afetuosa, ela crescerá com o sentimen-

O corpo traído

to de que ninguém se importa. Pode até mesmo achar que a insistência nessa necessidade de contato corporal evoca uma reação hostil nos pais. Suprimirá seu desejo de intimidade para evitar a dor de um anseio não atendido. E aprenderá que a sobrevivência exige a supressão do sentimento e do desejo. Da mesma forma, sentir o anseio é perceber o abandono, que, para a criança, é equivalente à morte. Uma vez que a intimidade é o objetivo desse desejo, evitar a intimidade serve para manter reprimido o medo do abandono.

Quando a necessidade de intimidade, contato corporal e gratificação erótica oral da criança não é satisfeita nos primeiros anos da vida, é transferida para os sentimentos sexuais que se desenvolvem durante o período edipiano. Tal desenvolvimento explica por que o conflito edipiano assume tamanha intensidade nessas crianças. A ligação sexual com o progenitor do sexo oposto é sobrecarregada pelo anseio infantil não atendido de intimidade e gratificação oral. Essa ligação sobrecarregada cria um perigo real de incesto no que concerne aos sentimentos da criança. Na análise, falamos de um deslocamento da boca para os órgãos genitais. A mistura de oralidade (anseio infantil) e genitalidade (surgimento preliminar de sentimento sexual) é tão confusa que a criança não consegue distinguir esses desejos. A necessidade de contato corporal pode levar a criança a aceitar uma intimidade sexual proibida pelo mais forte tabu.

O papel dos pais nesse conflito é uma combinação de rejeição e sedução. Ao rejeitar as necessidades orais de contato e intimidade da criança, eles dirigem seu anseio para um canal sexual. Ao seduzir a criança, contribuem para a intensidade de seu conflito edipiano. Para evitar violar o tabu do incesto, a criança sacrifica todo sentimento. Bill se assegurou de que nada aconteceria. Penny desejava desesperadamente que algo acontecesse; ela queria se apaixonar e se casar, mas não conseguia permitir que isso ocorresse.

Infelizmente, a criança é levada a assumir o fardo da culpa por seu estado de desespero. Os pais se escondem por trás de um código moral que geralmente não faz distinção nenhuma entre o desejo infantil de intimidade e gratificação erótica e a genitalidade adulta. Eles condenam a masturbação infantil por medo de que esta desperte os sentimentos sexuais da criança, bloqueando, assim, a única via que poderia aliviar suas tensões. Em seu temor à situação edipiana, negam à criança o contato corporal que poderia evitar seu desespero.

Finalmente, o destino da criança é selado com o alerta de que a gratificação erótica tem consequências ruins. Aberta ou insidiosamente, a menina é levada a perceber a linha nítida que separa a virgem da mulher fácil, a matrona da prostituta. Cada ação da menina em direção ao prazer erótico é considerada um passo rumo à perdição. Se a menina é rebelde, é categorizada como imprestável, vagabunda e, às vezes, puta. Em desespero, os pais humilham as filhas com comentários do tipo "Nenhum homem decente vai querer você". Em sua fúria, lançam sobre as filhas a maldição: "Você vai acabar nas ruas".

Esta foi a criação que Penny recebeu. Ela foi jogada na vida com uma forte sensação de vergonha e culpa com relação a seu corpo e sua sexualidade. Qualquer contato com um homem em situação de prazer evocava esses sentimentos. É por isso que ela precisava ficar bêbada em sua busca de gratificação erótica. Ela bebia para diminuir a intensidade desses sentimentos e permitir certa tranquilidade ao se aproximar do sexo oposto. Ao beber, no entanto, reforçava esses sentimentos. Nesse conflito com sua culpa, uma ação desesperada provocava outra, um drinque levava a outro, e no fim ela desafiava sua sina por meio de atos sexuais que a atavam ainda mais a esta. Os temores de seus pais foram confirmados, e a sina que eles previram ameaçava a filha que eles tão desesperadamente tentaram proteger.

A pessoa desesperada reage a cada situação como se fosse uma "questão de vida ou morte". Todo assunto traz inerente a si a questão da sobrevivência. Cada problema é visto como uma escolha entre preto e branco. Cada decisão carrega o fardo das alternativas de tudo ou nada. O resultado é que a pessoa desesperada não consegue nada; ela consegue sobreviver, mas não satisfazer nenhum de seus desejos.

O desespero esquizoide não pode ser superado enquanto o indivíduo não se sentir seguro de sua capacidade de sobreviver. Isso significa que ele deve mergulhar nas profundezas de seu desespero e aceitar sua sina. É significativo o fato de que alguns pacientes esquizofrênicos não se recuperam enquanto não tiverem passado pelas alas mais perturbadas do hospital psiquiátrico. Tendo descoberto que são capazes de sobreviver nessa situação de desespero extremo, eles ousam confrontar a realidade; ousam aceitar seu desejo de intimidade física. Num ambiente em que a vergonha não tem sentido, conseguem superar a vergonha do próprio corpo. Quando percebem que não têm mais nada a perder, perdem o medo. Adquirem a convicção de que a sobrevivência é, em si mesma, uma conquista vazia sem os prazeres e as satisfações que a intimidade proporciona.

7. Ilusão e realidade

O desespero leva à ilusão. A pessoa desesperada cria ilusões para sustentar seu espírito em sua luta pela sobrevivência. Essa é uma função legítima do ego, como observou William V. Silverberg em sua análise da "manobra esquizoide": "Pareceria, então, que o que chamei de manobra esquizoide pode desempenhar uma função definida e necessária – a de amenizar o terror nas situações em que a pessoa está impotente diante de inevitável prejuízo ou destruição"[35]. Como exemplo desse mecanismo, Silverberg cita um poema de Rainer Maria Rilke em que um jovem soldado que enfrenta a morte na batalha transforma os sabres do inimigo numa "fonte sorridente", na qual mergulha. Com essa ilusão, "a realidade aterradora da aniquilação é afastada – claro que não na realidade, mas na mente do jovem". O recurso à ilusão é fomentado pela impotência diante da realidade exterior. Torna-se patológico, no entanto, quando a impotência se deve a sentimentos de inaptidão não relacionados com a realidade externa.

DESESPERO E ILUSÃO

O perigo de uma ilusão é que ela perpetua o estado de desespero. Um dos meus pacientes observou: "As pessoas estabelecem objetivos irreais e depois se mantêm num estado de desespero constante tentando realizá-los". Um exemplo de ilusão, ou objetivo irreal, é o desejo de ser "a esposa perfeita". Esse desejo secreto coloca a mulher numa situação desesperadora. Seu comportamento será compulsivo; ela precisará provar, por meio de suas ações, que é a esposa perfeita. Sua atitude será hipersensível; ela interpretará cada manifestação de descontentamento por parte do marido como sinal de que falhou, e, portanto, como rejeição pessoal. Ao mesmo tempo, será insensível aos sentimentos do marido, já que está preocupada com sua imagem egoica; e seu comportamento forçará o companheiro às reações de desprazer que ameaçarão sua imagem. À medida que seu desespero aumentar, ela se esfor-

Alexander Lowen

çará ainda mais compulsivamente para concretizar sua ilusão, entrando em um círculo vicioso.

Poucas pessoas são tão ingênuas a ponto de acreditar conscientemente na ilusão de ser a esposa perfeita, a mãe perfeita ou o amigo perfeito; mas as ações dos indivíduos muitas vezes indicam a presença dessas ilusões em seu inconsciente. Os hipercríticos traem a própria necessidade de ser considerados perfeitos. Sua incapacidade de aceitar os outros é um reflexo de sua incapacidade de aceitar a si mesmos. Sua busca de perfeição é uma projeção de suas exigências para consigo mesmos. O perfeccionismo é, talvez, a mais comum de todas as ilusões, e certamente uma das mais destrutivas para os relacionamentos humanos. A ilusão de ser uma mãe perfeita demanda um "filho perfeito" e leva à rejeição do filho humano, que precisa da compreensão e do apoio da mãe. A mãe perfeita se torna uma mulher desesperada e destrutiva.

O desespero e a ilusão formam um círculo vicioso, em que uma coisa leva à outra. Quanto mais a ilusão rejeita a realidade, mais desesperado se torna o esforço de sustentar essa ilusão. Quando, como ocorre no estado esquizoide, a ilusão se torna a própria base da existência, deve ser sustentada e protegida da realidade.

No Capítulo 6, eu descrevi o comportamento sexual desesperado da paciente Penny. Sua promiscuidade foi entendida como uma tentativa de lidar com o sentimento de rejeição. Também é possível entender esse comportamento como produto de uma ilusão. Apesar das implicações de uma atitude sexual que, na melhor das hipóteses, poderia ser chamada de fácil e irresponsável, Penny se agarrou a uma ilusão de pureza e virtude. A dela não era uma virtude qualquer, e sim uma virtude superior, que permanecia imaculada apesar da promiscuidade e da bebida. A fantasia associada com essa ilusão era a de que um dia ela encontraria seu príncipe, que seria capaz de discernir sua nobreza e superioridade em meio ao refugo e à vergonha de sua vida. Então, ele a proclamaria sua princesa e a honraria aos olhos do mundo. É uma versão moderna da história da Cinderela em termos de moralidade sexual. Ao se cobrir de vergonha, Penny colocaria o príncipe à prova. Se ele não fosse capaz de reconhecer suas qualidades, não seria um príncipe verdadeiro. E somente um príncipe era digno de uma princesa disfarçada.

O sonho de Cinderela aparece em todas as jovens esquizoides. É uma compensação pelo sentimento de indignidade do qual elas padecem. No entanto, também deve ser interpretado como uma manifestação do sentimento

O corpo traído

íntimo de que há recursos não aproveitados na personalidade. O esquizoide mostra-se dividido entre um potencial não realizado, ampliado pela ilusão de grandeza, e o "eu" experimentado, que a desilusão reduz à desesperança. Outra versão dessa história é o tema da Bela Adormecida. Nesse caso, o potencial adormecido é despertado pela coragem e pelo ardor de um príncipe que supera a maldição da bruxa, chegando até a princesa por entre as roseiras e os espinhos que a ocultam. Infelizmente, os contos de fadas raramente se tornam realidade. Enquanto a ilusão estiver atuando, a Cinderela continuará coberta de trapos; a Bela Adormecida, escondida detrás do matagal impenetrável.

A realidade que a ilusão distorce é a do sentimento interior de desesperança e desamparo. A ilusão de Penny era a de ser uma princesa destinada a contrariar a convicção de que nenhum homem desejaria se casar com ela. Por meio de sua ilusão, podia fingir que era ela quem rejeitava. Com o avanço da terapia, seu desespero foi diminuindo e ela passou a perceber que vinha fugindo de sua desesperança.

Essa percepção surgiu com clareza após uma visita à sua casa, durante a qual seu pai expressou desaprovação com relação à filha. Penny ficou fora de si e saiu da casa, enfurecida. A rejeição do pai foi o golpe final. Destruiu sua ilusão. Sua imagem do príncipe fora uma transfiguração da imagem de seu pai, que, segundo ela acreditava, a amava, apesar de tudo. Essa ilusão surgiu de uma profunda crença de que, não importava o que acontecesse, ela sempre seria uma princesa aos olhos do pai.

O incidente produziu dois efeitos. Imediatamente depois que aconteceu, Penny sentiu uma força e um poder como nunca havia sentido. Parecia que uma corrente que a prendia tinha sido arrebentada. Essa nova força vinha da fúria que ela sentiu contra o pai, um sentimento que até então reprimira. No entanto, sua fúria não durou muito, e seu estado de ânimo passou a ser de desesperança, o qual só foi aliviado por meio da análise de sua relação com o pai.

Na primeira infância, essa relação fora de envolvimento. Penny transferira para o pai todo o anseio por intimidade, afeto e apoio que uma criança normalmente espera da mãe. Essa transferência foi ocasionada pelo fracasso da mãe em satisfazer as necessidades da filha, e facilitada pela reação positiva do pai à menina. Mas essa reação era ambivalente. Ele não podia satisfazer a necessidade de contato corporal da filha, já que isso despertava forte sentimento de culpa com relação à intimidade física. Ele a aceitava como um ser pensante e inteligente, mas a rejeitava como um ser sexual e físico. Isso agravou a rejeição que Penny experimentou quando bebê com sua mãe.

Uma criança não pode sobreviver sem algum sentimento de amor e aceitação por parte dos pais. Em nome da sobrevivência, Penny aceitou a exigência de seu pai de que ela se dissociasse de seu corpo e de sua sexualidade com a promessa implícita de que, ao fazer isso, ela se tornaria "especial" para ele. Mas essa dissociação a colocou num estado desesperador. Tendo abandonado o prazer do corpo, Penny necessitava de alguma coisa para sustentar o espírito. Precisava acreditar que o pai a amava verdadeiramente e só fazia essa exigência para protegê-la de uma situação edipiana difícil. A fim de preservar sua sanidade, tinha de acreditar que alguém a amava, e, tendo recorrido ao pai, precisava acreditar nele. Cada decepção nas mãos do pai só reforçava essa ilusão, pois a alternativa parecia ser uma desesperança mortal.

A situação na infância de Penny continha outro elemento que reforçava sua ilusão. Sua relação com o pai a levou a competir com a mãe e criou uma rivalidade perigosa. Na mente da criança, era a mãe que impedia o pai de corresponder totalmente ao amor da filha. A mãe, assim, torna-se a madrasta ou bruxa malvada que lança um feitiço sobre a menina para impedir a realização de seu desejo. As irmãs mais velhas de Penny, que ficaram do lado da mãe, assumiram o papel das meias-irmãs invejosas no conto de fadas. Todas as condições para o mito estavam presentes em um grau que tornava difícil separar ilusão de realidade.

A diferenciação entre ilusão e realidade nem sempre é fácil. Tanto a mãe como o pai de Penny a amavam. Havia algum elemento de realidade em sua crença de que ela era considerada "especial". Toda criança tem um sentimento de ser especial para seus pais, o qual é substituído, na maturidade, por um senso de *self* e pelo sentimento de identidade. A criança sente que é o foco de amor dos pais. Entretanto, esse sentimento se torna uma ilusão quando o amor é condicionado à renúncia da natureza instintiva ou animal por parte da criança. A ilusão é, então, usada para sustentar o ego e negar o sacrifício e não pode ser abandonada na maturidade. Consequentemente, o indivíduo fica preso à situação vivida na infância.

A ilusão esquizoide de ser alguém superior e especial também é observada em rapazes. Um dos meus pacientes assim descreveu tal ilusão acerca de si próprio:

O corpo traído

De repente, eu me dei conta de que tinha uma imagem idealizada de mim mesmo como um príncipe exilado. Relacionei essa imagem com meu sonho de que algum dia o meu pai, o rei, viria e me proclamaria seu herdeiro. Na minha formatura do ensino médio, lembro-me de ter esperado meu pai aparecer. Ele não apareceu. Sempre tentei provar que era digno dele nos esportes, nas conquistas, nos estudos. Ele nunca prestou atenção. E então morreu.

Percebo que ainda tenho a ilusão de que um dia serei descoberto. Enquanto isso, devo manter minhas "pretensões". Um príncipe não pode se diminuir com trabalhos comuns. Preciso mostrar que sou especial.

As pretensões de nobreza e superioridade do paciente contrastavam com a realidade de suas lutas e de seus fracassos. A disparidade entre ilusão e realidade o submetia a um estado desesperador. Como ele era ator, o sonho de ser descoberto parecia particularmente oportuno. Mas, quanto mais tentava, mais fracassava. Suas audições sempre impressionavam, mas sua atuação raramente estava à altura da promessa inicial. Todo seu esforço ia para a audição, na esperança de que sua ilusão se concretizasse. Quando isso não acontecia, ele desanimava, e isso afetava seu desempenho. Ele descobriu, mais tarde, que não se entregava de corpo e alma aos ensaios. Finalmente, em uma sequência de ensaios, sua capacidade de atuar se deteriorava e ele perdia o contrato.

Esse jovem se comportou da mesma maneira na terapia. No início, fez um grande esforço para mobilizar seu corpo para me mostrar que era capaz de se sair muito bem. No entanto, a compulsão por trás de seu esforço aumentou sua tensão, e os bons sentimentos que ele experimentara inicialmente desapareceram. Como isso aconteceu ao mesmo tempo que perdeu o emprego, o rapaz mergulhou numa profunda desesperança. Durante essa crise, suas ilusões foram desmascaradas. Então ele percebeu que nunca havia dado o melhor de si. "Se você não dá o melhor de si", comentou, "não pode fracassar". O que ele queria dizer é que sempre haveria pretextos para os fracassos. A ilusão o impedia de confrontar a realidade.

DESESPERANÇA E DISSOCIAÇÃO

Embora a renúncia à ilusão seja um passo rumo à saúde, é invariavelmente acompanhada de desesperança. Essa desesperança deriva do medo do abandono. Mas a desesperança é irracional, pois, como o medo do abandono, re-

Alexander Lowen

presenta a persistência de sentimentos infantis na vida adulta. Quando a ilusão cai por terra e a desesperança que ela encobria irrompe na consciência, o paciente tem a possibilidade de entender suas ilusões e seu desespero como uma consequência de sua desesperança subjacente.

Quanto mais profunda a desesperança de um indivíduo, mais fortes e exageradas serão suas ilusões; quanto mais forte a ilusão, maior o desespero. À medida que uma ilusão ganha força, exige ser concretizada, obrigando o indivíduo ao conflito com a realidade que leva ao comportamento desesperado. Buscar a concretização de uma ilusão requer o sacrifício de bons sentimentos no presente, e a pessoa que vive na ilusão é, por definição, incapaz de demandar prazer. Em seu desespero, ela está disposta a renunciar ao prazer e deixar a vida em suspenso na esperança de que sua ilusão, tornada realidade, a livrará da desesperança. A psicologia do desespero explica por que um indivíduo esquizoide vive à beira da tragédia. Por meio de seu comportamento desesperado e destrutivo, ele desafia sua sina, esperando minimizar o terror; e, por meio de sua ilusão, nega sua sina, esperando evitar a desesperança.

A relação entre esses diferentes elementos na personalidade de Penny pode ser descrita da seguinte maneira. A repetida negação de sua necessidade de intimidade física na infância criou um sentimento de rejeição, que se transformou em desesperança. Em nome da sobrevivência, Penny reprimiu o anseio por gratificação erótica dissociando-se de seu corpo. Esse processo (rejeição – desesperança – dissociação) resultou numa cisão em sua personalidade que levou à formação de uma ilusão e a um sentimento de desespero. Isso pode ser ilustrado graficamente na Figura 11.

A oscilação entre ilusão e desespero não pode ser evitada enquanto a cisão na personalidade persistir. Tal cisão é curada por meio da identificação do ego com o corpo. Essa identificação reduz a desesperança e expõe a ilusão. O colapso da ilusão revela a desesperança subjacente, que então abre caminho para a reconstrução da situação infantil. Nesse momento, as experiências traumáticas da infância são revividas, reelaboradas e libertadas.

A ilusão e o desespero formam um nó que, pouco a pouco, estrangula a vida do indivíduo. Surpreendentemente, a desesperança oferece o único caminho para sair dessa camisa de força da irrealidade. Considere o alcoólatra. Ele não bebe porque está desesperançado. O ato de beber é uma forma de negar a desesperança, fugir de seus sentimentos e evitar a realidade. Admitir sua desesperança o levaria a procurar ajuda. Mas, como sabem as pessoas que

FIGURA 11 – As origens desse processo se encontram na experiência de rejeição na infância

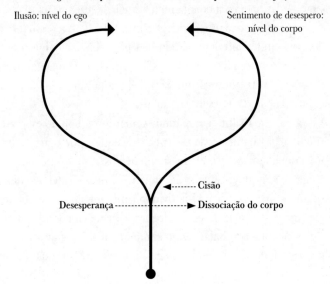

lidam com alcoólatras, isso é o mais difícil de fazê-lo admitir. O alcoólatra é uma pessoa desesperada que não consegue encarar sua desesperança ou admitir a possibilidade de esperança. Suas ilusões o sustentam. Sua maior ilusão é a de que ele poderia parar de beber se quisesse – se tomasse a decisão de fazê-lo. Nada está mais distante da realidade, como a experiência demonstra. A própria natureza do vício é a de que a pessoa é indefesa em suas garras. Que presunção pensar que é possível controlar o padrão de comportamento diante das inúmeras experiências de fracasso!

O que é verdadeiro acerca do alcoolismo também é verdadeiro acerca de todo comportamento autodestrutivo. Se o indivíduo fosse capaz de controlar seu comportamento, já o evitaria de antemão. A ilusão da vontade constitui o principal obstáculo à ajuda efetiva. Um alcoólatra só pode ser ajudado quando admitir sua impotência para ajudar a si mesmo. Um indivíduo esquizoide admite sua necessidade quando procura ajuda terapêutica.

Se o desespero é a doença, a desesperança é a crise que pode levar à recuperação. Haverá uma desesperança tão sombria a ponto de não conter um raio de luz? Haverá uma desesperança tão profunda a ponto de levar ao suicídio? A resposta à segunda pergunta é que o suicídio é um ato de desespero e não de desesperança. É autodestruição ao extremo; é o desafio derradeiro da própria sina. A desesperança pode levar à morte, mas não por ação consciente. A desesperança denota uma atitude de resignação, mas essa resignação nunca é total enquanto a vida persistir. Enquanto a pessoa desesperançada desiste, o indivíduo desesperado luta para escapar daquela que parece ser uma desgraça inevitável. Se a tragédia for realmente inevitável, seu desespero é racional. Mas, como afirma Silverberg, a noção de que a pessoa é impotente ou está fadada à desgraça é subjetiva.

A esperança é realista até mesmo na mais profunda desesperança, visto que admite a possibilidade de decepção. A ilusão, por outro lado, não dá margem à dúvida, não permite questionamentos. Aquele que tem a ilusão de ser totalmente bem-intencionado em suas ações ficará irracional quando seus motivos forem questionados. O indivíduo com uma ilusão de autoimportância pode ruir se sua imagem egoica for firmemente contestada. A pessoa desesperada sente que está balançando em um penhasco, apavorada porque, se se soltar, afundará numa desesperança implacável. Mas, quando abandona suas ilusões na terapia, descobre, surpreendentemente, que não é destruída e que há esperança.

As ilusões cedem aos poucos. O comprometimento com a terapia é, no início, apenas um gesto por trás do qual o ego posiciona suas defesas contra a impotência e a desesperança interior. Todo paciente vem à terapia com o desejo secreto de se tornar capaz de transformar suas ilusões em realidade. Surgem resistências que com frequência são difíceis de ser superadas, porque ocultam tais ilusões tanto do paciente como do terapeuta. Pouco a pouco, no decurso da terapia, o desespero dá lugar à desesperança, à medida que o paciente deixa de fugir de si mesmo. Desesperançado – quando percebe que jamais concretizará suas ilusões –, ele sente que a terapia fracassou. E somente nesse momento revela suas ilusões. A entrega à desesperança é acompanhada de sentimentos de fadiga e exaustão como os que um soldado experimenta depois que a batalha termina. Mas a fadiga e a exaustão também servem para impedir qualquer comportamento desesperado.

A abordagem desses problemas é ilustrada no caso a seguir. Em seus momentos mais sombrios, uma de minhas pacientes, Joan, dizia: "Eu me sinto extremamente cansada. Sinto-me tão cansada que poderia me enfiar num buraco e ficar lá pelos próximos dez anos. Sinto que já não sou capaz de lidar com a vida". O fato é que Joan nunca foi capaz de lidar com a vida. Ela passou a vida adulta tentando

O corpo traído

[...] ser forte a ponto de ser capaz de lidar com qualquer coisa. Não haveria problema que eu não fosse capaz de resolver. Eu poderia moldar minha vida. Poderia determinar os acontecimentos com que deparasse.

Sempre me imaginei como uma debutante sofisticada indo para o Marrocos, dando festas fabulosas, tendo uma carreira e sendo uma mãe perfeita ao mesmo tempo.

Eu teria um casamento feliz porque seria a esposa perfeita – dedicada, leal, compreensiva. Meus filhos refletiriam meu amor altruísta, minha compreensão, minha paciência.

Em algum momento disso tudo pensei que também seria uma grande intelectual, uma professora ou pesquisadora.

As duras realidades da vida de Joan reforçaram suas fantasias em vez de destruí-las. Ela não conseguia aceitar a realidade. Era ingênua a um grau que se equiparava à sua sofisticação imaginada. Em certa ocasião, sua ingenuidade quase lhe custou a vida: ela permitiu que um estranho a acompanhasse por uma estrada deserta e foi atacada por ele. Posteriormente, embora tivesse sido alertada, casou-se com um psicopata que abusava dela e a maltratava. Dois anos depois que seu casamento terminou em divórcio, ela ainda alimentava a ilusão de que um dia teria um casamento feliz porque era capaz de ser a esposa perfeita. Joan era uma mulher solitária e desesperada, que adotou o papel do palhaço para evitar a humilhação e se agarrou às suas ilusões para evitar a desesperança.

As ilusões de Joan continham contradições básicas, que se tornaram evidentes quando foram analisadas por completo. Ela nunca havia questionado seu ideal de *socialite* sofisticada, embora estivesse em nítido conflito com seu ideal da maternidade perfeita. Sua mãe tentara conciliar esses papéis opostos e fracassara. Mas Joan não tinha escolha, pois não conhecia outra maneira de atuar. Suas ilusões tinham origem na irrealidade da ideologia familiar, que é a única realidade que uma criança conhece.

A ilusão carrega em si um caráter desesperador e um elemento compulsivo. As fantasias de Joan expressavam o que ela acreditava ser suas necessidades e não seus desejos. Ela acreditava que precisava ser competente, sofisticada, inteligente, dedicada e compreensiva. Quando examinou suas ilusões objetivamente, percebeu que correspondiam à imagem que seu pai tinha da mulher. Sua identificação egoica com essa imagem foi motivada por

Alexander Lowen

sua necessidade extrema de obter sua aprovação e seu amor. Ela provaria para o pai que era superior à mãe. Ela seria competente onde a mãe era inapta, seria dedicada onde a mãe era indiferente, seria bem-sucedida onde a mãe era um fracasso. Quando suas ilusões ruíram, Joan percebeu que não era melhor do que a mãe. Joan falhou como pessoa quase da mesma maneira que a mãe falhara, e pelas mesmas razões. Ela gastara suas energias tentando satisfazer uma imagem egoica que não tinha relação com suas verdadeiras necessidades.

Realisticamente, Joan precisava de uma identificação mais forte com seu corpo e um senso mais forte de *self*. Ela trabalhou duro por meio de exercícios de respiração e movimento para adquirir mais contato com o próprio corpo. Melhorou a ponto de as pessoas comentarem sobre a mudança em sua aparência. Mas seu relacionamento com o pai se deteriorou. Quanto mais ela melhorava, e quanto mais tentava se afirmar como pessoa, mais crítico ele se tornava com relação a ela. A intensidade desse conflito com o pai fez Joan perceber que só conseguiria obter a aprovação dele por meio da submissão, algo que ela já não podia fazer. O preço era alto demais. Perceber isso a forçou a examinar sua ilusão.

O segundo fator que minou suas ilusões foi a percepção de que seu filho tinha problemas e de que estes derivavam de suas ansiedades. Esse confronto da realidade enfraqueceu o poder sustentador das ilusões, e Joan pouco a pouco entrou em profunda desesperança.

Joan tinha o hábito de mover a cabeça de um lado a outro quando estava desanimada. Quando lhe perguntei o que significava esse gesto, ela respondeu: "Não adianta. Não adianta. Eu sempre vou estar sozinha. Ninguém nunca vai me amar". Então, ela irrompeu em soluços e exclamou que a terapia não havia mudado essa situação. "Eu fui sozinha a vida toda", falou. Nesse momento, sua desesperança era profunda.

Apesar da desesperança, quando sua ilusão foi destruída, Joan se tornou mais humana. Em sua desesperança, ela conseguiu ver o filho como uma personalidade independente, e não como uma imagem projetada de seu ego. Foi capaz de entender as dificuldades dele como um reflexo de suas ansiedades. E conseguiu ver a resistência dele para com ela como um comportamento significativo. Se antes ela estava tentando lidar com uma criança difícil e fracassava, agora estava se relacionando com outra pessoa de maneira compreensiva. Ela também conseguia ver um homem como uma pessoa com

O corpo traído

quem partilhar os prazeres e as dores da vida, em vez de alguém encarregado de realizar seus sonhos.

IRREALIDADE PARENTAL

O conflito entre a autoafirmação e a necessidade de aprovação produz uma atitude de rebeldia contra os valores dos pais. Essa rebeldia, no entanto, não tem o poder de alterar o sentimento de submissão subjacente e serve apenas como forma de protesto. A falta de poder da rebeldia para mudar os valores parentais é observada no caso da pessoa que, quando criança, se rebelava contra a disciplina rígida dos pais, mas vem a ser igualmente rígida com os próprios filhos. Barbara, cujo caso foi apresentado no Capítulo 1, observou que tratava os filhos da mesma forma como era tratada pela mãe, apesar de seu ressentimento consciente para com a atitude desta. Muitas pessoas, quando têm filhos, se esquecem de como se sentiam quando crianças. Não se lembram de quanto lutaram contra ser obrigadas a comer alimentos de que não gostavam, ir para a cama cedo e ser coibidas nos namoros, e impõem restrições similares aos próprios filhos. Esse esquecimento da rebeldia de infância pode ser entendido como uma repressão de sua hostilidade contra os próprios pais, o que leva a uma identificação inconsciente com eles.

A maioria dos filhos cresce com a ilusão de que sua vida será diferente da dos pais. Todo filho está convencido de que alcançará a felicidade onde os pais encontraram infortúnio. A necessidade de ilusão é evidente. A infelicidade, em muitos lares, levaria à desesperança se não fosse contraposta pela ilusão. Mas a ilusão cega o indivíduo para as forças que criam fracasso e infelicidade. Sua promessa é irreal. Ajudar um paciente a compreender as ilusões com base nas quais seus pais viveram – para que ele finalmente possa entender a própria ilusão – é uma parte importante do processo terapêutico.

Um jovem descreveu essa compreensão da seguinte maneira:

> Quando cheguei em casa, vi com um pouco mais de perspectiva a influência ingênua da minha mãe. Ela não pensa no exército como real; para ela, é um simples pesadelo. Ela não aceita as coisas desagradáveis da vida, como envelhecer, morrer, meus fracassos, nossos recursos limitados. Percebo que preciso ser mais objetivo e desligado da irrealidade que o amor dos meus pais me impingiu.

Alexander Lowen

A irrealidade básica que pais neuróticos adoram impingir nos filhos é a negação da vida do corpo. A vida do corpo é a busca de prazer por meio de movimento e contato corporal. Com muitos pais, esse valor é subordinado a realização, obediência e intelectualidade, sendo a importância do prazer corporal ignorada. A consequência é a perda de capacidade do indivíduo de ser assertivo e agressivo em suas demandas de prazer. Para os pais neuróticos, a vida do corpo é irracional, imprevisível e cheia de perigo. Sua ansiedade com relação ao corpo deriva de seu temor à sua violência e sexualidade reprimidas, que eles projetam sobre o mundo exterior. A sobrevivência parece exigir que o animal no organismo recém-nascido seja domesticado. Isso se efetiva em uma pressão constante sobre a criança, expressada em ordens como "Comporte-se!", "Seja bonzinho!", "Fique quieto!", "Não se mexa!". O resultado é forçar a criança a se dissociar de seu corpo e a suprimir seus sentimentos. O relato a seguir, feito por uma paciente, descreve o efeito dessa atitude parental.

> Não há nada ativo no meu corpo. Sempre me senti incompetente no meu corpo. O tempo todo meus pais tinham medo de que eu caísse. Sempre tinham medo de que eu derrubasse coisas, e, quando eles gritavam, eu derrubava mesmo. Nunca confiei no meu corpo, então desenvolvi o intelecto para encobrir meus sentimentos de vazio e falta de vida.

Então acrescentou: "Quando você rejeita seu corpo, torna-se um espírito nu à procura de um corpo onde entrar". Aquele que não vive no próprio corpo tem de viver através do corpo de outro. É por isso que tantas mães se envolvem excessivamente com os filhos e subvertem o relacionamento para que atenda às suas necessidades.

A rejeição do corpo produz uma ilusão esquizoide comum: a de não agressão. Uma das minhas pacientes descreveu o marido em palavras que se adaptam à maioria dos indivíduos esquizoides. "Ele não entende por que a vida precisa ser ruim. Acha que o mundo deveria existir sem hostilidades. Todo mundo deveria estar de acordo com isso." Tal mundo não existe nem nunca existiu. Aqueles que tentam agir com base nisso vivem na irrealidade. Criamos essa ilusão para compensar nossa falta de agressividade. Sem um "eu de ação" adequado, para usar o termo de Rado, o indivíduo esquizoide sente-se impotente para garantir a satisfação de seus desejos. Sua personalidade se mantém fixada num nível infantil. Indo um pouco além, essa ilusão leva

O corpo traído

à crença de que a pessoa deve ser cuidada sem que precise se esforçar. É a conhecida história do bebê insatisfeito que se apega à ilusão de que alguém satisfará seus desejos infantis sem esse esforço.

A renúncia à agressividade reduz a capacidade de prazer do organismo. Na vida adulta, o prazer é um processo ativo, a satisfação de desejos por meio da ação. Isso não quer dizer que não existam prazeres passivos na vida adulta, mas estes nunca são suficientes para sustentar uma vida emocional saudável. Por outro lado, o prazer passivo domina a vida do bebê. O anseio por prazer passivo que caracteriza tantos indivíduos em nossa cultura é um reflexo de sua fixação em níveis de funcionamento infantis. A ilusão de que tal prazer é capaz de satisfazer as necessidades adultas evita a mobilização de atitudes agressivas. Assim, é legítima a ideia de Rado de que haja uma deficiência de prazer na personalidade esquizoide, mas essa deficiência é determinada pela renúncia à agressividade e pela negação do corpo.

No pensamento psicológico, a palavra "agressão" não tem relação com o resultado do movimento. Um movimento agressivo pode ser construtivo ou destrutivo, amoroso e gentil ou odioso e cruel. A palavra indica meramente que o movimento é de aproximação em vez de afastamento. As ações agressivas levam a uma relação individual com pessoas, coisas ou situações. Por essa razão, as ações agressivas são egossintônicas. Sua meta ou objetivo é a satisfação de necessidades. O oposto psicológico da agressão é a regressão. Na regressão, o indivíduo desiste da necessidade e recua para um nível de funcionamento em que esta já não é sentida como imperiosa. Uma vez que as necessidades são satisfeitas no mundo exterior, a agressão denota que o indivíduo está voltado para a realidade. Na regressão, ele dá as costas ao mundo, afasta-se da realidade, perde-se na ilusão.

AS ILUSÕES REINANTES

Duas ilusões são bem disseminadas em nossa cultura: uma relacionada com dinheiro e a outra, com sexo. A ilusão de que o dinheiro é onipotente, de que pode resolver todos os problemas e trazer alegria e felicidade é responsável pelo culto ao dinheiro. Da mesma forma, o culto ao sexo deriva de uma crença na onipotência deste. Na opinião daqueles que partilham dessas ilusões, a sensualidade, como o dinheiro, é uma capacidade que pode ser usada para abrir as portas do paraíso. Para muitas pessoas, dinheiro e sexo tornaram-se as divindades supremas.

Todos os pacientes esquizoides que tratei têm a ilusão de que o sexo é onipotente. Toda jovem esquizoide, embora ciente de que não é aclamada "deusa do amor", tem uma profunda convicção da irresistibilidade de sua sensualidade. Algumas agem de acordo com essa convicção, enquanto em outras o sentimento é encoberto por medo e ansiedade. Essa ilusão dá uma importância indevida ao sexo, negligenciando a personalidade como um todo. Em meu livro *Amor e orgasmo*, afirmei que sexo e personalidade eram dois lados da mesma moeda. A tentativa de dissociar o sexo de sua base na personalidade total leva a uma ilusão de "sofisticação" sexual.

O "sofisticado" sexual usa o sexo como meio de se relacionar ou como instrumento de poder. Esse uso do sexo distorce sua função. Em vez de ser uma expressão de sentimento pelo parceiro sexual, torna-se uma manobra para sustentar o próprio ego ou afirmar a própria superioridade. O homem que desempenha o papel do galã irresistível tenta satisfazer uma imagem egoica de si mesmo como o "grande amante". A mulher que se vê como "sexy" acredita que sua sensualidade afirma a superioridade de sua feminilidade.

O desenho na Figura 12 mostra até que ponto a ilusão de sensualidade pode estar distante da realidade. Assim a paciente que a desenhou a descreveu: "Ela parece tola. Seu corpo parece entediado. Ela tem um sorriso falso. É uma expressão que sinto transparecer, às vezes. Tenho o mesmo tipo de aparência, sexy e feminina".

Como é possível que uma pessoa veja uma figura como "tola" e, ao mesmo tempo, "sexy e feminina"? O pensamento capaz de unir tais opostos baseia-se numa visão da mulher como um corpo redondo, macio e vazio, com seios grandes e quadris largos, para a satisfação do homem. O corpo feminino reto, de seios chatos e quadris estreitos, por outro lado, implica uma identificação masculina e sugere uma abordagem homossexual ao sexo. Que o sexo é uma expressão de sentimento e que um corpo sem sentimento é desprovido de sexualidade são verdades que o indivíduo esquizoide nega. A ilusão de sensualidade toma a aparência pelo conteúdo e confunde "sofisticação" sexual com maturidade sexual.

Essa ilusão, como muitas outras, desenvolve-se como um exagero da situação infantil. Representa uma fixação no nível edipiano, constituindo uma ampliação dos sentimentos incestuosos entre pais e filhos. Uma menina desenvolverá essa ilusão se perceber o interesse do pai por ela como objeto sexual.

O corpo traído

FIGURA 12

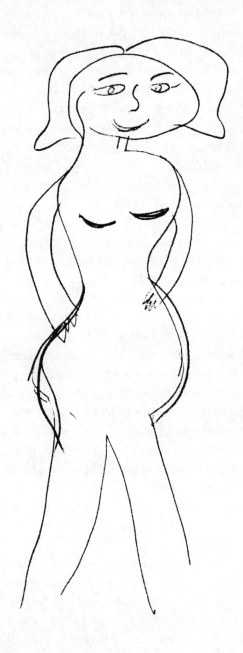

Ela reagirá a esse interesse motivada por seu desejo de afeto e apoio, e inconscientemente adotará o papel de objeto sexual a fim de conquistar esse afeto e o apoio de outros homens.

A mulher que se vê como objeto sexual acredita ser dotada de uma sensualidade irresistível. Ela pode se sentir repelida pelo próprio corpo, mas está convencida de seu poder de atrair o interesse masculino. Afinal, se seu pai não conseguia resistir ao seu charme, que homem conseguiria? Sua energia estará dedicada à elaboração de sua sensualidade, como se esta fosse o significado de sua personalidade global. Em modos e aparência, ela expressará uma sensualidade superficial que carrega seus sentimentos íntimos. Atrairá homens cuja imaturidade corresponde à sua. Com esses homens, novamente vivenciará sua irresistibilidade, mas, ao mesmo tempo, se queixará para o psiquiatra de que "os homens não saem de cima de mim". Como "sensualidade" é uma parte tão inerente à sua personalidade, ela não tem consciência de seu comportamento sedutor. Flerta com facilidade, requebra os quadris livremente e se veste de maneira provocante. Uma vez que sua ilusão depende da reação do homem, ela necessariamente será promíscua em sua necessidade desesperadora de sustentar tal ilusão.

A mulher sexualmente "sofisticada" não consegue encontrar realização como mulher. Suas atividades sexuais não são capazes de proporcionar satisfação. Ela é orgasticamente impotente, e sua imagem de feminilidade é constantemente abalada por sua frustração sexual. Sua desesperança de encontrar amor por meio do sexo aumenta seu desespero, e completa o círculo.

Quase sempre, o sentimento de um pai por sua filha é guiado pelo respeito à sua juventude e inocência. Se ele está sexualmente feliz com a esposa, seu afeto pela filha não contém desejo sexual inconsciente. Mas, em famílias sexualmente infelizes, a menina involuntariamente torna-se um objeto sobre o qual o pai projeta seus desejos sexuais insatisfeitos e sobre o qual a mãe projeta sua culpa sexual. A mãe vê a filha como uma prostituta, ao passo que o pai a vê como sua princesa. Sentindo-se rejeitada pela mãe, a menina se volta para o pai em desespero, e recebe amor misturado com interesse sexual. Ela não tem escolha senão aceitar o interesse do pai. Essa situação é agravada pelo fato de que sua personalidade entre os 4 e os 6 anos de idade é particularmente vulnerável à excitação sexual, devido ao surgimento preliminar da sexualidade que ocorre nessa época. Sua reação ao pai assume a forma de uma fantasia em que a menina se imagina substituindo a mãe na vida do pai.

O medo do incesto, no entanto, faz que ela se dissocie da realidade de seu corpo infantil e leva à ilusão de que ela é sexualmente irresistível.

O conflito do homem moderno deriva dos valores opostos representados por seu ego e seu corpo. O ego pensa em realização; o corpo, em prazer. O ego funciona com imagens; o corpo, com sentimentos. Quando imagem e sentimento coincidem, o resultado é uma vida emocional saudável. Quando, no entanto, o sentimento é subordinado ou suprimido em favor da imagem egoica, o resultado é uma vida de ilusão e desespero. A ilusão contradiz a realidade do estado do corpo, e o desespero evade essa necessidade.

Por trás de toda ilusão está o desejo de liberdade e amor. O indivíduo desesperado luta por liberdade e amor usando a ilusão de poder. Em sua mente, o poder é a chave para a liberdade e o amor. Embora essa ilusão sirva para sustentar a desesperança e a impotência de seu espírito, vimos que ela também perpetua a desesperança e a impotência quando o período crítico da infância já passou. Para superar a ilusão de poder, a realidade da liberdade e do amor deve ser experimentada como sentimento corporal. Isso acontece quando nos concentramos nas tensões físicas do corpo. Quando alguém sente a rigidez do próprio corpo, sabe que não é livre, independentemente de sua revolta e rebeldia. Se sente que seu corpo está petrificado, sabe que está acorrentado, qualquer que seja sua situação externa. Se percebe que sua respiração está inibida e sua motilidade, reduzida, compreende que não é capaz de amar.

O significado emocional da tensão muscular não é entendido adequadamente. Os conflitos emocionais não resolvidos na infância são estruturados no corpo por tensões musculares crônicas que escravizam o indivíduo ao limitar sua motilidade e capacidade de sentir. Essas tensões, que controlam o corpo – moldando, cindindo e distorcendo –, devem ser eliminadas para que se possa alcançar liberdade interior. Sem ela, é ilusório acreditar que se pode pensar, sentir, agir e amar livremente.

8. Demônios e monstros

O indivíduo desesperado geralmente não tem consciência de que abriga uma força demoníaca dentro de si. Ele racionaliza seu comportamento ou o justifica com base em sua impotência e em seu desespero. Ele se identifica com seu demônio e é incapaz de vê-lo objetivamente. A força demoníaca, nesse estágio, é parte da estrutura do caráter da pessoa, que o ego está comprometido a defender. É como um cavalo de Troia no interior dos muros da cidade, cujo perigo insidioso o ego não consegue enxergar. Desse modo, é só depois que o cavalo expele o inimigo e a cidade é ameaçada com uma tragédia que a fraude se torna visível. Quando o comportamento autodestrutivo ameaça a vida ou a sanidade de um indivíduo, ele consegue perceber que tal comportamento se deve a uma entidade estranha à sua personalidade. Se antes ele justificaria suas ações como uma resposta natural à frustração e à decepção, agora está em posição de vê-las como uma compulsão – e, portanto, como um sintoma de sua doença. Nesse momento, o terapeuta pode expor a força demoníaca por trás da compulsão e, ao analisar seus elementos, dissolvê-la na condição de entidade ativa. Uma vez que há um componente demoníaco em toda personalidade esquizoide, é necessário saber como o demônio surge para que a cisão na personalidade seja curada.

O demoníaco é a negação da ilusão. A força demoníaca age para destruir a ilusão e reduzir a pessoa ao nível de sua desesperança. Suas armas são o cinismo e a dúvida. Sob o manto da racionalidade, o demônio esconde sua natureza irracional. Quando a ilusão cai por terra como o demônio havia previsto, ele continua a dizer: "Mostre a eles que você não se importa". Seu conselho é autodestruição – já que nada importa realmente e ninguém se importa de verdade. Ele escarnece do ego e enfraquece sua estabilidade. Com efeito, diz ao ego: "Então você achou que podia viver sem mim! Achou que podia ser sustentado por suas ilusões!" O efeito é como um levante dos escravos dos quais uma economia depende. A voz do demônio é a voz do corpo rejeitado vingando-se do

Alexander Lowen

ego que o negou. O ego, tendo depositado sua fé na ilusão, fica impotente quando esta desmorona. O corpo que foi forçado a servir à ilusão reage destrutivamente quando a força controladora é libertada. Oprime o ego impotente e temporariamente se apossa de suas faculdades. Irrompe numa força hostil e negativa, destruindo tudo que a ilusão visava alcançar.

A criança nasce sem ilusão e sem um conhecimento do bem e do mal. Nasce um organismo animal cujo comportamento é orientado para a satisfação de suas necessidades físicas e seu desejo de prazer. Bom e mau tornam-se conceitos significativos quando lhe ensinam a resistir à tentação do prazer corporal e a refrear sua agressão. A criança boa obedece e é submissa; a criança má se rebela e é assertiva. Se a autoridade dos pais é opressora, a criança rejeitará seus instintos animais em nome da sobrevivência. Ela os enterrará em suas entranhas e os conterá por meio de contração muscular. Sua parede abdominal ficará reta e dura; suas nádegas, firmes; seu assoalho pélvico, contraído; seu diafragma, paralisado. Isolados e enclausurados, os instintos de sexualidade e agressão lentamente se transformam em perversão e ódio. Apartadas da participação na vida da consciência, as paixões corporais rejeitadas criam um domínio infernal próprio. Nesse processo, nasce um demônio.

Os demônios humanos surgem por meio dos mesmos mecanismos psicológicos que criaram o diabo original, Lúcifer. Este originalmente era um dos filhos de Deus, que foi expulso do Céu para o Inferno porque se rebelou contra a autoridade divina. Antes da rebeldia de Lúcifer, tudo era pacífico no Céu, que era o Paraíso. A expulsão de Lúcifer corresponde à queda do homem por sucumbir à tentação da serpente e comer do fruto proibido da árvore do conhecimento. Tanto Lúcifer como o homem transgrediram a vontade de Deus, mas Lúcifer foi jogado nas profundezas, ao passo que o homem, expulso do Jardim do Éden, ficou suspenso entre o Céu e o Inferno.

Há um interessante paralelismo entre as ideias que atribuem o demônio às entranhas da terra e meu conceito de que o demônio humano reside nas entranhas do corpo. As chamas do inferno também encontram paralelo na chama da paixão sexual que está localizada nessa região do organismo. O prazer carnal é a principal tentação que o demônio usa para seduzir o ego para o abismo do inferno. Contra essa catástrofe, o ego aterrorizado se esforça para manter o controle do corpo a todo custo. A consciência, associada com o ego, torna-se oposta ao inconsciente ou ao corpo como reposi-

O corpo traído

tório de forças obscuras. Mas a tentação não pode ser eliminada – nem o demônio, superado – enquanto o corpo estiver vivo. Nessa batalha incessante, as ilusões do ego são constantemente minadas pela atividade dos sentimentos reprimidos.

A interação entre ilusão e força demoníaca pode ser vista no caso da mulher que tem a ilusão de que é a mãe perfeita, mas com frequência age visando destruir o filho e negar a ilusão. Isso não é feito de maneira consciente. Ao contrário, seu desejo consciente é ser perfeita e ter um filho perfeito; mas nenhuma criança é perfeita, e ela fica frustrada com as falhas humanas de seu filho. Sob a máxima de que toda mãe sabe o que é melhor para o filho, ela nega à criança a oportunidade de desenvolver a própria personalidade por meio da autorregulação. A resistência do filho à dominação da mãe é vista como uma tática obstrucionista, sendo a culpa atribuída à perversidade natural da criança. À medida que a irritação da mãe aumenta diante do fracasso contínuo do filho em reagir positivamente ao tratamento que recebe, ela se volta para ele com raiva e hostilidade. É inacreditável como a mãe sente que tem o direito de se comportar dessa maneira.

O conflito entre uma criança e seus pais só pode ter um desfecho negativo para ambas as partes. A criança não consegue vencer os pais, de quem depende para sobreviver e crescer. Mas os pais também não podem vencer a criança, pois, embora ela possa se tornar submissa externamente, continua rebelde internamente. A rebeldia volta a se manifestar na adolescência, quando a explosão de sentimentos sexuais desperta no jovem o desejo de independência. A antiga batalha é renovada, mas dessa vez a hostilidade é mais aberta de ambos os lados. Em tal situação, quando finalmente se chega a uma trégua, o jovem perdeu sua identidade e os bons sentimentos com relação a seu corpo. Ele se torna silenciosa ou ativamente desesperado, e desenvolve a personalidade esquizoide. Já os pais perderam o amor pelo filho, algo que não conseguem compreender.

O aspecto demoníaco da mãe que age dessa maneira com o filho é visto na maneira implacável e compulsiva como ela persegue seus objetivos. O conflito entre mãe e filho logo perde a justificativa superficial do que é melhor para ele e se torna um choque de vontades. Não raro, tal choque degenera para um estado de guerra; a violência ou a ameaça de violência se faz presente. Em meu consultório, vi mães se voltarem para os filhos com tamanha fúria e hostilidade que instintivamente me encolhi. A impressão é a de que a mãe

127

Alexander Lowen

está determinada a fazer que o filho se conforme à imagem que ela tem dele, ou então o destruirá. Essa imagem que a mãe projeta sobre o filho satisfaz o ego materno à custa da felicidade da criança. Uma vez que essa imagem é uma projeção da imagem que a mãe tem de si mesma, a progenitora parece agir para evitar que o filho tenha mais liberdade ou alegria do que ela própria conheceu. Tudo isso ocorre no nível inconsciente, enquanto no nível consciente a mãe continua obcecada com sua ilusão da maternidade perfeita. A força que conduz uma mãe nessa direção contra sua intenção consciente é demoníaca.

Com efeito, o aspecto demoníaco às vezes está visível na expressão facial da mãe quando ela fica furiosa com a criança: cenho franzido, olhos enegrecidos, queixo contraído e voz dura. A expressão global é de fúria suprimida, uma fúria assassina, que cria a impressão de que um demônio escapou do inferno. Diante de tal expressão, que criança não ficaria aterrorizada? Afirma-se que "nem a fúria do inferno se compara à de uma mulher desprezada". Mas, se tal fúria pode ser encarada por um adulto, é devastadora para a personalidade de uma criança pequena, cuja dependência da mãe a torna impotente para contrariá-la. A imagem da bruxa vem da experiência que a criança tem desse aspecto demoníaco de sua mãe.

A ação demoníaca, à diferença da ação normal, não é egossintônica; manifesta-se contra a vontade do ego, em oposição ao desejo deste; não é, portanto, uma expressão aberta de sentimento. Na fúria demoníaca, por exemplo, o cenho se franze como que para conter ou negar a força destrutiva; o resultado, no entanto, é um olhar de hostilidade indisfarçado, do qual a pessoa não tem consciência. A raiva, em oposição à fúria ou à histeria, abarca a personalidade total e é aceita pelo ego. A ação demoníaca está associada com o mecanismo de negação: o ego nega o ato ao mesmo tempo que o corpo o realiza. O termo *diabólico* denota um comportamento em que simultaneamente se atua e se nega o intento da ação. A pessoa que só se identifica com seu ego não tem consciência dessa desonestidade. Tal comportamento deriva de um forte sentimento de culpa que produz uma dissociação entre a mente consciente e os sentimentos corporais.

A mãe que se volta contra o filho está, na verdade, cometendo um ato autodestrutivo. A projeção de sua imagem sobre o filho revela sua identificação inconsciente com ele. Sua hostilidade contra ela é, portanto, um reflexo do ódio de si mesma. Ao rejeitar a individualidade do filho, ela está incons-

O corpo traído

cientemente rejeitando a própria individualidade. A criança é uma extensão de seu corpo, que agora adquiriu vida independente. Cortar de seu filho o afeto e o carinho é um ato simbólico equivalente a cortar o próprio corpo ou a mão. A criança é não só uma extensão de seu corpo como também uma extensão de sua personalidade. Toda a culpa reprimida com relação à sua sexualidade e todos os sentimentos negativos ligados ao seu corpo tornam-se focados na criança, que reagirá a essa projeção por meio de uma atitude hostil que a mãe interpretará como perversa.

Se uma criança pequena age como um demônio, é porque suas características naturais foram distorcidas pelos pais, tornando-se forças negativas que a criança precisa negar. Com demasiada frequência, a demanda normal da criança de contato erótico com os pais é vista como uma tática para atormentá-los e conseguir sua atenção. Em sua espontaneidade irresponsável, a criança é rotulada de "endemoniada". Seu interesse natural pela sexualidade é considerado uma perversão por alguns pais. Seu desejo predominante de ser livre e de se divertir é visto muitas vezes como uma atitude irresponsável. Se ele não come o que a mãe escolhe, é chamado de teimoso. Todas as ações da criança são determinadas pelo fato de que ela vive a vida do corpo, como faz um animal. Suas ações são governadas pelo princípio do prazer. Ela faz o que é agradável e evita o que é doloroso. Mas isso é intolerável para um pai ou mãe que negou o próprio corpo. De acordo com muitos pais, as crianças devem ser controladas e ensinadas a obedecer; devem adotar valores adultos e abandonar seu corpo – isto é, devem negar seus instintos naturais. Não é de surpreender, portanto, que algumas crianças se tornem pequenos demônios e ajam de maneira perversa. A atitude perversa surgirá na criança que perde a esperança de que seus pais reajam com compreensão à expressão aberta de seus sentimentos.

A reação de uma mãe ao filho é condicionada por sua personalidade. Se ela é tranquila e satisfeita com sua função como mulher e esposa, passará esses bons sentimentos ao fruto de sua união. Se é tensa, frustrada e amargurada quanto ao seu papel feminino na vida, reagirá aos filhos com o mesmo sentimento. Na obra *Amor e orgasmo*, afirmei que uma mulher não pode separar totalmente seus sentimentos com relação a um filho de seu sentimento pelo ato que deu origem a esse ser. Seus sentimentos sobre o sexo determinarão sua atitude para com a criança. Independentemente de seu desejo consciente, suas ansiedades e sua culpa sexual influenciarão seu comportamento para

Alexander Lowen

com o filho. O modo como ela lida com o corpo da criança reflete seus sentimentos sobre o próprio corpo. Presenciei uma jovem mãe que ficou horrorizada quando seu filho recém-nascido regurgitou em seu vestido. Ela empurrou a criança como se fosse uma coisa suja. A expressão de repulsa que pode aparecer no rosto de uma mãe quando ela tem de trocar a fralda de um filho será interpretada pela criança como rejeição. A intolerância que algumas mães mostram para com o choro do bebê revela até que ponto elas suprimiram os próprios sentimentos.

A mãe que se relaciona com o filho como se ele fosse um objeto ou uma propriedade está agindo de maneira demoníaca. Tal atitude nega que a criança tenha sentimentos, e surge da negação dos próprios sentimentos por parte da mãe. Em vez de perceber que determina comportamentos, essa mulher manipula as outras pessoas a fim de satisfazer sua imagem egoica. Ela também tratará o marido como objeto, e suas relações sexuais serão atuadas, e não uma expressão de amor. Nesse comportamento, a mulher expressa seu desprezo pelo homem, algo que, obviamente, seu ego nega. Seus sentimentos reprimidos de hostilidade e sexualidade tornam-se uma força demoníaca que a compele a agir de maneira destrutiva. Assim como, inconscientemente, ela rejeita o marido como homem, também rejeitará o filho como pessoa. O aspecto demoníaco em uma mãe sempre deriva da sexualidade reprimida. Isso foi ilustrado no caso de Barbara, que discutimos no Capítulo 1. Barbara se considerava uma mulher emancipada – artista, boêmia, liberal. Sua emancipação assumiu a forma de comportamento sexual perverso. Ela justificava esse comportamento dizendo que ele "mostra que você pode estar acima do sentimento quando este não tem significado". Nesse caso, o sentimento descartado era aquele que via o sexo como uma expressão do amor. Seu comportamento era um ato de rebeldia contra um ideal que, obviamente, perdera o significado para ela: a pureza e a dignidade do corpo humano. Começando com a ilusão de emancipação, Barbara terminou com um sentimento de vazio, uma perda de identidade e o colapso de seu corpo. Sua suposta emancipação sexual era uma negação de sua necessidade de sexo e, como tal, configurava uma expressão demoníaca.

A ideia de que a sexualidade reprimida e alienada é fator perturbador na personalidade não é nova na psiquiatria. Wilhelm Reich observa que, desde 1919, sabe-se que a excitação genital "constitui o perseguidor no delírio esquizofrênico"[36]. A diferença entre ilusão e delírio está na intensidade, e reflete a

O corpo traído

diferença entre o estado esquizoide e a esquizofrenia. Na personalidade esquizoide, a excitação genital dá origem à ilusão de emancipação, sofisticação e sensualidade. No delírio esquizofrênico, a excitação genital isolada dá origem a ideias paranoicas com um componente homossexual.

O outro elemento que compõe a entidade demoníaca é a fúria suprimida. Todo indivíduo esquizoide tem uma camada de fúria suprimida em sua personalidade que às vezes irrompe em forma demoníaca, como um impulso destrutivo e avassalador. Difere da raiva, que é sintonizada com o ego e direcionada para ele. A fúria é como uma erupção vulcânica que destrói tudo em seu caminho. O indivíduo esquizoide abalado por essa força explosiva sente-se constantemente ameaçado pela possibilidade de sua erupção. Sua defesa contra essa fúria interior é a rigidez e a imobilidade, que também compõem a defesa contra seu terror. O fato de que a mesma defesa é usada em ambos os casos indica que o terror e a fúria estão intimamente relacionados. O terror esquizoide é um medo dos impulsos destrutivos e assassinos na pessoa. A fúria esquizoide é a reação ao terror.

Terror e fúria surgem na personalidade por meio da experiência de rejeição parental. A criança reage com raiva à negação de seus direitos como ser único, independente e inviolado. Mas a expressão de raiva por parte da criança quase sempre é hostilizada pelos pais, o que aumenta o medo infantil e transforma sua raiva na reação irracional da fúria. Infelizmente, tais padrões de ação e reação tendem a se tornar crônicos; em consequência, a criança se sente cada vez mais alienada, mais e mais amedrontada e abertamente negativa. Para ela, não há outra saída para o conflito senão a supressão de sua fúria e a submissão superficial aos pais. Dependendo da gravidade do conflito, sua personalidade mostrará as características típicas da estrutura esquizoide: terror, fúria, desespero, ilusão e, por fim, um comportamento perverso no qual seus sentimentos negativos encontram sua válvula de escape.

Na vida adulta, a fúria suprimida se expressa em atos autodestrutivos, que podem ser dirigidos contra o *self* ou contra um filho. Também podem irromper contra o cônjuge com quem a pessoa se identifica, mas raramente contra outros. O indivíduo esquizoide dirige sua raiva contra aqueles que dependem dele, revertendo, desse modo, a situação original em que ele, o filho dependente e indefeso, vivenciou a fúria da mãe. Nos sonhos, no entanto, os objetos originais da fúria podem se tornar aparentes. Assim, uma paciente que discutia um sonho sobre seu pai disse: "Não consigo lidar com a violência que há em mim. Eu estava com tanta raiva que sentia como se eu fosse uma gata. Eu poderia tê-lo arranhado inteiro, enfiado seu pênis num moedor de carne e o triturado".

A existência dessa fúria suprimida como força explosiva na personalidade esquizoide limita suas reações. Segundo Rado, "a ausência ou escassez de reações 'intermediárias' exacerba sua ambivalência e o mantém oscilando do medo excessivo à fúria excessiva, da obediência cega à contestação cega, e vice-versa"[37]. A questão é, obviamente, que uma bomba não permite respostas "intermediárias". Ou explode ou não explode; não há como ser detonada aos poucos. A ausência ou escassez de reações proporcionais se deve à fúria suprimida, e não o contrário. A fúria suprimida, com seus impulsos assassinos, também é responsável pela atitude esquizoide de "tudo ou nada". Cada decisão é um problema de vida e morte, já que, num nível profundo, a questão de agir ou não agir toca o problema da violência enterrada. Ao abrir a porta para o sentimento, mesmo que só um pouco, corre-se o risco de liberar a tempestade interna.

A força demoníaca que resulta da combinação de sexualidade e fúria reprimidas é vista em crimes sexuais. O maníaco sexual é descrito como um monstro. Além disso, ele é muito doente, pois tais ações denotam insanidade. Mas os assassinatos em geral estão frequentemente ligados ao sexo. Ou, dito de outro modo, os conflitos sexuais na pessoa emocionalmente instável muitas vezes levam ao assassinato.

Na personalidade esquizoide, a força demoníaca está oculta – ou é "traduzida em ação" de maneira mais sutil. Uma vez que o ego nega sua existência, a aparência superficial do indivíduo é de amabilidade e bondade. O demoníaco se esconde detrás da máscara do angelical. Mas o angelical é suspeito numa pessoa com um corpo rígido e um sorriso fixo. A terapia desse tipo de estrutura de caráter muitas vezes requer tempo considerável até que o paciente se sinta seguro o bastante para tirar a máscara e expressar uma atitude negativa. Mais tarde, revela-se que essa atitude esteve presente o tempo todo, como uma falta de fé no valor da terapia. Essa falta de fé talvez não seja vista como uma força demoníaca, mas nada é mais destrutivo para as relações do que uma negatividade arraigada que está mascarada por uma aparente cooperação.

O corpo traído

FIGURA 13

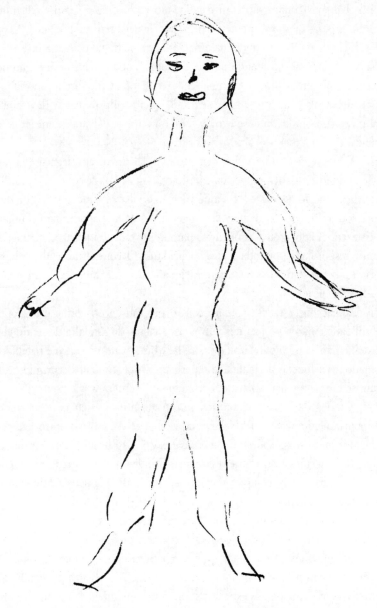

Alexander Lowen

O aspecto destrutivo dessa estrutura de caráter reside em sua desonestidade. Um relacionamento com o indivíduo esquizoide é sempre frustrante porque, apesar de sua aparente cooperação, ele nega seus sentimentos. A consequência de seu sorriso e de sua amabilidade superficial é fazer a outra pessoa se sentir culpada quando há um conflito. Embora talvez sinta a atitude negativa sob a máscara, vê-se impotente para expô-la. No fim, a própria pessoa se torna abertamente negativa e hostil, e nem sempre é capaz de justificar tal postura. O indivíduo esquizoide se retrai para se defender, sem ter consciência de seu papel provocador na disputa.

A "atuação" é uma tática mais deliberada. Envolve a negação da própria falta de confiança da pessoa e a projeção dessa má-fé sobre o outro. Por trás da acusação de má-fé ("Eu amo você, mas você não me ama!", "Eu dou, você só recebe!"), o esquizoide faz exigências que seu parceiro não consegue satisfazer. Tendo uma justificativa aparente, o esquizoide faz o cônjuge se sentir responsável por toda a sua infelicidade. O comportamento pode ser descrito como "atuado" quando é racionalizado e atribuído a outra pessoa ou força exterior.

Aquele que está em contato com o próprio corpo conhece a própria hostilidade e não a projeta nos outros. Está ciente de sua falta de sentimento sexual e não acusa o parceiro de castrá-la. Mas, quando o corpo é rejeitado e negado, essa função de realidade é perdida. Os sentimentos reprimidos tornam-se uma força demoníaca que nega todas as esperanças e aspirações.

A tática de jogar a culpa nos outros constitui a essência do chamado comportamento paranoide. Nele, o indivíduo projeta sobre o outro seus sentimentos negativos, sobretudo a sexualidade e a hostilidade reprimidas. Quando essa tática encontra resistência, o indivíduo paranoide reage com uma fúria irracional completamente desprovida de qualquer sentimento de responsabilidade por suas ações.

O indivíduo paranoide apresenta a verdadeira imagem do demônio quando está em um de seus acessos de fúria. Seus olhos adquirem uma expressão malévola, suas sobrancelhas arqueiam para cima e seus lábios são puxados para trás – em parte sorriso, em parte grunhido. As imagens de demônios e bruxas se originam de tais expressões. Em outros momentos, seu rosto assume uma aparência angelical que, por algum motivo, não convence. O esquizoide rígido e retraído, por outro lado, é realmente "um pobre diabo", ou melhor, um diabo assustado – o que, suponho, é a mesma coisa.

O aspecto demoníaco é, infelizmente, a voz da experiência do corpo. Se o corpo duvida de toda intenção sincera, apega-se teimosamente a uma tática infantil que garantiu sua sobrevivência. Se rejeita cinicamente todos os sentimentos positivos por considerá-los sentimentalismo inútil, está vocalizando suas decepções de infância. A não ser que esse fato seja analisado, a força demoníaca na personalidade esquizoide não poderá ser superada.

O aspecto monstruoso tem um significado e uma função diferentes. Eu definiria como monstruoso um corpo humano que carece de sentimentos humanos. Por exemplo, uma de minhas pacientes esquizoides descreveu seu desenho da figura humana (veja a Figura 13) como "vampiresco". Então acrescentou:

Ela não parece viva. Ela é estranha, dura, e ao mesmo tempo parece estar fugindo. Tem um olhar fixo e vazio, como eu tenho às vezes. Parece um monstro. É uma expressão bem esquizoide. Às vezes eu me pego olhando no espelho e fico chocada. Percebo essa aparência que faz lembrar um vampiro, como se eu não soubesse quem sou ou o que eu deveria estar fazendo. Eu não sei o que quero.

Se eu como, me sinto melhor. Mas então meu corpo fica feio, grotesco, disforme. Quando estou magra, meu corpo fica lânguido e adorável. Eu gosto. Quando como, fico passiva e indolente. Tudo que faço é comer, dormir e ir ao banheiro. Quando não como, fico intensa. Não consigo dormir ou fazer meu intestino funcionar. Fico frenética. Não há nada entre esses dois extremos para mim.

A cisão na personalidade dessa paciente é claramente revelada em suas observações. Embora ela se sinta melhor quando come, sua aparência a revolta. Contradiz sua imagem egoica de uma mulher lânguida e adorável que, no entanto, é apenas um manequim, incapaz de dormir ou de fazer o intestino funcionar. Sua definição de vampiro é "um organismo que vive à custa de outras pessoas", mas sua descrição desse vampiro como um organismo que come, dorme e defeca sugere que é também um bebê. Um bebê, é claro, vive à custa da mãe enquanto é amamentado. Teria esse sentimento vampiresco da paciente se originado em sua experiência infantil com a amamentação?

Essa paciente era irmã gêmea, nascida de uma mulher pequena que tinha apenas 18 anos na época. Ela relatou que a mãe lhe disse que seu leite secou muito cedo e que "nós não tínhamos o suficiente para comer". A paciente não conseguia se lembrar de suas experiências de aleitamento, mas é razoável presumir que tenha passado por um período difícil. Sendo a mais forte das duas meninas, foi preterida pela mãe em favor da irmã mais debilitada. É concebível que, em sua luta pelo seio, ela fosse vista progenitora como uma espécie de monstro incapaz de entender que ela estava fazendo o melhor que podia. As mães têm o estranho hábito de considerar as demandas naturais da criança monstruosas quando não são capazes de satisfazê-las.

É fácil imaginar o conflito que poderia surgir de tal experiência. Entregar-se a seu apetite era sentir-se como um animal, um recém-nascido, um monstro. Não comer era rejeitar o desejo do corpo e encontrar sua realização em outro nível: o do ego. Minha paciente descobriu que podia encontrar satisfação temporária em seu trabalho como atriz – ela vivia dos próprios recursos, se entusiasmava com sua imagem e, como colocou, se alimentava de si mesma. Por quanto tempo alguém pode se alimentar de si mesmo? A paciente descobriu que depois de algumas apresentações empolgantes, sua atuação perdia intensidade. Uma alternativa se fazia necessária. Ela percebeu que sempre se sentia melhor quando estava sexualmente envolvida com um homem. Mas, como aconteceu com a atuação, passada a primeira onda de entusiasmo, seus antigos sentimentos de insatisfação voltavam para atormentá-la. Em pouco tempo, sua relação com o parceiro degenerava para uma "atuação" sadomasoquista de hostilidade e recriminações. O sexo era, para ela, uma repetição do velho conflito em um novo cenário. Era uma forma de sustento, e sua necessidade de sustento a fazia sentir que ela estava vivendo à custa de outra pessoa. No fim, ela acabava se odiando por esse sentimento e desprezando o homem por se render à sua necessidade.

A paciente se tornou um vampiro quando se voltou contra o próprio corpo e seus instintos animais. Suas dificuldades começaram quando ela foi levada a se sentir culpada por esses instintos. Se comer, dormir e defecar são imorais, o resultado é uma confusão indescritível nos sentimentos humanos. As pessoas prisioneiras dessa confusão procuram realização pessoal por meio de atividade criativa, como se a saída devesse ser encontrada em modos não físicos de satisfação. Em todos os casos em que o esforço criativo é um substituto para a vida do corpo, produz apenas uma imagem, e não um *self*. A atividade criativa é satisfatória e dotada de significado quando enriquece e melhora a vida do corpo do qual obtém inspiração.

O corpo traído

Para superar esse sentimento de ser uma monstruosidade, foi necessário fazer a paciente se identificar com seu corpo, aceitar suas sensações físicas e pensar em termos corporais. Seis anos de terapia verbal haviam ignorado essa necessidade. Sua respiração era drasticamente constringida devido à inibição precoce do reflexo de sucção. Seu primeiro esforço de respirar profundamente produziu uma forte reação de pânico. Por alguns instantes, ela não conseguiu recuperar o fôlego e ficou muito assustada. Então começou a chorar, e seu pânico diminuiu. Ela precisou mobilizar o corpo por meio de movimentos agressivos. Para isso, foi orientada a chutar ou socar o divã estando deitada sobre ele. Ao mesmo tempo, suas culpas e ansiedades eram analisadas. O resultado foi muito positivo. Um dia, a paciente relatou:

De repente, eu me sinto como nunca me senti antes. Sinto meu rosto, meus pés, meu corpo. Eu sei quem sou. Agora que conheço minha aparência, não me sinto tão assustada. Não me sinto em pânico. Não me sinto culpada. Estou sendo muito direta e honesta, e vejo que compensa. Quando respiro bem, sinto uma explosão de bons sentimentos.

O aspecto monstruoso nos seres humanos assume diversas formas: espectros, zumbis, estátuas e vampiros. Uma das minhas pacientes, uma jovem de 20 anos, procurou-me em virtude de uma intensa reação de pânico devido a uma dificuldade de respirar. Ela fizera oito anos de terapia verbal, mas o problema central de sua relação com o corpo não havia sido abordado. Quando a encontrei pela primeira vez, seu rosto estava contorcido para um lado; seu corpo, paralisado de medo; seus olhos, arregalados e assustados. Depois que a respiração normal foi restabelecida e seu pânico diminuiu, ela me contou a seguinte história:

Eu estava no fundo do poço quando tinha uns 16 anos. Lembro-me de ter tomado a decisão de desistir de precisar de alguma coisa ou de alguém. Parei de me relacionar com as pessoas e vivia numa atmosfera de irrealidade. Eu tentava tocar um pedaço de madeira, mas não conseguia obter a sensação de que era madeira. Quando atravessava a rua, tinha a sensação de que os carros não podiam me tocar. Eu era só um espírito.
Aos 17, 18, tive minha primeira experiência amorosa. Foi muito satisfatória. Eu tinha orgasmos vaginais, mas terminei o relacionamento porque

me sentia muito culpada. Então passei por uma reação gravíssima. Entrei num estado que os médicos chamaram de "esgotamento nervoso". Depois disso, deixei de fazer sexo durante anos.

Aos 22, eu me mudei da minha cidade natal. Nos anos seguintes, tive as relações sexuais mais "infernais". Eu não tinha nenhum sentimento sexual, mas o sexo era compulsivo. Meu corpo mudou. Tornou-se tenso e rígido. Todos os ossos se sobressaíram. Meus quadris ficaram mais estreitos. Eu perdi peso e fiquei magra, pois parei de comer compulsivamente.

Acho que desisti dos meus sentimentos sexuais quando saí de casa. Minha justificativa inconsciente para esse comportamento sexual promíscuo era: "Está tudo certo, contanto que eu não sinta prazer".

Esse caso mostra a relação íntima entre sentimento sexual e percepção corporal. A repressão do sentimento sexual mina a identificação do ego com o corpo. Com a perda de sentimento sexual, o indivíduo entra em desespero. Essa paciente, numa tentativa desesperada de recuperar algum senso de si própria, recorreu à atividade sexual compulsiva sem sentimento. Mas, como seu relato indica, a atividade sexual sem prazer é incapaz de manter o contato do ego com o corpo. O sexo mecânico e compulsivo transforma o corpo num mecanismo de ações robóticas – isto é, desumaniza o corpo.

Outra forma em que o monstruoso se manifesta no ser humano é o corpo que lembra uma estátua, ou seja, permanece imobilizado em determinada pose. O aspecto monstruoso em tal corpo é a contradição entre sua aparente falta de vida e o fato de que abriga um ser humano real. A análise dessa estrutura de personalidade sempre revela que o ser humano na estátua é uma criancinha perdida. O corpo que lembra uma estátua é sua defesa contra a dor e a decepção que ela antevê se lhe for permitido expressar a necessidade infantil de amor e compreensão. Também é sua tentativa desesperada de obter aprovação por meio do sacrifício de seus sentimentos. Com efeito, a estátua está dizendo: "Eu me tornei o que você queria que eu fosse; agora você terá orgulho de mim e me amará". Mas essa ilusão se choca com a realidade da vida. Quem pode amar verdadeiramente uma estátua? A frustração e a decepção que o indivíduo vivencia em sua pose aumentam seu desespero e nutrem a ilusão de que essa pose deve ser ainda mais perfeita. Também aumentam a ansiedade interna de que a pose fracassará e de que a desesperação subjacente irromperá para dominar a personalidade.

O corpo traído

Por vezes, deparamos com um indivíduo cuja aparência é verdadeiramente monstruosa. Num seminário clínico em meu consultório, avaliamos um jovem cuja aparência física lembrava muitíssimo as imagens do monstro de Frankenstein. Ele tinha o mesmo modo rígido e mecânico de caminhar, ombros quadrados, olhos fundos e sem vida, e uma expressão facial como a do monstro do filme. A similaridade era tão impressionante que, uma vez observada, era difícil dissociar o paciente de sua imagem.

O surpreendente com relação a esse jovem é que ele era o extremo oposto do que sua aparência insinuava: sensível, inteligente e talentoso. Uma análise mais profunda de sua personalidade revelava que sua aparência era uma espécie de fantasia e máscara para esconder e proteger uma sensibilidade aguçada. Ele me fazia lembrar as fantasias de Halloween usadas por crianças pequenas, concebidas para esconder sua identidade e assustar o observador. De fato, sob sua aparência exterior, esse paciente era uma criança delicada e assustada que, de algum modo, desenvolvera uma aparência atípica para se proteger de um mundo insensível.

O aspecto monstruoso na forma humana resulta do corpo abandonado que assume essa forma para vingar sua negação. Não estou dizendo que isso acontece de maneira consciente ou deliberada. O corpo, ao se desenvolver, não é movido por uma intenção. Só estou tentando dar algum significado para um fenômeno que, de outro modo, é incompreensível. Um corpo vivo que funciona sem sentimentos é monstruoso, assim como o é uma máquina que funciona como um ser vivo. Os monstros imaginários que criamos são caricaturas da vida que vemos à nossa volta. As diferentes expressões que um corpo assume são determinadas pelas experiências a que se submete. A pessoa cujo corpo funciona como uma marionete foi condicionada a se comportar dessa maneira desde a infância.

Ao contrário do demônio, o monstro tem um coração de ouro. É como se todos os sentimentos negativos fossem incorporados no aspecto exterior, deixando o interior puro e intocado. Em cada um dos pacientes que tratei cuja aparência poderia ser caracterizada como monstruosa, a personalidade interior era a de uma criança inocente. O demoníaco, por outro lado, tem o aspecto exterior de luz e doçura. Assim como a criança se esconde detrás do monstro, o demônio também se esconde sob uma conduta angelical. Em ambos os casos, estamos lidando com uma cisão na personalidade. O ser humano normal não é nem anjo, nem demônio; nem monstro, nem criança

Alexander Lowen

assustada; nem Dr. Jekyll, nem Mr. Hyde. Essa dissociação surge apenas quando a unidade da personalidade é cindida, criando as categorias de bom e mau, mente civilizada e corpo animal.

Em seu romance *Ratos e homens*, John Steinbeck fez uma análise penetrante do fenômeno do monstro. Lennie era um gigante com os sentimentos de uma criança. Essa discrepância em sua personalidade acabou lhe custando a vida. A criança não era capaz de controlar a força do gigante, e o gigante não era capaz de expressar os sentimentos da criança. Quando Lennie tentou carregar um coelho, ele o segurou com força demais e o esmagou. Então, um dia, Lennie tentou tocar o cabelo dourado de uma garota. Ela ficou tão assustada com a aparência dele que gritou. Em seu esforço de acalmá-la, ele inadvertidamente a estraçalhou. Então Lennie teve de morrer.

A tragédia do monstro é que sua aparência derrota seu desejo. Sua defesa o isola e pode levá-lo à desgraça. Fiquei impressionado, com o passar dos anos, com o fato de que os monstros clássicos retratados nos filmes muitas vezes se revelavam os verdadeiros heróis. O Corcunda de Notre Dame é o exemplo perfeito. O coração do monstro é tocado quando alguém responde a seu pedido não declarado de amor e compreensão e não é repelido por sua aparência. Considerando essa circunstância, a força inacreditável do monstro pode se tornar uma força para o bem.

O corpo traído

9. A fisiologia do pânico

É preciso energia para conduzir a máquina da vida. O esquizoide, cujas funções vitais estão prejudicadas pela desesperança e pelo terror internos, nunca está livre de um medo subjacente de que seu suprimento de energia se mostre insuficiente. Por vezes, esse medo chega à consciência e o paciente entra em pânico por causa de uma incapacidade de respirar, com o sentimento de que, nesse momento, sua vida está por um fio. Quando isso acontece, o paciente é levado a perceber até que ponto sua função vital depende de uma quantidade suficiente de oxigênio, e se torna consciente da conexão entre sua respiração reduzida e seu corpo sem vida.

Muitas observações clínicas corroboram a visão de que os indivíduos esquizoides têm dificuldade de mobilizar e manter um suprimento adequado de energia. A atividade psicomotora – trabalho produtivo, capacidade de reação emocional e atividade sexual – é um indício da produção de energia dos seres humanos. Esses índices de energia geralmente são baixos nos pacientes esquizoides. Além disso, sua incapacidade de reagir bem a certas tensões (casamento, trabalho etc.) sugere uma incapacidade de mobilizar a energia adicional necessária às demandas crescentes dessas novas situações. Paul Federn escreve: "É comum observar que um episódio esquizofrênico é desencadeado pela transição para um próximo nível escolar, ou da escola para o trabalho, ou para as responsabilidades do casamento"[38]. A frequência com que a fadiga física e mental, a falta de sono ou a excessiva atividade sexual insatisfatória desencadeiam um episódio psicótico indica que a capacidade do ego esquizoide de manter contato com a realidade é minada pelo esgotamento das reservas de energia do organismo.

A energia vital deriva de reações oxidativas das quais a etapa final é a ligação de elétrons ao oxigênio, seja por um processo conhecido como fosforilação oxidativa, seja por mecanismos de transferência mais lentos, porém mais diretos. A importância do oxigênio para a produção de energia no pro-

Alexander Lowen

cesso vital é evidente. Portanto, parece extremamente significativo que a experiência clínica corrobore uma relação direta entre o estado esquizoide e uma função respiratória prejudicada.

RESPIRAÇÃO

O paciente esquizoide não respira normalmente. Sua respiração é superficial, e ele não obtém ar suficiente. Fisiologistas e outros profissionais que trabalham com esquizofrênicos chegaram a conclusões similares. E. Wittkower, que é citado por Christiansen, afirma: "Com frequência, a respiração do esquizofrênico é atipicamente superficial"[39]. W. Reich[40], R. Malmo[41] e R. G. Hoskins relatam observações idênticas. A importância da respiração superficial é descrita por Hoskins da seguinte maneira:

> [...] os resultados da assimilação deficiente de oxigênio são, no mínimo, da ordem geral dos sintomas da esquizofrenia. Estes incluem limitação no campo das atenções; perseveração; apatia; depressão do espírito; inadequação do afeto, com riso tolo; discernimento prejudicado; indiferença ao perigo; perda de autocontrole; ansiedade; excitação sem causa aparente; surtos emocionais incontroláveis; perda insidiosa do poder de decisão e indisposição para assumir responsabilidades; associações tangenciais; e incapacidade gradual de fazer juízos sensatos e de um senso de adequação das coisas.[42]

Muitos sintomas dos quais o esquizoide se queixa aparecem na lista de Hoskins; mas o paciente não está ciente, é claro, de nenhuma relação entre sua perturbação psicológica e suas funções fisiológicas. De fato, o esquizoide não tem consciência de que inibe sua respiração. Ao reduzir suas demandas à vida, ele ajustou seu corpo a um nível inferior de metabolismo energético. Em geral, sua obtenção deficiente de oxigênio não é percebida como uma deficiência. Às vezes, no entanto, o paciente espontaneamente toma consciência dessa inibição e observa: "Percebo que não respiro". O que ele quer dizer é que respira de forma inadequada. Tais observações se tornam mais comuns depois que a atenção do paciente se volta para sua respiração.

Surpreendentemente, muitos pacientes expressam uma relutância consciente em respirar fundo. Uma jovem que atendi fez uma observação importante sobre sua relutância em respirar que, acredito, faz sentido para muitos

O corpo traído

indivíduos esquizoides. Ela disse: "Sou muito sensível a cheiros, principalmente odores corporais. Não suporto alguém usando perfume, e não uso. É por isso que não respiro. Tenho medo de que, se respirar, acabe inalando os cheiros e odores de outras pessoas, e de que eles entrem em mim".

O indivíduo neurótico quase sempre expressa o medo oposto. Ele prende a respiração porque tem medo de que o seu "odor" saia, ou seja, teme ofender outras pessoas. Essa ansiedade com relação ao mau hálito é encontrada em muitos pacientes neuróticos, que com frequência tem de ser convencidos de que seu hálito não tem odor desagradável. A ansiedade com relação a odor corporal e mau hálito reflete o sentimento de que as emanações do corpo são repugnantes e "sujas".

Os pacientes esquizoides apresentam outra razão para sua relutância em respirar fundo. Muitos dizem que o som do ar quando passa pela garganta é repulsivo. Os sons da respiração foram descritos por pacientes como "revoltantes", "animalescos", "incivilizados". Em inúmeros pacientes, tais sons são inconscientemente associados com a respiração pesada do ato sexual. A respiração audível torna a pessoa consciente do corpo, que o esquizoide considera repugnante. Também chama a atenção para sua presença física, que ele considera constrangedora. Uma técnica de sobrevivência usada por indivíduos desesperados é ser discretos; essa tática não funciona quando se respira pesadamente. Fingir de morto é outra manobra defensiva que o esquizoide usa e que acaba levando à inibição da respiração.

A razão mais importante para a respiração diminuída é a necessidade de eliminar sensações corporais desagradáveis. Os pacientes não têm consciência dessa necessidade até que tais sensações surgem no decurso da terapia. Isso é especialmente verdadeiro no que se refere às sensações na parte inferior do corpo. A respiração superficial impede que qualquer sensação surja no ventre, onde o esquizoide trancou sua sexualidade reprimida. Cada tentativa de fazer o paciente relaxar a parede abdominal e soltar o diafragma encontra resistência. Sua objeção é que se trata de "má postura" ou que "parece desleixo". A primeira objeção não faz sentido, visto que toda tensão muscular crônica é um peso desnecessário sobre o corpo que impede a boa postura. A segunda objeção significa que parece "sensual demais". A postura natural com uma parede abdominal relaxada vai de encontro à moda atual de quadris estreitos e barriga chapada (que, a propósito, representa uma rejeição da sexualidade pélvica em favor do erotismo oral associado com os seios).

No início, soltar a barriga para que a respiração se torne mais abdominal e profunda parece antinatural para o paciente. Ele se queixa de sensações desagradáveis. Estas são de três tipos: sensações de ansiedade, sentimentos de tristeza e sentimentos de vazio. Como afirmou um paciente: "Faz que eu sinta um medo real na barriga. Me dá vontade de chorar". De fato, a respiração abdominal profunda muitas vezes libera um choro contido que esteve bloqueado por anos a fio. Depois desse choro, o paciente sempre relata se sentir bem melhor. O sentimento de vazio é apresentado na mensagem a seguir, que me foi enviada por um paciente:

Tenho tido muita dificuldade de respirar ultimamente. Fiz duas aulas com o professor de canto de quem lhe falei. Maravilhoso. Acho que aprendi alguma coisa sobre o meu problema com a respiração. Diafragma paralisado? Eu respiro com o tórax, e por isso fico sufocado. Ele me fez respirar relaxando a barriga e enchendo de ar a partir dali, então contraindo no sentido inverso. Está certo? Se estiver, isso quer dizer que nunca usei meu diafragma. De todo modo, venho praticando ao longo do dia. É desconfortável (eu me sinto oco), mas por vezes parece aliviar a sensação de sufocamento.

Em alguns pacientes, a sensação de vazio na barriga é tão assustadora que eles se encolhem diante da tentativa de respirar profundamente com o abdome. Relatam uma sensação na boca do estômago que é como "o chão cedendo". O diafragma paralisado é como um alçapão, cuja abertura ameaça jogá-los num abismo. Ressalto para esses pacientes que a sensação de vazio resulta da repressão de sentimento sexual (sensação pélvica) e que, se eles "se soltarem" na respiração, recuperarão esse sentimento. Observando-os, tem-se a imagem de uma pessoa pendendo de uma saliência rochosa dois metros acima do solo, mas com medo de se soltar porque não consegue ver o chão sob seus pés. No primeiro momento de queda, seu pânico é igual ao de alguém suspenso a 300 metros do solo. Quando decide soltar a respiração e atinge o chão – que, no corpo, é o assoalho pélvico –, fica surpresa com os sentimentos de prazer e segurança que surgem. Quando isso acontece, o paciente percebe que seu pânico derivava de seu medo da sexualidade e da independência.

A dificuldade respiratória do esquizoide se deve sobretudo a uma incapacidade de expandir os pulmões e obter ar suficiente. Seu tórax, como observei, tende a ser estreito, constrito e rígido. Em geral é fixado na posição de expira-

O corpo traído

ção, isto é, fica relativamente desinflado. O neurótico, ao contrário, sofre de uma incapacidade de expelir o ar por completo. Seu tórax tende a ser expandido e hiperinflado e a ficar fixado na posição de inspiração. Em linhas gerais, essa diferença reflete duas atitudes de personalidade diferentes. O esquizoide tem medo de se abrir para o mundo e absorvê-lo; o neurótico tem medo de se soltar e expressar seus sentimentos. Mas essa distinção entre a respiração esquizoide e a respiração neurótica não é absoluta. E tampouco a distinção entre as duas personalidades é tão nítida como indiquei. Tendências esquizoides como a dissociação do corpo e a inibição da respiração também existem em indivíduos neuróticos, e problemas neuróticos são frequentemente encontrados na personalidade esquizoide. Porém, não estamos tão interessados nas distinções clínicas quanto nas dinâmicas da dissociação do corpo que é constatada nos esquizoides.

Em geral, assim que a respiração se torna mais profunda no paciente esquizoide, seu corpo passa a tremer e a desenvolver clonismos, isto é, contrações musculares. Sensações de formigamento aparecem nos braços e nas pernas. Ele começa a transpirar. Se se sentir assustado com a nova sensação em seu corpo, poderá ficar ansioso. Essa ansiedade parece estar relacionada com seu medo de perder o controle ou "desabar". Se a ansiedade se tornar intensa demais, o paciente poderá entrar em pânico. Ele deixará de respirar para evitar as sensações, e ficará paralisado. O resultado será uma incapacidade de obter ar, o que, obviamente, é suficiente para deixar qualquer um em pânico. O pânico é resultado direto da incapacidade de respirar diante de um medo avassalador. A inibição da respiração deixa o indivíduo esquizoide constantemente vulnerável ao pânico quando surgem sentimentos em seu corpo. Desse modo, ele está preso em uma armadilha. Se, durante a terapia, o paciente for psicologicamente preparado para a experiência, o resultado da respiração profunda poderá ser uma revelação do que a vida é capaz de oferecer. Esta é a reação de um paciente a tal experiência: "Deus, eu simplesmente senti minha pele ganhar vida. E meus olhos – incrível, fantástico! Sinto que posso abri-los. As coisas estão mais vívidas. Jesus, minhas pernas estão relaxadas! Geralmente são como rochas ou cordas de violino".

Em nosso encontro seguinte, ele continuou seu relato da experiência: "Depois da última sessão, eu me senti tão vivo em meu corpo! Sentia tudo vibrando. Levou uma ou duas horas para eu conseguir andar. Foi como reaprender a caminhar com as pernas relaxadas. Senti que estava curado. O problema é que não durou mais do que 24 horas".

A perturbação respiratória no paciente esquizoide é mais visível quando ele está envolvido em movimento ativo. Em atividades como chutar o divã ritmicamente, sua respiração se torna laboriosa e não parece fornecer oxigênio suficiente para sustentar o esforço. Ele se cansa depressa e reclama de peso nas pernas e dor no abdome. Enrijece a metade superior do corpo e deixa de realizar a atividade com as pernas. O ritmo da respiração não é sincronizado com o das pernas. Seu padrão de respiração se torna predominantemente costal; seu abdome continua reto ou se contrai ainda mais. Essa manobra gera tensões no diafragma e na parede abdominal que impedem a expansão total dos pulmões no momento em que ele precisa de mais oxigênio. O paciente deve ser aconselhado a deixar seu corpo inteiro "ir" com o movimento.

Alguns pacientes esquizoides conseguem continuar chutando por mais tempo por causa de um superdesenvolvimento compensatório do tórax. Nesses indivíduos, as costelas são forçadas para fora a fim de criar uma maior capacidade pulmonar sem mobilizar o diafragma. O tórax desenvolve a configuração conhecida como "peito de galinha" ou "peito de pomba", porque o esterno continua deprimido pela contração crônica do diafragma e do músculo reto do abdome. Tal condição permite uma expansão exagerada dos pulmões numa direção lateral.

O indivíduo neurótico típico, em situação idêntica, desenvolverá o que se conhece como "segundo fôlego", que lhe permite prolongar o esforço. Isso é incomum no paciente esquizoide. Para entender por que não acontece, é preciso compreender a mecânica dos movimentos respiratórios.

Na respiração normal, a inspiração resulta de um movimento expansivo do tórax e do abdome. Primeiro, o diafragma se contrai e desce, empurrando as vísceras abdominais para baixo e para a frente. As vísceras deslocadas são acomodadas pela expansão anteroposterior da cavidade abdominal. Em seguida, a contração contínua do diafragma sobre seu tendão central eleva ligeiramente as costelas inferiores, expandindo assim a parte inferior do tórax. Isso produz uma expansão dos pulmões para baixo e para fora, direções estas em que eles têm mais liberdade de movimento. Tal respiração, chamada de abdominal ou diafragmática, produz a quantidade máxima de inalação de ar pelo menor esforço possível. É o tipo de respiração visto na maioria das pessoas.

Na atividade muscular prolongada, em que uma maior quantidade de ar é requerida para responder ao estresse do esforço, músculos adicionais entram em ação. Os músculos intercostais (entre as costelas), os pequenos músculos

O corpo traído

que unem as costelas ao osso esterno e à coluna vertebral e os escalenos, que mantêm fixas as duas primeiras costelas, são mobilizados. Agindo em conjunto com o diafragma, eles expandem a parte superior da cavidade torácica, oferecendo mais espaço para a expansão dos pulmões. Essa ação posterior depende de uma fixação do diafragma em sua posição contraída, que estabiliza as costelas inferiores para permitir que as superiores se movam para fora. A expansão da parte superior dos pulmões é limitada, no entanto, por sua fixação no hilo, onde entram os vasos sanguíneos e os brônquios, e pela imobilidade das duas primeiras costelas. A respiração costal, nome dado a esse tipo de respiração, costuma ser empregada para complementar a respiração abdominal em situações de estresse ou emergência, quando se requer oxigênio extra. Usada sozinha, não fornece um volume considerável de ar. Ao contrário da respiração abdominal, produz o mínimo de inalação de ar com o máximo esforço.

O "segundo fôlego" da pessoa neurótica resulta de sua capacidade de mobilizar o mecanismo da respiração costal para complementar e aprofundar sua respiração abdominal. Quando os dois tipos de respiração são integrados, o diafragma se contrai e relaxa totalmente, e a respiração adquire o aspecto unitário visto em bebês, animais e adultos saudáveis. O segredo para a respiração una é a liberação de todas as tensões no diafragma para permitir que o corpo inteiro participe dos movimentos respiratórios. O movimento da respiração una é como uma onda que, na inspiração, começa no abdome, onde mostra sua maior amplitude, e se move para cima. Na expiração, a onda desce do tórax para o abdome.

O indivíduo esquizoide não consegue liberar a tensão em seu diafragma e em seus músculos abdominais. Essa tensão serve ao propósito de manter a barriga "vazia" ou "morta", impedindo que qualquer sentimento de dor, anseio e sexualidade chegue à consciência. A respiração esquizoide é, portanto, predominantemente costal, exceto quando se torna muito superficial; nessa situação, um observador mal poderia discernir entre a respiração costal e a abdominal. Quando o indivíduo esquizoide está envolvido em atividades que requerem a metade inferior do corpo, como fazer sexo ou chutar – ou ainda em situações de tensão emocional –, sua tensão diafragmática aumenta. Em consequência, ele é forçado a contar quase exclusivamente com o método acessório de respiração costal quando a necessidade de oxigênio passa a ser maior.

Em alguns pacientes, esse fenômeno se torna exagerado, e se observa um tipo de respiração que eu chamaria de "paradoxal". Nesta, a inspiração é produzida por um movimento para cima, em vez de para fora. A ascensão e expansão do tórax são auxiliadas por uma elevação dos ombros que puxa o diafragma para cima e contrai a parede abdominal. Desse modo, a expansão do tórax é acompanhada de um estreitamento da cavidade abdominal. Às vezes, observa-se que a barriga é sugada durante a inspiração e solta durante a expiração. Esse tipo de respiração só é visto em situações de tensão. A natureza paradoxal dessa respiração reside no fato de que, embora a pessoa tenha maior necessidade de oxigênio para reagir ao estresse, obtém menos oxigênio do que no estado de relaxamento.

A incapacidade do indivíduo esquizoide de mobilizar energia extra ao reagir a situações de estresse está, portanto, diretamente relacionada com sua respiração prejudicada. Seu uso regular da respiração costal reflete o fato de que ele se apoia em um método de respiração acessório ou emergencial para atender às suas necessidades normais. O mesmo fenômeno foi observado em seu uso da "vontade" em ações cotidianas, em oposição à motivação por prazer vista no indivíduo normal. Funcionando quase sempre com base em suas reservas, o esquizoide está num estado constante de emergência fisiológica, do qual não pode se libertar enquanto depender de um tipo de respiração emergencial. Uma sensação subjacente de pânico está sempre presente, mesmo nos casos em que o desenvolvimento exacerbado e compensatório do tórax permite um esforço mais prolongado.

O significado emocional da respiração esquizoide é visto com mais clareza na respiração "paradoxal". Respirar para cima, erguendo o tórax e os ombros e puxando a barriga, ocorre em situações de susto. Ao simularmos esse tipo de respiração, conseguimos perceber que é uma manifestação do susto. A pessoa assustada coloca a barriga para dentro e limita sua respiração à metade superior do corpo. Ela pode prender a respiração, ou esta pode se tornar rápida e superficial. Quando o susto passa, ela suspira aliviada, soltando o tórax e a barriga. A persistência de tórax erguido, ombros elevados e abdome contraído indica que o susto não foi resolvido e está além da consciência. O tipo esquizoide de respiração costal é a manifestação fisiológica de seu medo reprimido. Esse é outro sinal do terror subjacente no corpo esquizoide. A defesa contra esse medo ou terror é a redução da respiração. Respirar pouco é sentir pouco.

O corpo traído

Os indivíduos esquizoides têm outra dificuldade com a respiração, que deriva de tensões no pescoço, na garganta e na boca. Essas tensões são tão graves que os pacientes esquizoides costumam reclamar de sensações de sufocamento quando tentam respirar fundo. A garganta se fecha quando eles tentam obter mais ar. Quando incentivado a abrir a garganta para deixar o ar passar, o paciente fica assustado. Sente-se vulnerável, como se tivesse aberto seu ser interior para o mundo. Quando esse medo é eliminado por meio da terapia e ele consegue manter a garganta aberta enquanto respira, relata sensações muito agradáveis fluindo por seu corpo e em seus órgãos genitais. Sua sensação de sufocamento é, portanto, resultado de um ato inconsciente de contrair a garganta para eliminar sentimentos ameaçadores.

Essas tensões na garganta do indivíduo esquizoide estão associadas com sua incapacidade de fazer os fortes movimentos de sucção de um bebê saudável. No bebê normal, os movimentos de sucção envolvem todos os músculos da cabeça e do pescoço. Lembra um filhotinho de pássaro cujo bico se abre tanto para receber comida que seu corpo parece um saco redondo. Quando o esquizoide faz esse movimento com a boca, geralmente é limitado aos lábios e não inclui as bochechas, a cabeça ou o pescoço. Na terapia, quando o paciente se torna capaz de mobilizar a cabeça inteira nesse gesto, sua respiração espontaneamente se torna mais profunda e abdominal. A íntima relação entre respiração e sucção fica clara quando percebemos que o primeiro movimento agressivo do bebê na vida é "sugar" ar para os pulmões. O movimento seguinte é "sugar" leite para o estômago. Sugar é o modo primário pelo qual o bebê obtém seu suprimento de energia. Qualquer perturbação no movimento de sucção terá repercussão imediata no funcionamento da respiração.

Em seu livro *Os direitos da criança*[43], Margaret Ribble observa que a respiração incompleta de muitos bebês se deve à inibição dos movimentos de sucção. Quando esses movimentos são estimulados, respirar torna-se mais fácil. Os bebês que são amamentados costumam respirar melhor do que os bebês que tomam mamadeira, porque sugar o seio é um processo mais ativo do que sugar um bico de borracha. Quase todos os meus pacientes relataram alguma perturbação dessa função vital durante a primeira infância. Suas privações e frustrações nessa área resultaram na rejeição e na negação dos impulsos de sugar. Muito cedo na vida, eles sufocaram o anseio por gratificação erótica oral a fim de sobreviver num estado de privação. Esses sentimentos e impulsos infantis são reavivados quando o paciente tenta respirar mais fundo. Ele reage sufocando-os, como fez quando era bebê.

Abrir bem a garganta para respirar evoca em muitos pacientes a sensação de afogamento. Um paciente relatou essa sensação em várias ocasiões, embora não tenha conseguido encontrar na memória nenhum incidente que pudesse ter dado origem a tal experiência. A interpretação lógica era de que a sensação de afogamento representava sua reação a uma enxurrada de lágrimas e tristeza que se acumulavam em sua garganta quando as tensões nessa região do corpo eram relaxadas. Mas a sensação de afogamento também nos leva a pensar numa possível associação com a existência intrauterina, onde o feto flutua num mar de líquidos. Hoje sabemos que o feto faz movimentos respiratórios no útero mais ou menos a partir do sétimo mês. Tais movimentos não são significativos em termos funcionais. No entanto, se um espasmo uterino cortasse o fluxo de sangue oxigenado para a placenta por período considerável, é concebível que esses movimentos respiratórios incipientes se convertessem em tentativas reais de respirar. Nessa situação, a sensação de afogamento resultaria do fluxo de líquido amniótico para a garganta do feto. Isso é pura especulação, mas a possibilidade de tais experiências intrauterinas não pode ser descartada.

No tratamento da perturbação esquizoide, os exercícios de respiração são de pouca ajuda. Quando a respiração é mecânica, não evoca sentimento nenhum, e seus efeitos se perdem assim que o exercício termina. O paciente não respirará profundamente de maneira espontânea enquanto suas tensões não forem relaxadas e seus sentimentos, liberados. Esses sentimentos são tristeza e choro, terror e grito, hostilidade e raiva. A liberação ocorre quando a tristeza é expressada no choro, o medo, no grito de terror e a hostilidade, na manifestação da raiva. Choro, grito e raiva adquirem manifestações vocais que são obstruídas pela inibição da respiração. Desse modo, o paciente esquizoide se encontra em mais um círculo vicioso: a inibição da respiração impede a liberação do sentimento, ao passo que a supressão do sentimento cria uma inibição da respiração. O círculo é interrompido quando o paciente é levado a tomar consciência dessa inibição da respiração, isto é, a sentir as tensões que inibem sua respiração e tentar relaxá-las conscientemente. Ele também é incentivado a respirar enquanto emite sons guturais. Em geral, tais procedimentos permitem aflorar algum sentimento, que evoluirá espontaneamente para o choro se o paciente estiver relaxado.

O corpo traído

O primeiro choro de um paciente costuma ocorrer sem um sentimento de tristeza. À medida que sua respiração se torna mais profunda e passa a envolver a barriga, ele passa a chorar suavemente, numa primeira reação à tensão anterior. Esse choro é um fenômeno de rebote, como o choro de um bebê, que reage dessa maneira a uma frustração sem conhecer o significado emocional de sua resposta.

O choro é, primitivamente, uma reação convulsiva à tensão que mobiliza os músculos respiratórios para efetuar a liberação. Nesse processo, emite-se um som. O uso das cordas vocais para comunicar um sinal é um desenvolvimento posterior. O melhor exemplo dessa reação primitiva é o primeiro choro do bebê depois que a tensão do nascimento é relaxada. Esse choro dá início à respiração, como acontece com o paciente na terapia. Em todas as formas de tensão, o organismo fica petrificado; no choro, ele se solta.

O desenvolvimento do ego e da coordenação motora torna disponível a reação de raiva aos sentimentos de frustração. A raiva visa eliminar a frustração, ao passo que o choro serve meramente para liberar a tensão. Quando a frustração persiste porque a raiva está bloqueada ou é ineficaz, recorre-se ao choro para aliviar a tensão. Até mesmo adultos podem chorar quando a frustração persiste apesar de todos os esforços de superá-la por meio da raiva. A persistência de uma frustração cria uma sensação de perda e leva a um sentimento de tristeza que então se torna associado com o choro. Nesse ponto, o choro adquire significado emocional. O paciente que chora com tristeza está em contato com seus sentimentos.

Do mesmo modo, o grito também pode estar dissociado de sua associação consciente com o terror. Isso aconteceu com um jovem durante a terapia. Ele respirava mais profundamente e, sob minha orientação, deixou o queixo cair e arregalou os olhos enquanto continuava deitado no divã. A expressão que ele assumiu foi de susto, mas ele não estava ciente disso. No entanto, emitiu um grito alto sem sentir medo nenhum. Seu grito cessou quando ele baixou os olhos, mas foi repetido involuntariamente quando os arregalou outra vez. No decurso da terapia, esse paciente percebeu que havia um susto latente em seu interior, o qual se manifestava quando ele arregalava os olhos. Percebeu que havia algo que ele tinha medo de ver, alguma imagem em sua retina que era nebulosa demais para discernir, mas que o assustava. Então um dia, a imagem entrou em foco. Ele viu os olhos da mãe fitando-o com ódio, e gritou novamente – dessa vez, de terror. Segundo me contou, ele tinha a impressão de que a visão estava relacionada com um incidente que ocorreu quando ele tinha uns 9 meses de idade. Ele estava deitado no carrinho, chorando pela mãe. Ela finalmente apareceu, mas a raiva por ser perturbada foi expressada no olhar de ódio que dirigiu ao filho. Depois dessa visão, o susto desapareceu dos olhos dele.

A dissociação entre a expressão de um sentimento e a percepção deste indica que um mecanismo de negação está em curso. Chorar sem sentir tristeza, gritar sem sentir medo ou enfurecer-se sem sentir raiva é um sinal de que o ego não está identificado com o corpo.

METABOLISMO ENERGÉTICO

A produção de calor corporal é uma função que está intimamente relacionada com a personalidade como um todo. Reconhecemos essa relação em nosso discurso. As personalidades são descritas como "calorosas" ou "frias". Uma pessoa "calorosa" é aquela que tem sentimentos; uma pessoa fria é desprovida deles. O calor também é usado para descrever a humanidade, como quando contrastamos o calor humano com a frieza de uma máquina. Em linhas gerais, a personalidade esquizoide se tornou fria para o mundo, e seus sentimentos são mínimos.

Certos estados emocionais aumentam o calor do corpo, ao passo que outros o diminuem. Ficamos quentes quando estamos com raiva, frios quando estamos com medo. O corpo se derrete de amor e se congela de terror. Todos sabemos, com base na experiência pessoal, que esses adjetivos são mais do que uma maneira de falar, que refletem verdadeiramente o que acontece em nosso corpo. Quando ficamos excitados, como na raiva ou no amor, o metabolismo do corpo muda. Seu ritmo aumenta. Respiramos mais fundo, nos movemos mais depressa e produzimos mais energia. O calor do nosso corpo aumenta como manifestação dessa aceleração do metabolismo. Sentimentos como medo, desesperança e terror têm um efeito depressor sobre o corpo. Mesmo quando esses sentimentos são reprimidos, o metabolismo do corpo reflete sua influência. A frieza do indivíduo esquizoide está diretamente relacionada com o medo ou terror em sua personalidade.

Há algumas evidências objetivas de que a temperatura real da pele nos esquizofrênicos é mais baixa do que o normal. F. M. Shattock observou que um percentual considerável de psicóticos tinha extremidades cianóticas (mãos e pés frios e azulados à temperatura ambiente).[44] Outro pesquisador. D. I.

O corpo traído

Abramson, descobriu uma vasoconstrição excessiva nas arteríolas de pacientes esquizofrênicos expostos ao frio. Ele observou uma melhora no estado desses pacientes após o tratamento.[45]

Também há evidências de que a tendência a um metabolismo basal mais baixo é típica da esquizofrenia. R. G. Hoskins, que fez um profundo estudo das funções na esquizofrenia, afirma: "No geral, estávamos e estamos convencidos de que um dos traços característicos da psicose, observado no nível metabólico, é uma deficiência na obtenção de oxigênio"[46].

A frieza do esquizofrênico e do esquizoide reflete um mecanismo energético perturbado. A temperatura mais baixa de sua pele, sua vasoconstricção excessiva e seu metabolismo basal diminuído sugerem um padrão infantil de reação às tensões da vida. Em sua reação ao frio, ele é como um recém-nascido incapaz de mobilizar energia extra para reagir ao estresse. Tem as mesmas necessidades dependentes do recém-nascido: ser pego no colo, ser protegido e ser aquecido. Em outras palavras, o esquizofrênico (e o esquizoide, em menor grau) não está totalmente preparado para uma existência independente. Sua relutância em respirar e sua respiração superficial expressam uma tendência a regredir para um nível infantil de existência.

O esquizoide se agarra à ilusão de que a sobrevivência depende de encontrar uma figura materna que satisfará suas necessidades de afeto, proteção e segurança. Cortar o cordão umbilical simbólico que o ata à imagem da mãe é equivalente a lançá-lo num mundo que ele considera frio, hostil e incerto. Essa dependência infantil choca os pais quando eles a observam em seus filhos supostamente crescidos. Muitas vezes ouvi pais reclamarem: "Ele age como se o mundo tivesse a obrigação de sustentá-lo". Mas os pais só ficarão chocados se foram cegos para as dificuldades e os problemas que o filho apresentou durante o período de crescimento.

O corolário desse conceito é que a independência evoca no esquizoide um sentimento de pânico. Cuidar de si mesmo é sentido por ele como um chamado de emergência que requer medidas urgentes. Essas medidas consistem de: 1) respiração costal; 2) tendência a metabolismo anaeróbico; 3) redução da motilidade.

1. A natureza emergencial da respiração costal foi discutida na primeira parte deste capítulo. Resumidamente, a respiração costal do indivíduo esquizoide substitui a respiração abdominal, sendo incapaz de produzir um suprimento adequado de oxigênio.

Alexander Lowen

2. Sob tensão, a falta de oxigênio pode gerar um metabolismo anaeróbico (a liberação de energia armazenada sem a introdução de oxigênio). Esse tipo de metabolismo é um método menos eficiente de produção de energia, sendo chamado de "reação de alarme" por J. S. Gottlieb *et al.*, "uma vez que parece ser invocado como reação produtora de energia em situações de emergência".[47] Esses pesquisadores descobriram que esse tipo de metabolismo era característico de esquizofrênicos crônicos.

3. A redução da motilidade é um dispositivo de emergência para conservar energia. Em geral, a motilidade diminui em estados de alerta, tanto para aumentar a sensibilidade como para mobilizar energia para "lutar ou fugir".

No estado esquizoide, esses mecanismos de emergência tendem a se tornar o padrão de reação "normal", pois o esquizoide considera sua vida cotidiana uma questão de sobrevivência. Decorre, portanto, que numa crise real o esquizoide não tem reservas às quais recorrer. Hoskins chega a essa conclusão com base em seu estudo da biologia da esquizofrenia: "Parece que o enorme esforço requerido para a adaptação orgânica deixa o paciente sem energia para a adaptação bem-sucedida ao campo social".[48]

No Capítulo 3, observei que o indivíduo esquizoide usa toda sua energia para se manter. Seu sistema muscular é imobilizado para manter a integridade de seu organismo. Ele depende da própria vontade para sustentar um senso de *self*. A vontade, como vimos, é um mecanismo acessório geralmente reservado para situações de emergência.

MOTILIDADE

Também podemos abordar a fisiologia do comportamento esquizoide por meio da análise de movimentos corporais. O termo "motilidade" se refere à capacidade dos organismos vivos de se mover espontaneamente. Abrange uma gama maior de movimentos do que o termo "mobilidade", que se refere ao deslocamento do organismo no espaço. A motilidade de um organismo vivo é uma expressão do processo vital como um todo. Se esse processo é perturbado, como acontece na personalidade esquizoide, certas distorções na motilidade tornam-se evidentes.

O indivíduo esquizoide apresenta mobilidade reduzida ou hiperatividade exagerada. A hipomobilidade é característica do indivíduo esquizoide que

O corpo traído

tende a ser desconectado e retraído. É visível em sua escassez de gestos e falta de espontaneidade. Está implícita no termo "máscara" que descreve sua expressão facial. É vista na quietude do corpo esquizoide quando ele fala. Seus braços e mãos raramente são empregados como meio de comunicação. Essa falta de movimento corporal expressivo durante a conversa é, em parte, responsável pelo sentimento de que o esquizoide "não está aqui".

A hipomobilidade esquizoide também pode ser considerada um estado de choque parcial. A despersonalização ou a completa dissociação do corpo foi comparada com o estado de choque por Paul Federn.[49] Tudo que dissemos sobre a fisiologia esquizoide corrobora essa visão: metabolismo basal diminuído, respiração superficial etc. A rigidez física do corpo esquizoide é uma tentativa de enfrentar o choque e manter certo grau de integridade e funcionamento. Essa tentativa fracassa nas situações de colapso, em que o estado de choque é mais evidente na perda de tônus muscular. Em ambos os casos, no entanto, o choque não é tão grave a ponto de paralisar as funções vitais, mas limitado à superfície do corpo. E não se trata de um estado de choque agudo, mas de uma condição crônica.

O choque esquizoide pode ser interpretado como uma reação ao sentimento de rejeição e abandono. Representa uma resposta infantil a uma experiência infantil, bem como uma fixação nesse estágio de desenvolvimento. Independentemente da idade, o esquizoide é ao mesmo tempo um bebê que não fala e um velho sábio que conhece a experiência da luta, do sofrimento e da proximidade da morte. Discutirei o medo da morte no indivíduo esquizoide no próximo capítulo. É importante, aqui, observar a conexão entre o estado de choque, o estado inconsciente de pânico e o sentimento consciente de desespero.

O estado de choque explica o automatismo muitas vezes visto nos movimentos corporais do esquizoide. Em seu modo de se mover, ele frequentemente parece um robô. Um dos meus pacientes observou essa característica em si próprio. Ele afirmou: "Caminhando pela rua, vi meu reflexo na vitrine de uma loja, e eu parecia um soldadinho de madeira". O paciente quis dizer, com isso, que sua rigidez refletia um estado de choque. Ele era como um soldado de madeira marchando rumo à sua sina, indiferente ao pânico em seu interior.

A hipermotilidade é muitas vezes observada no indivíduo esquizoide com tendências paranoicas que impulsivamente "encena" seus sentimentos.

Os movimentos desses indivíduos são caracterizados por irregularidade, inaptidão e rapidez. São quase sempre acompanhados de explosões emocionais, cuja intensidade tem pouca relação com as ideias expressadas. Tais movimentos indicam uma incapacidade, em sua estrutura de personalidade, de conter e controlar a excitação. A seguinte descrição que uma paciente fez de seu comportamento ilustra essa hiperatividade:

> Eu me sentia numa espécie de jogo. Era muito rápido e intenso, e deixava todos à minha volta nervosos. Eles diziam que eu descarregava uma energia descontrolada por toda parte. Eu precisava continuar. Precisava continuar falando, e minhas ideias ficaram muito confusas. Minha conversação era tensa e rápida, aparentemente deveras intelectual. Agora percebo que agia dessa maneira para que nada conseguisse me tocar por dentro.

Essa paciente em particular me impressionou, durante nossas primeiras sessões, com seu calor aparente. Ela parecia falar com muito sentimento. Suas mãos eram quentes e úmidas; sua pele, morna ao toque. Logo percebi, no entanto, que aquele era um fenômeno superficial. Seu calor corporal resultava de sua hipermotilidade – reação a um profundo sentimento de frustração em sua personalidade. Ela relatou que quando não conseguia chegar ao clímax sexual, a frustração quase a enlouquecia.

> Logo em seguida, eu gritava e berrava. Depois desabava, chorava por duas ou três horas seguidas e só então me sentia libertada e em paz novamente. Ou saía para uma longa caminhada ou corrida pelas montanhas. Eu andava muito a cavalo. Pegava o cavalo mais veloz e o fazia correr como louco. Eu não me importava se o cavalo me derrubasse. Eu tinha a sensação de que precisava ir além de alguma coisa, algo tinha de explodir ou se soltar, e então eu cavalgava até ficar exausta.

À medida que passou a compreender sua personalidade, a paciente tentou controlar e direcionar sua agressividade, refrear sua fúria e parar de "encenar". Em consequência, seu corpo mudou. As mãos ficaram frias e até a cor do seu rosto se tornou diferente. Ela observou:

O corpo traído

FIGURA 14 – O esquizoide "suspenso"

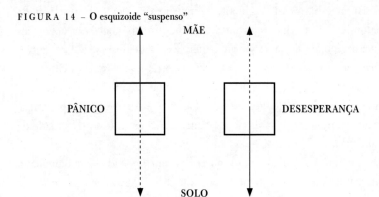

Meu rosto era muito mais quente antes. Não me lembro de ter um rosto pálido. As pessoas costumavam comentar sobre minhas bochechas rosadas. Percebi que minhas mãos ficaram mais finas. Não tenho muita sensação nelas agora. Fiquei assustada ao descobrir todas essas coisas sobre mim mesma. Eu costumava pensar que era apenas uma pessoa emotiva.

Essas observações confirmam a visão de que há uma frieza subjacente no paciente paranoico, a qual é mascarada por sua hipermotilidade. Isso explica por que as medições objetivas da fisiologia da esquizofrenia são inconclusivas, e enfatiza a relação direta entre motilidade e calor corporal.

A hipermotilidade do indivíduo paranoide é uma "fuga" do corpo e de seus sentimentos. Ele está em fuga constante ou preparado para fugir. Sua forte tendência a fugir é manifestada em certas atitudes físicas. Seus ombros erguidos, que parecem levantá-lo do solo, sugerem o voo de um pássaro assustado. Mais importante, no entanto, é sua falta de contato com o solo. A impulsividade e o comportamento irresponsável indicam que ele não tem "os pés no chão" – em outras palavras, não tem "uma base firme".

Em vários aspectos, o indivíduo esquizoide sente-se despreparado física e emocionalmente para cuidar de si mesmo. Em meu livro *O corpo em terapia*[50], usei a analogia do fruto verde para ilustrar esse dilema. A semente de um fruto que é separado da árvore de modo prematuro não cria facilmente raízes na terra. Um ser humano em situação similar lutará para retornar à sua fonte de força, sua mãe. Sua tendência inconsciente será erguer os braços para ela em seu desejo de ser pego no colo. Sua fuga é para cima, para longe do solo e da independência. Seu conflito pode ser ilustrado graficamente:

Alexander Lowen

O caminho para cima é bloqueado por um sentimento inconsciente de desesperança. O indivíduo esquizoide, tendo reprimido o bebê em sua personalidade, nega o anseio de regressar à mãe. Esse anseio irrealizado é, então, transformado em desesperança, e cria a ilusão de que a reunião com uma mãe amorosa ocorrerá algum dia na vida adulta. Essa ilusão transforma a imagem de sua mãe na da parceira sexual amorosa. Ao mesmo tempo, forças demoníacas zombam de sua ilusão e o compelem a encarar a necessidade de independência.

O caminho para baixo, para uma existência independente, é bloqueado por uma sensação inconsciente de pânico. Ele carece da convicção interior de que suas pernas serão capazes de sustentá-lo. Apoia-se em mecanismos de emergência que o mantêm. Ele tem medo de cair, já que, em sua desesperança, sente que nenhum braço amoroso o pegará no colo. Incapaz de se erguer, incapaz de se soltar, o indivíduo esquizoide não encontra trégua nem paz. Ele nunca está livre do medo de "não conseguir e ninguém ajudar".

O esquizoide vive num limbo, suspenso entre a realidade e a ilusão, a infância e a maturidade, a vida e a morte. Rejeita o passado, mas se sente inseguro com relação ao futuro. Não tem presente, não tem chão sob seus pés. Sentindo os perigos dentro de si e temendo as ameaças externas, ele é imobilizado de susto ou mobilizado para a fuga. Em ambas as situações, nunca está longe de um sentimento de pânico, e nunca sabe ao certo qual é o botão capaz de detoná-lo.

As funções fisiológicas não são fixas nem imutáveis. A forte interação entre psique e soma no organismo humano vai ao encontro dessa visão. Assim como um conjunto de padrões de respostas musculares pode criar uma sensação de pânico, a liberação dessas tensões é capaz de eliminar tal sensação. O fundamental é eliminar as tensões que restringem a respiração. Se a pessoa conseguir respirar com facilidade, o pânico subjacente desaparecerá. Do mesmo modo, as reações fisiológicas determinadas por uma sensação de desesperança inconsciente mudam quando o indivíduo é capaz de encarar sua desesperança. Quando ela abdica de suas ilusões, cai na desesperança, mas, surpreendentemente, encontra-se em terra firme – sozinha, mas não impotente. Nesse processo, ela supera o pânico que seu estado "suspenso" impunha. Sozinha, descobre sua identidade com seu corpo e, firmemente apoiada no chão, é capaz de desenvolver uma vida adulta independente.

O corpo traído

10. Comer e dormir

COMPULSÃO E ILUSÃO

Todo psiquiatra é confrontado com pacientes que lutam contra o peso ou que não conseguem dormir. O paciente que sofre desses problemas sente-se desesperado, dominado por forças que agem contra sua vontade. Vê-se impotente diante de sua compulsão por comer e ruminar, e relaciona seu desespero a esse sentimento de impotência. Isso explica por que o estado de ânimo da pessoa muda para melhor no momento em que ela começa uma dieta. Fazer dieta parece proporcionar o sentimento de que ela obteve controle sobre seus impulsos, sendo capaz de comandar a si própria, e recobrou a posse de si.

Infelizmente, na maioria dos casos o esforço é frustrado assim que o objetivo é alcançado. Depois de perder peso, a pessoa relaxa seu programa de austeridade e pouco a pouco retorna aos antigos padrões de alimentação. Isso significa outro esforço e outra dieta. Tive uma paciente que estava sempre começando um novo regime, mas nunca terminava o anterior. Assim que engordava vários quilos, ela começava uma dieta. Isso a fazia se sentir melhor, mas logo que perdia esses quilos voltava a comer compulsivamente. Isso continuou por vários anos durante sua terapia, até que ela percebeu que era uma espécie de jogo. Então observou: "Sei que não vou parar de comer entre as refeições enquanto não me aceitar".

A compulsão alimentar e a incapacidade de dormir são sintomas de um desespero interno que deriva diretamente da falta de aceitação de si. Portanto, quando uma pessoa começa uma dieta, seu desespero não cessa. Assume uma nova forma. Ela se torna compulsiva diante do regime, assim como era compulsiva ao comer. Mas continua tão desesperada quanto antes.

O indivíduo que come compulsivamente tem a ilusão de que a próxima dieta será definitiva e de que vai recuperar o corpo de sua juventude, que manterá para sempre. Por trás dessa ilusão, ele tem outra sobre a juventude eterna. Mas qual é a ilusão de quem sofre de insônia? Sem estar ciente disso, ele acredita que nada pode acontecer com ele se permanecer alerta. Agarra-se à consciência como se esta fosse sua vida. E nada acontece: ele não dorme. Mas há outra ilusão, mais recente, relacionada com o sono – a ilusão do comprimido para dormir. Essa ilusão afirma que a pessoa não consegue dormir sem o comprimido. Que a dependência do comprimido é uma ilusão é algo que pode ser demonstrado em muitos casos. Substitua o comprimido por um placebo e o paciente dormirá tão bem quanto se tivesse tomado o remédio real. Tentei isso em vários pacientes que estavam dependentes da medicação, e funcionou. O remédio pode ser considerado o substituto da boneca de pano ou do urso de pelúcia que o paciente, na infância, abraçava quando ia dormir. Esses objetos, por sua vez, eram substitutos da mãe que ele desejava ter perto de si. No cerne de toda ilusão há um pouco de realidade.

Um diabo está à espreita detrás de toda ilusão, aparecendo sob o manto da razão e tentando o indivíduo para que este ceda a seus desejos imediatos. "Vá", ele diz, "coma chocolate. Um pedacinho de chocolate não vai lhe fazer mal". Ou pode aconselhar: "Tome o remédio esta noite. Você vai dormir melhor, e amanhã não vai precisar tomar". Essa lógica é difícil de contestar. Um pedacinho de chocolate não faz mal. Um comprimido não é perigoso. A pessoa acredita que o remédio lhe permite dormir melhor. O diabo afirma falar em nome do corpo; isso confunde a pessoa, já que seu instinto mais profundo é satisfazer os desejos do corpo. Mas a voz do diabo deriva de sentimentos reprimidos que se tornaram perversos no decurso da repressão. O desejo infantil frustrado pelo seio não pode ser satisfeito com comida ou remédios. A ilusão da gratificação oral que o ato de comer em excesso parece alimentar acrescenta um elemento compulsivo a essa atividade.

Há, é claro, uma relação entre comer em excesso e frustração sexual. Por frustração, refiro-me à falta de liberação sexual satisfatória no orgasmo. Pois, embora o ato sexual coloque a pessoa em contato com seu corpo, sem orgasmo ele é deixado num estado de irrealização, o que facilmente a leva a comer em excesso. Antes da popularidade atual das dietas, dizia-se que, se a esposa engordasse, era sinal de que o casal não mais fazia sexo. Agora, por causa dos regimes, não podemos dizer o mesmo. Nem todos os indivíduos sexualmente frustrados comem demais, mas o inverso é verdadeiro: todos os que comem compulsivamente são sexualmente infelizes. Já o ser humano sexualmente satisfeito tende a estar livre desses impulsos neuróticos. O indivíduo que está em contato com seu corpo sente suas verdadeiras necessidades e age racionalmente para satisfazê-las.

COMIDA E SEXUALIDADE

Se a dúvida entre comer e não comer surge em nossa mente, é um claro sinal de que o desejo de comer vem de um sentimento de desespero. Aquele que está com fome não enfrenta essa dúvida. Já aquele que está desesperado responde afirmativamente. Pode atribuir o fato de comer demais a um sentimento de tédio, mas seu tédio e passividade muitas vezes refletem um problema maior do que aquele que ele está disposto a reconhecer. Em inúmeros casos, a comida age como um sedativo. Acalma temporariamente a inquietação e alivia a ansiedade. Os pais muitas vezes usam a comida para esse propósito com os filhos. A criança exigente quase sempre recebe algo para comer a fim de aliviar sua irritabilidade. A comida pode, portanto, estar carregada de significados que não a satisfação da fome.

Uma de minhas pacientes lutava contra a compulsão alimentar havia mais de 15 anos, sem nunca ter conseguido superar essa tendência. Uma vez que seu peso era um verdadeiro obstáculo à sua carreira como atriz, ela dava muita atenção a esse problema. As ideias que ela associava com "comer" revelam até que ponto a compulsão estava arraigada em sua personalidade.

1. "Significa que estou cuidando de mim. Eu sempre me vi como uma órfã."
2. "Comer é uma afirmação da função primária da vida."
3. "Comer é meu único prazer. Só encontro prazer e significado na vida comendo."
4. "Tenho medo de passar fome. Tenho medo de morrer se passar fome."
5. "Comer é uma reação a um sentimento de perda – da minha mãe e do meu trabalho."
6. "Percebo que comer é uma negação da minha sexualidade."

A comida é sempre um símbolo da mãe, já que esta é a primeira provedora de alimento. As mães aceitam essa relação simbólica quando encaram a recusa a comer como uma rejeição pessoal. Do mesmo modo, algumas mães obtêm satisfação pessoal ao ver um filho comendo, como se esse ato fosse uma expressão do amor e do respeito do filho por elas. Muito cedo na vida da maioria das crianças, a comida é identificada com o amor. Comer torna-se uma expressão de amor; não comer é sinal de rebeldia. Com grande frequência, a criança percebe que não comer é uma maneira de se vingar de uma mãe obsessiva. A paciente a que me referi passou por várias experiências em que suas preferências e aversões pessoais com relação à comida eram completamente ignoradas ou tratadas como reações negativas. Mas sua rebeldia foi dominada. Ela teve de se submeter para sobreviver. Em sua mente, agora, a comida ainda mantinha sua identificação original com o amor e a mãe. Para ela, rejeitar comida equivalia a negar a necessidade que ela tinha da mãe e ser responsável por si mesma.

Essa paciente nunca havia assumido um compromisso com a vida adulta e a maturidade. Ela inclusive expressou que a própria ideia de tal compromisso a enchia de pânico, o pânico da personalidade esquizoide confrontado com a necessidade de levar uma vida independente. Incapaz de fincar raízes e apavorada com a ideia de ser independente, ela "encenava" seu desespero comendo demais.

As ideias que ela expressava sobre o significado da comida eram distorções de seus verdadeiros sentimentos. Sua compulsão alimentar era um ato autodestrutivo e não autocuidado. Toda vez que ela comia mais do que devia, sentia-se culpada e desesperançada. Não havia prazer real naquele ato. Só era bom quando "aliviava a tensão". Ela nunca passara fome na vida, e duvido muito de que tivesse medo de sentir fome – pelo menos, de comida. Num sentido mais profundo, ela tinha fome: fome de amor, de prazer, de vida. Ela teria facilmente passado a comer menos se acreditasse que poderia satisfazer essas outras necessidades. Comer era um sinal de sua desesperança.

Um dia, essa jovem observou:

> Sou paranoica. Eu me pergunto se as pessoas são hostis comigo, se vou matá-las, ou elas a mim. Mas tenho medo de expressar ou de me identificar com esses sentimentos. Mantenho a cabeça erguida para fingir que não sou paranoica. Tenho medo de ser envenenada, medo de ser esfaqueada. Estou muito ciente de que as pessoas falam de mim.
> Sendo gorda, ninguém olharia para mim e meu marido não teria ciúme nem ficaria com raiva de mim. Eu fico petrificada quando ele está com raiva.

Seu medo de ser uma pessoa sexual era responsável por suas ideias paranoides. Para entender essas ideias, é preciso interpretá-las com referência à situação edipiana, em que a criança é o vértice de um triângulo sexual envol-

O corpo traído

vendo mãe e pai. Havia uma atração sexual não reconhecida entre a paciente e seu pai. Ele costumava forçar a menina a andar nua diante das visitas para mostrar que ela não tinha vergonha do próprio corpo. Não é de surpreender, portanto, que ela expressasse o sentimento "Estou muito ciente de que as pessoas falam de mim". Ele costumava examinar sua calcinha todos os dias para ver se ela fazia xixi na calça. O medo de ser esfaqueada deixa transparecer seu temor de abuso sexual da parte do pai. O interesse sexual do pai por ela tinha um componente hostil e sádico que a assustava.

O medo de ser envenenada, por outro lado, deve ser interpretado como medo da hostilidade da mãe por causa dos sentimentos entre pai e filha. A mãe é vista pela filha como a mulher ciumenta e rejeitada que destruiria sua rival. A paciente projetava essa imagem da mãe sobre o marido. Mas isso não explica o pânico que ela sentiu ao levar uma bronca dele. A tensão que ela sentiu na barriga naquela ocasião era resultado de um sentimento sexual por ele que surgiu quando ela o viu como homem, em vez de como figura materna. A supressão desse sentimento produziu a tensão.

Ser gorda era o mecanismo que a paciente usava para negar sua sexualidade e evitar os perigos relacionados a esta. E, ao manter a cabeça erguida, ela pretendia mostrar que estava acima de preocupações vulgares como o sexo e a atenção dos homens. Mas sua sexualidade não era negada tão facilmente. Em muitos movimentos e gestos, ela era provocante e sedutora, sem estar ciente disso. Em consequência, estava sempre à beira do pânico de que seus sentimentos sexuais aflorassem no momento errado.

COMPORTAMENTO PARANOIDE E COMPULSÃO ALIMENTAR

A compulsão alimentar é uma forma de comportamento paranoide. O indivíduo que tem essa compulsão "encena" seus sentimentos de frustração, fúria e culpa ao comer em excesso. Esse ato ajuda a reduzir seu sentimento de frustração, expressar sua fúria e focar sua culpa. Comer e devorar são modos infantis de expressar agressão. Comer compulsivamente é, literalmente, destruir ou acabar com a comida, símbolo da mãe. A fúria reprimida contra a mãe encontra uma saída inconsciente nessa atividade. Ao mesmo tempo, no entanto, a mãe é incorporada simbolicamente no indivíduo, aliviando por um tempo o sentimento de frustração inconscientemente associado com ela. Por fim, a culpa é transferida da hostilidade reprimida para o ato de comer em excesso, manobra que mascara os verdadeiros sentimentos e torna a culpa mais aceitável.

Alexander Lowen

A frustração por trás da compulsão alimentar vem da negação da mãe à necessidade de gratificação erótica oral da criança. A fúria surge por causa da atitude sedutora da mãe. São suscitadas na criança expectativas que não podem ser realizadas. Essa mistura de desejo e fúria para com o objeto de amor produz um avassalador sentimento de culpa, tão intolerável que deve ser projetado em outros ou deslocado para a comida. Uma vez que esse deslocamento ocorre, o indivíduo é aprisionado em um círculo vicioso. A culpa faz crescer sua frustração e aumentar sua fúria, o que o leva a continuar comendo compulsivamente e a se sentir mais culpado. Sem uma solução para essa culpa, com frequência o problema de comer em excesso é insuperável.

No inconsciente, a comida representa o seio da mãe, a fonte primária de alimento. No entanto, quando a relação com a mãe é carregada de um sentimento de culpa insuportável por causa de seu padrão de sedução e negação, o anseio por gratificação oral é transferido para o pai. Seu pênis torna-se um mamilo substituto que também passa a ser identificado com comida. A compulsão alimentar é, portanto, uma incorporação simbólica do pênis e, num homem, reflete a presença de tendências homossexuais latentes na personalidade. A homossexualidade é sublimada por tal ato. Como resultado final, a satisfação pessoal é transformada no fruto proibido, e os fortes sentimentos eróticos de infância são reprimidos.

As relações entre sentimentos sexuais reprimidos, comportamento paranoide e compulsão alimentar são ilustradas no caso a seguir, de um paciente que foi tratado por um dos meus colegas.

Esse paciente, que chamarei de Aldo, era um jovem de origem grega cujos pais migraram para os Estados Unidos quando ele tinha 2 anos de idade. Aldo tinha 25 anos, 1,65 m de altura, e pesava 97 quilos. Era garçom, o que acrescentava um risco ocupacional a seu problema de comer em excesso. Embora seu peso prejudicasse seu trabalho, Aldo era surpreendentemente leve nos pés. Sua gordura estava localizada no tronco, nas coxas e nos antebraços. Rosto, mãos e pés eram pequenos e seu pescoço era surpreendentemente fino. Seu peito também era estreito e fino. A gordura no corpo de Aldo era especialmente pronunciada ao redor da cintura e nos quadris, que, junto com uma pelve forçada para trás, davam a essas áreas uma aparência feminina. Os elementos conflitantes na estrutura corporal de Aldo confundiam sua identidade. Ele era ao mesmo tempo magro e gordo, masculino e feminino.

O corpo traído

Aldo se sentia desesperado e isolado em virtude do corpo. Tinha vergonha de se aproximar de garotas ou de praticar atividades físicas. Sentia-se terrivelmente culpado por comer em excesso, mas nunca fora capaz de controlar o apetite. Ele conseguia perder peso ao fazer dieta, mas, quando sua vontade cedia, logo voltava a comer demais.

Pouco antes de procurar terapia, Aldo teve uma experiência que o fez perceber sua necessidade de ajuda. Seu pai morrera seis meses antes. Depois disso, ele entrou numa dieta estrita que reduziu seu peso consideravelmente. Foi durante uma festa de Páscoa que essa tendência paranoide se manifestou. Ele havia bebido e estava se sentindo "alto", quando começou a ter ilusões de poder. Achou que poderia prever acontecimentos e até mesmo controlá-los. Continuo o relato com suas palavras:

Vi uma mulher jovem no canto da sala. Uma voz me disse: "Ela é sua". Então eu me aproximei dela e falei: "Venha comigo. Você é minha". Quando ela resistiu, eu segurei seu braço e comecei a puxá-la. Ela chamou o marido, que tentou me impedir.

As coisas não faziam sentido para mim. Ela era minha e deveria vir comigo. Eu segurava o braço dela enquanto afastava o marido. Então, um dos outros homens me deu um soco e me derrubou. Todos me olhavam com hostilidade. Eu me senti em pânico. Senti que meu mundo estava desabando. Achei que, se eu não arriscasse a vida, estaria perdido. Agarrei um dos homens com uma força sobre-humana e o arremessei do outro lado da sala. Nesse momento, todos os outros pularam em cima de mim e me subjugaram. Eles me contiveram até eu me acalmar. Finalmente, vários dos presentes me levaram para casa. Quando acordei na manhã seguinte, eu sabia que precisava procurar ajuda.

Aldo acreditava que, se pudesse entender o que provocara esse episódio, compreenderia melhor sua personalidade, inclusive o problema da compulsão alimentar. A experiência dessa força fora uma revelação para ele, que sempre se considerara submisso, temeroso da autoridade e incapaz de se afirmar. Sua submissão obviamente encobria uma violência reprimida. Por causa de sua atitude submissa, sua agressividade estava indisponível na vida cotidiana. No decurso da terapia, revelou-se que a morte de seu pai e sua perda de peso foram fatores que atuaram na gênese de seu surto paranoide.

Durante a terapia, Aldo recordou um incidente da infância que mostra a relação entre sua violência e sua sexualidade. Ele se tornou ciente da relação incestuosa que se desenvolvera com a mãe em seus primeiros anos. "Ela me tratava como seu namorado". Então acrescentou: "Tenho a forte sensação de que, quando menino, peguei minha mãe e meu pai na cama e me joguei da janela para separá-los – para tirar meu pai da cama".

Se isso realmente aconteceu ou se ele apenas imaginou, é irrelevante; o que é importa é a intensidade da situação edipiana. Aldo considerava o pai seu inimigo, mas também se identificava com ele. Sentia que tanto ele como o pai eram negados pela mãe, que era a figura dominante na casa. Ele observou que ela sempre o comparava com o pai, insinuando que este era um homem, mas o filho não era nada. O pai, também, era incapaz de fazer a mãe feliz. Ambos os homens eram objetos de escárnio e ridículo.

A relação do Aldo com a mãe mostrava-se complexa. Na medida em que sua masculinidade era negada, sua alimentação era incentivada. A mãe de Aldo preocupava-se com as funções do canal alimentar. O sucesso de um dia era medido pela quantidade de comida que ele ingeria e pela regularidade do funcionamento de seu intestino. Se ele ficava constipado por um dia, recebia um enema. Com efeito, seu corpo era violado pela mãe em ambas as extremidades, e ele era forçado a um papel submisso com relação a ela. Ao mesmo tempo, ela o tratava como um "namorado".

Conscientemente, Aldo temia o pai e se identificava com ele. Inconscientemente, odiava a mãe e se identificava com ela. Cada um dos pais o usava para se vingar do outro; pois cada um era o símbolo do outro. É compreensível que Aldo tenha crescido com uma identidade deslocada. Ele não conseguia decidir se era um menino magro ou gordo e, num nível mais profundo, homem ou mulher.

Ser gordo significava ser feminino, submisso e impotente. Denotava falta de vontade, vulnerabilidade a assédio sexual e sensação de desespero. Ele observou certa vez: "O medo de ser impotente, de ter um pênis enfiado na minha garganta ou de ser estuprado – essas são coisas que me assombram. A pior coisa que minha mãe podia fazer era mostrar os seios para mim. É repulsivo".

Ser magro significava ser masculino, confiante e dono de si. Mas isso requeria um uso exagerado da vontade (o que também o levava a se sentir onipotente e a agir de maneira extremamente agressiva). Aldo observou: "Eu teria de usar toda minha força de vontade, mas desta vez não tenho vontade.

O corpo traído

Eu me sinto oprimido. Não consigo cerrar os dentes e dizer 'não' para a comida. Se fosse uma questão de sobrevivência, tenho certeza de que poderia fazer qualquer coisa. Mas não consigo fazer isso só para me sentir melhor".

As alternativas que Aldo concebia – viver à custa da força de vontade ou se resignar – eram soluções impossíveis. Para ele, usar a força de vontade como se cada porção de comida fosse uma questão de vida ou morte o transformaria num monstro. Uma vez que a vontade se torna onipotente e o valor, supremo, a esquizofrenia aparece. Um sentimento de onipotência precedera sua reação paranoide. A outra solução era sentir-se impotente, resignado a seu peso e a seu destino.

Aldo também carecia de motivação consciente para o prazer. Ele disse: "Não mereço prazer, porque sou mau. Há ódio demais em mim". A autonegação do prazer leva o indivíduo a rejeitar seu corpo. A falta de atividade física prazerosa o reduz a uma dependência infantil de comida como o único meio de satisfação corporal. Esse comportamento regressivo nunca está livre de um sentimento de culpa. Aldo comia e sofria. O problema daquele que come em excesso é a perda do sentimento de um direito ao prazer. Os pacientes que sofrem de compulsão alimentar invariavelmente comentam vez ou outra: "Não sinto que tenha direito ao prazer". Quando o indivíduo recobra o direito e a capacidade de sentir prazer, sua alimentação automaticamente se torna autorregulada. A alimentação que é dominada pelo princípio do prazer torna-se um prazer e não uma compulsão.

Aldo se dissociara de seu corpo, que se tornara para ele fonte de humilhação. Ele vivia, como afirmou, "em sua cabeça". Na fatídica festa, ele experimentara fisicamente isso de viver na cabeça. "Tudo estava girando na minha cabeça. Eu senti se avolumar. Senti que ia explodir". Esse tipo de dissociação é diferente daquela que ocorre no estado de retraimento. Neste último, a despersonalização resulta de uma acentuada redução na motilidade e na sensação corporal. O esquizoide desconectado fica "morto". Nas mesmas circunstâncias, o paranoide fica "louco". Como sua energia vai para a cabeça, seu ego se torna sobrecarregado; sua vontade, uma força sobre-humana; seu corpo, capaz de ações em geral impossíveis. Nesses momentos, o indivíduo paranoide parece possuído por uma força e um poder que são não só sobre-humanos como também monstruosamente inumanos. Que existam forças estranhas em ação nesse estado é algo que pode ser evidenciado no caso de Aldo quando ele jogou o homem do outro lado da sala.

Os desenhos da figura humana a seguir podem ajudar a compreender melhor sua personalidade.

A Figura 15 retrata um monstro. Nessa expressão facial e estrutura corporal, a figura tem características inumanas. A massa do corpo é concentrada acima da cintura, em contraste com o corpo de Aldo, em que a massa estava abaixo da cintura. A figura também se torna um esboço abaixo da cintura, especialmente nas pernas e nos pés, o que indica que ele não tinha uma imagem clara dessas áreas em sua mente. Em certo sentido, a figura é uma imagem verdadeira de como Aldo vê e sente o próprio corpo em seu inconsciente: a metade superior é exagerada para compensar a impotência da metade inferior. Sua incapacidade de desenhar a mão revela sua falta de contato com esse órgão.

A Figura 16, que mostra uma figura feminina, é menos esboçada – como se Aldo tivesse uma concepção melhor do corpo feminino que do masculino. O rosto tem uma expressão hostil e maliciosa. Com o dedo apontando para os órgãos genitais, a figura parece estar dizendo: "Veja o que eu tenho!" O que ela tem parece ser um órgão fálico.

Essa figura introduz o conceito da mulher fálica, ou da mãe com pênis. Muitos meninos retratam a mãe com um órgão fálico, não só porque não estão familiarizados com a anatomia feminina, mas também porque a mãe age de modo masculino com relação a eles. A mãe fálica força o filho a uma posição submissa, "encena" o desprezo que sente pela própria sexualidade e, com efeito, castra-o ao tratar seu corpo como um objeto. Enquanto fazia esses desenhos, Aldo observou: "A castração é o botão que detona a minha violência. Eu poderia ficar louco".

O monstro masculino que Aldo desenhou representava o aspecto furioso em sua personalidade, que estava oculto e reprimido atrás da aparência de menino gordo e roliço. Como tal, era um monstro demoníaco, sem forma e rudimentar, odioso e destrutivo. Seu demônio tinha a força de um monstro. À primeira vista, Aldo era o menino gordo e submisso. Ele disse: "Enquanto eu estiver sob a influência da minha mãe, vou ter essa bunda grande. Isso significa que preciso agradar à minha mãe para sobreviver". Agradar à mãe muitas vezes assume a forma de ser submisso às exigências desta de que o filho coma o que ela oferece.

O corpo traído

FIGURA 15

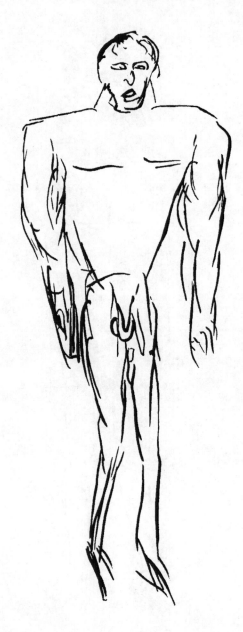

Alexander Lowen

FIGURA 16

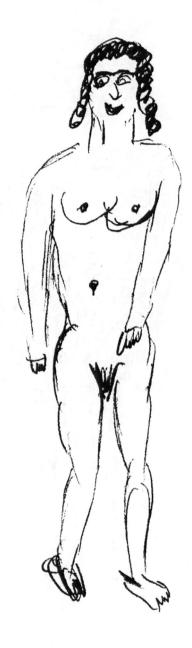

O corpo traído

Ficou claro, com o progresso da terapia, que o episódio paranoide de Aldo na festa ocorreu quando ele inconscientemente tentou se libertar de sua "escravidão", "encenando" sua vingança contra o feminino. Sua motivação ao abordar a jovem mulher foi o "desejo de fazer sexo com ela, ao lado de uma necessidade sádica de testar meu controle e poder sobre ela". Se ela tivesse sido submissa, Aldo a teria feito realizar atos obscenos. Ele queria transformá-la numa "bunda", invertendo, assim, o papel de sua relação com a mãe. Ele afirmaria sua masculinidade, necessariamente de maneira perversa, já que a "encenação" dos sentimentos sexuais reprimidos sempre assume essa forma.

A dificuldade de Aldo reside no fato de que as alternativas que seu problema apresentava eram inaceitáveis: identificar-se com seu corpo, com todas as suas conotações humilhantes, ou negar o corpo e fugir para o pensamento paranoide. A primeira era intolerável; a segunda, desastrosa. Os sentimentos desagradáveis em seu corpo e sua aparência pouco atraente o faziam tentar encontrar valor em sua mente. De seu ponto de vista, o "nada" de seu corpo podia ser rebatido pela onipotência da mente; a vulgaridade do primeiro, pela nobreza da segunda; a contaminação do corpo, pela pureza da mente. Por meio da vontade, seu corpo rejeitado e desprezado se tornou um mero instrumento de ação.

Há duas maneiras de reagir a uma situação em que o corpo é vivenciado como inaceitável. Uma maneira é "amortecê-lo", recolher-se para dentro de uma concha e reduzir as atividades. A outra é se retirar para o alto, erguer-se acima do corpo por meio de uma identificação exacerbada com o ego e com a vontade. Isso leva a ilusões de grandeza (megalomania), ideias de referência ("As pessoas estão falando de mim") e sentimentos de perseguição ("As pessoas são hostis"). Na megalomania, os sentimentos são retirados do corpo e focados no ego. Freud fez a seguinte observação: "Na paranoia, a libido liberada vincula-se ao ego e é utilizada para o engrandecimento deste".[51] A afirmação de Freud deve ser assim entendida: no indivíduo paranoide, a energia sexual (libido) é deslocada (liberada) dos órgãos genitais para o ego, resultando na deflação dos genitais e na inflação (engrandecimento) do ego. O sexo torna-se uma obsessão da qual surgem ideias de referência e perseguição.

Ambas as tendências – ficar louco e ficar inerte – estão presentes em diferentes graus. Na medida em que a pessoa foi "manipulada" ou usada quando criança, tenderá a "encenar" ou manipular os relacionamentos quando adulta. Se sua experiência na infância foi de rejeição ou abandono, ela

Alexander Lowen

tenderá, quando adulta, ao retraimento e à rigidez. O retraimento produz a estrutura corporal magra e estreita do indivíduo astênico. A "encenação" pode incluir comer em excesso se esta tiver sido uma das maneiras como a criança foi manipulada pela mãe.

Aldo se tratou com meu colega terapeuta uma vez por semana por um período de dois anos. O tratamento foi dirigido a restaurar sua identificação com o corpo. Ele foi incentivado, na terapia, a ser mais assertivo e agressivo, chutando ou socando o divã. O relaxamento do espasmo diafragmático abriu caminho para a liberação da tensão em seu estômago. Por comer demais, ele sofria continuamente de azia e indigestão. Seus esforços para respirar fundo o deixavam nauseado. A náusea o forçava a vomitar, o que, no início, foi difícil e repugnante para ele. Porém, ele aprendeu a fazer isso com facilidade, o que aliviou consideravelmente sua azia. Mas nada foi capaz de impedi-lo de comer novamente logo depois da sessão. Aldo descreveu o efeito da terapia da seguinte maneira:

> Durante uma hora por semana, você é aceito, compreendido e valorizado por aquilo que é. Além desses sentimentos profundos que são muito importantes para mim, também aconteceram coisas no meu corpo. Ele ainda não mudou, mas realizei vários exercícios que trouxeram sentimentos inéditos ao meu corpo. Agora tenho sensações no corpo o tempo todo, sensações tensas, relaxadas, dores e incômodos. Consigo soltar o choro – sob controle. Tenho confiança de que não vou perder a cabeça. Posso sentir as pernas, os pés e as costas. Tenho consciência da relação entre minhas sensações corporais e meu comportamento. É como se algo totalmente novo acontecesse comigo. Eu ainda vivo na minha cabeça, mas já não posso fugir do meu corpo.

Em certa ocasião, o terapeuta lhe propôs um cabo de guerra usando uma toalha de banho enrolada. Eles tentaram duas vezes. Aldo, usando o próprio peso como vantagem, conseguiu puxar o terapeuta para perto de si, mas não sem esforço considerável. Quando acabou, ele respirava pesadamente e comentou que ficou surpreso de ter ganhado. Aldo nunca tinha vencido uma luta antes. Chegava perto, mas quando isso estava prestes a acontecer desistia e deixava a outra pessoa ganhar. Esse medo da vitória foi interpretado como medo de superar o pai e possuir a mãe.

O material apresentado no caso de Aldo demonstra a íntima relação entre a falta de autoafirmação e a compulsão alimentar. Quando formas de agressão adultas estão indisponíveis, o indivíduo paranoide recorrerá ao ato de comer como a forma mais primitiva de autoafirmação, embora demonstre ser autodestrutiva.

Aldo não perdeu peso no decurso da terapia, mas ao longo do ano seguinte eliminou 22 quilos por meio de dieta e exercícios. Ele disse que isso não lhe exigira muita força de vontade, porque agora era capaz de se identificar com seu corpo e aceitar suas necessidades. Meu colega reavaliou Aldo quatro anos depois. Ele mantivera o peso e a compulsão alimentar já não era um problema.

Não quero dar a impressão de que todos os obesos são paranoicos. Mas comer demais é uma maneira comum de "encenar" a frustração que resulta da incapacidade de encontrar satisfação significativa num nível adulto. Há outras maneiras de "encenar" as frustrações: rebeldia, preconceito racial, promiscuidade sexual, bebida etc. "Encenar" é um mecanismo paranoide que aparece em certo nível em todos os esquizoides. Descrevi apenas o indivíduo que come compulsivamente e não consegue dizer não à comida, que vive em sua cabeça e cuja principal relação com o corpo se dá por meio do trato digestivo.

O oposto do indivíduo que tem compulsão por comer é aquele obcecado com a ideia de magreza. Hoje, está na moda ser magro. Em parte, essa moda pode ser explicada como uma reação ao hábito de comer em excesso que caracteriza nossa "sociedade obesa"; e, em parte, como a intensidade da luta competitiva que faz da vida uma corrida. Nessa corrida, os gordos estão obviamente em desvantagem. Isso me faz lembrar uma rima que as crianças entoam para provocar coleguinhas gordos:

O gordo e o magro apostaram corrida
Ao longo de uma trilha comprida
O gordo caiu de cara no chão
E o magro venceu a competição[52]

Na corrida da vida, o adversário é a morte, e aqui também o gordo parece estar em desvantagem. A preocupação com a magreza é a manifestação de um desejo de juventude e uma expressão do medo de ficar velho. O envelhecimento é visto como maldição e tragédia. Uma vez que se trata de um processo natural do corpo, um sentimento de desgraça inevitável paira sobre todo indivíduo desesperado que tenta se agarrar à juventude. O desespero de nossa cultura pode ser medido pelo fato de que a juventude se tornou o valor supremo.

A magreza denota outros atributos desejáveis: o corpo alto e magro com cabeça pequena, pescoço longo e estreito e ombros inclinados parece expressar elegância, refinamento e modos aristocráticos. Em sua obra *Gata em teto de zinco quente*, Tennessee Williams faz a protagonista falar de maneira desdenhosa sobre os filhos da cunhada como "monstros sem pescoço". O pescoço grosso é comumente associado com corpulência, ao tipo campesino rude. A ausência de um pescoço bem definido (veja a Figura 15) impressiona as pessoas como monstruoso. Mas o pescoço anormalmente comprido também tem algo de inumano. Embora seja admirado em nossa sociedade, indica que a pessoa se considera acima de seu corpo e, com efeito, rejeita-o. O refinamento pode ser levado ao excesso. A saúde emocional nunca é encontrada nos extremos. Um corpo magro pode ser sinal de um metabolismo energético perturbado tanto quanto um corpo obeso. Entre esses extremos, está a pessoa de corpo pleno, que é sua fonte de prazer.

Em seus esforços para fazer dieta, as pessoas procuram a aparência esbelta e a sensação de elegância. Ninguém gosta de ser pesado ou de se sentir um fardo. Quando o corpo é sentido como um peso, o primeiro pensamento da pessoa comum é fazer dieta. Reduzir o peso corporal equilibra melhor sua massa com a energia disponível. O problema real, no entanto, não são os quilos a mais, e sim a falta de energia. Esta é responsável pelos sentimentos de fadiga, depressão e passividade dos quais tantas pessoas sofrem. É também o problema da personalidade esquizoide.

No nível psicológico, a discrepância entre massa e energia se reflete no sentimento de que um espírito jovem está aprisionado num corpo estranho e velho. O corpo é pesado, intumescido e fora de proporção com o sentimento interior de juventude. No nível emocional, o indivíduo é como uma criança cujo corpo maduro é sentido como um fardo. O que é mais natural do que diminuir esse fardo por meio da dieta? No entanto, isso não funciona. A necessidade biológica é mobilizar o corpo por meio de atividade física prazerosa e respiração adequada. Psicologicamente, a pessoa precisa se identificar com seu corpo e amadurecer emocionalmente.

A satisfação que as pessoas obtêm da dieta também pode ser explicada pela identificação da comida com a mãe. A rejeição à comida é uma rejeição à mãe. Fazer dieta, portanto, oferece uma oportunidade de "encenar" a hostilidade suprimida contra a mãe de uma maneira simbólica. Mãe = comida = corpo. A onda atual de fazer dieta não só expressa o desejo de escapar da corporeidade e da mortalidade do corpo, como também reflete a tendência de nossa época a ir contra o papel dominante da figura materna.

SONO

As expressões "cair no sono" e "mergulhar num sono profundo" sugerem que o processo de adormecer envolve uma descida de um nível a outro. Os dois níveis são, obviamente, o consciente e o inconsciente. Perguntamo-nos por que os verbos "cair" e "mergulhar", que denotam um deslocamento descendente no espaço, tornaram-se ligados ao processo de adormecer. Haverá algum vestígio da existência arbórea original do homem? George Shallop observa em *The year of the gorilla*[53] (*O ano do gorila*) que não raro o gorila cai do ninho durante o sono. O ninho do gorila, no entanto, fica apenas três metros acima do solo, e o animal não parece sofrer com a experiência; mas, para outros primatas que vivem e se aninham nas copas das árvores, a ameaça de cair apresenta um perigo maior. A ansiedade da queda no homem pode ser um atavismo desse estado primitivo. O bebê humano, ao nascer, retém a habilidade de se manter suspenso por meio do reflexo de preensão. A perda desse reflexo em poucos dias talvez seja a base biológica para o medo de cair.

O macaco se protege de cair durante o sono construindo um ninho. Nossas camas talvez sejam as transformações sublimes dos ninhos arbóreos. Ao que parece, também transferimos o medo de cair da copa da árvore para a cama. O sonho de queda é, com efeito, talvez o tipo mais comum de sonho ansioso. Essas reflexões podem sugerir uma base filogenética para a associação do sono com o medo de cair. No entanto, elas não explicam por que o processo real de dormir é descrito como "cair no sono". Voltemos à ideia de que a descida se referia a um deslocamento físico para baixo no interior do corpo.

Na filosofia antiga, o corpo era dividido em duas zonas. A região acima do diafragma estava relacionada com a consciência e com o dia; a região abaixo pertencia ao inconsciente e à noite. A ascensão do sol acima do horizonte, que traz a luz do dia, corresponderia a um fluxo ascendente de sensações do abdômen para o peito e a cabeça. Esse fluxo ascendente de sensações, então, traria consciência ao ser. No sono, ocorre o inverso. O pôr do sol corresponde à descida de sensações da metade superior do corpo para as regiões inferiores abaixo do diafragma. Esse conceito explicaria o uso das expressões "cair no sono" e "mergulhar num sono profundo". Despertar com frequência é experimentado como uma ascensão, ou subida, das profundezas.

A sonolência normalmente é experimentada como uma sensação de peso nos olhos, na cabeça e nos membros. Requer um esforço para que a pessoa sonolenta mantenha os olhos abertos ou a cabeça erguida. Ela sente que suas pernas não são capazes de sustentá-la. O bocejo geralmente é interpretado como uma necessidade de oxigênio, já que é acompanhado de uma ou duas respirações profundas. Mas também é uma tentativa do corpo de liberar a tensão normal dos músculos em torno do maxilar para facilitar o relaxamento do corpo inteiro. O estado de alerta diminui quando estamos sonolentos porque a sensação é retirada da periferia do corpo, isto é, dos órgãos dos sentidos e da musculatura. Quando o estado de alerta é mantido por causa de uma situação de alarme, a sonolência, obviamente, não surge.

A transição da sonolência para o sono é percebida como se a cabeça "afundasse" no corpo. Durante o primeiro estágio dessa transição, a pessoa se torna consciente de seu corpo. Ela sente seu peso, isto é, sua substancialidade e sua massa. Sente as pernas e os pés, e, com muita frequência, suas dores e incômodos. Sua respiração fica mais profunda e mais unificada. Fica mais parecida com a do bebê ou do animal.

No segundo estágio, há uma perda mais ou menos gradual da consciência do corpo, começando com a superfície e se estendendo para o corpo todo. A imagem corporal desaparece. Se o sono não vier depressa, a pessoa pode ficar consciente de seus órgãos internos, em particular o coração, e sentir a pulsação em diferentes partes do corpo. Essas sensações podem ficar vívidas à medida que o sentimento e a atenção recuam da superfície do corpo para o interior. Em algum ponto desse processo, a luz da consciência se apaga, e cessa toda percepção.

A ansiedade que impede o sono frequentemente surge em algum lugar durante esse segundo estágio. Parece relacionada, por um lado, com a diminuição da consciência e a sensação de estar afundando, e, por outro, com a percepção dos órgãos interiores. A sensação de estar afundando e a consciência da batida do coração ou da pulsação parecem ser sinais de perigo para muitas pessoas, restaurando seu estado de alerta. O estado de alerta foca a

O corpo traído

atenção nessas sensações corporais profundas, que, na quietude da noite, são amplificadas e se transformam num clamor interno. O sono se torna impossível enquanto o clamor não cessar.

Nem todo indivíduo que sofre de insônia experimenta essas percepções no decurso de sua noite inquieta. Para evitar a ansiedade que sentiu em outras ocasiões, ele luta inconscientemente contra se deixar afundar em seu corpo. Sem estar ciente disso, ele se agarra à sua consciência, e sua ansiedade se transforma no medo de não ser capaz de cair no sono. Uma vez que toda ansiedade é um sinal de perigo, esta também manterá sua tensão corporal e seu estado de alerta.

O desenvolvimento da consciência, como aponta Erich Neumann[54], cria as categorias de dia e noite, luz e escuridão, mente e corpo. O ego, que surge da consciência, é associado com dia, luz e consciência, ao passo que os conceitos antitéticos de noite, escuridão e inconsciente se tornam atributos do corpo. Quando o ego é dissociado do corpo, retira sua identificação com o corpo e se configura como o representante do *self*. O corpo, com seus atributos de noite e escuridão, torna-se o não *self*, ou morte. A descida para o inconsciente do sono se torna uma descida simbólica para o túmulo. A diminuição da consciência suscita o medo da morte e ativa a preocupação que reside no cerne da perturbação esquizoide.

Uma das minhas pacientes relatou um sonho no qual, segundo ela: "Experimentei vividamente a realidade da morte – o que significa ser baixada para dentro do chão e ficar lá até desintegrar".

Em seguida acrescentou:

Compreendi que isso vai acontecer comigo, como acontece com todo mundo. Quando menina, eu não conseguia cair no sono por causa da minha ansiedade de que eu morreria durante o sono e acordaria dentro de um caixão. Eu estaria aprisionada; sem saída. No sonho, eu fiquei tão ansiosa que achei que perderia a cabeça. Então despertei.

Sonhos de morte ou de morrer não são incomuns. Todo ser humano traz consigo a consciência de que um dia morrerá. Mas esse conhecimento da morte não cria ansiedade no indivíduo cujo instinto ou sentimento pela vida é forte. Onde a formação de impulsos é reduzida ou enfraquecida, como na personalidade esquizoide, a ansiedade que surge da supressão de sentimentos

Alexander Lowen

torna-se vinculada à ideia de morte. Isso é natural, já que a morte é a perda de sentimento. O indivíduo esquizoide compensa seu medo da morte com uma ênfase excessiva na consciência e no ego. A consciência egoica, ou o egotismo, torna-se um substituto para o sentimento corporal.

O sonho tem outra interpretação, que complementa seu significado óbvio. Dormir é um retorno simbólico ao útero, uma regressão ao estado primal de inconsciência que também inclui a ideia de morte, de modo que túmulo e útero são imagens relacionadas[55]. A imagem onírica da paciente, de acordar em um caixão, pode, portanto, ser interpretada como estando aprisionada no útero, sem possibilidade de sair, durante um espasmo uterino que reduziu o fluxo de oxigênio para o feto. A falta de oxigênio, como apontado anteriormente, é também a base fisiológica do pânico, que o adulto descreve como "estar aprisionado – sem saída". Todos os organismos reagem com pânico à sensação de estar aprisionados, e todas as reações de pânico produzem perturbação respiratória. Essa relação explica por que o indivíduo esquizoide que está à beira do pânico por causa de sua incapacidade de respirar plenamente sonha que está aprisionado, e por que a armadilha é associada com o útero e o útero, com o túmulo.

O estado de suspensão entre a vida e a morte é a existência no limbo. É o típico estado esquizoide: nem "aqui", nem "lá"; nem bebê, nem adulto; sem raízes na realidade, mas agarrando-se desesperadamente à consciência. Para o indivíduo esquizoide, o dia é uma luta pela sobrevivência, mas a noite evoca os terrores inconscientes. Estes frequentemente se manifestam como pesadelos quando o sensor que protege a sanidade relaxa sua vigília, e as forças obscuras do corpo tomam conta. Às vezes, os pacientes expressam medo de cair no sono por causa dos sonhos terríveis que experimentam. Mas mais aterrador do que o pesadelo – o horror que pode ser visualizado – é a descida para o inconsciente e o desconhecido.

O medo do desconhecido deriva do medo que o ego tem do corpo e de seus processos misteriosos. No animal, onde o ego é relativamente não desenvolvido, o medo do desconhecido e o medo de cair no sono praticamente inexistem. O animal vive a vida do corpo na bem-aventurança de sua ignorância da morte. O ser humano, que padece da autoconsciência e do conhecimento da morte, compara o estado animal com o paraíso em sua mente inconsciente. Ele anseia por retornar a esse estado de bem-aventurança, principalmente no sono, mas seu medo do corpo e seu pânico de perder o contro-

O corpo traído

le do ego barram o caminho. Quanto mais alienada uma pessoa é de seu corpo, maior é seu anseio pelo doce esquecimento do descanso profundo, porém mais assustadora é a transição do estado de vigília para o sono.

Toda atividade que leva o indivíduo para um contato mais profundo com seu corpo promove a transferência de controle do ego para o corpo. Uma experiência sexual satisfatória é, obviamente, o melhor e o mais natural dos soporíferos. Na pessoa saudável, o sono vem imediatamente após o orgasmo se a atividade sexual acontecer à noite. E o sono que sucede o sexo satisfatório é, geralmente, uma experiência profunda e revigorante. O sexo prazeroso tem esse resultado porque coloca a pessoa em mais contato com o corpo e transfere sentimento para a metade inferior do corpo. A masturbação satisfatória age da mesma maneira, especialmente nas pessoas jovens. Na infância, a amamentação funciona de modo similar ao acalentar a mente com as sensações agradáveis do corpo. O bebê amamentado cai no sono facilmente com a boca ainda no bico do seio, seguro em seu corpo e em sua proximidade com a mãe.

No adulto, os sentimentos de segurança e afeto, que o bebê obtém de sua proximidade com a mãe, são proporcionados por um contato agradável com seu próprio corpo. Uma vez que as atividades físicas promovem esse contato, com frequência facilitam o processo de cair no sono. Eu insisto para que meus pacientes façam alguma atividade física logo antes de dormir como um meio de superar sua dependência de comprimidos para dormir. Em tais exercícios, o importante é aprofundar e regularizar a respiração, que relaxa o corpo e o enche de sensações agradáveis. Na maioria dos casos, esse simples procedimento levava o paciente a cair no sono mais facilmente. Muitas vezes, só a respiração, praticada deitado na cama, já basta. No entanto, o uso de tais técnicas de respiração não é recomendável para indivíduos cuja identificação com o corpo é limitada e que tendem a entrar em pânico diante do surgimento de sensações corporais. Para essas pessoas, um programa de exercícios moderado é preferível. Com o indivíduo desesperado, é claro, essas técnicas terapêuticas simples são insuficientes.

O medo de cair, seja de lugares altos ou no sono, está relacionado com o medo de "cair de amores" – o medo de se apaixonar. O fator comum a todos os três é um sentimento de ansiedade com relação à perda do controle total do corpo e de suas sensações. Na análise, é frequentemente demonstrado que o paciente que apresenta uma dessas ansiedades é suscetível às outras duas. No amor, o ego se rende ao objeto amado e, no sono, o ego se rende ao corpo.

Alexander Lowen

O adulto saudável vê com bons olhos ambas as experiências, porque são sensações agradáveis. O medo de amar, como o medo de dormir, vem da ansiedade que, no indivíduo esquizoide, acompanha a rendição do ego ou a descida do *self*. No amor, o *self* desce da cabeça para o coração.

Tais movimentos de sensação no corpo, que o adulto geralmente vivencia como a sensação de estar afundando, são o deleite das crianças pequenas, que procuram essas sensações em balanços, escorregadores e diversões similares. A criança saudável adora ser jogada para cima e ser pega nos braços do pai ou da mãe que estão à sua espera.

11. Origem e causas

A referência a determinada característica do corpo de um paciente muitas vezes leva à observação de que a característica em questão é um traço familiar. A paciente pode comentar: "Minha mãe e minha avó também têm as pernas curtas e as coxas grossas. Deve ser hereditário". Sem dúvida, há fatores hereditários que determinam, em certa medida, a forma e o contorno do corpo de uma pessoa. Os filhos tendem a se assemelhar aos pais. No entanto, essa semelhança também pode se dever, em parte, a uma identificação com o pai ou a mãe. Às vezes, o filho é a imagem exata do pai, ou a filha, a imagem da mãe. Tais casos parecem ser fortes indícios de que a personalidade tem certa base hereditária. Observa-se, no entanto, que esses semelhantes partilham maneiras de pensar e têm padrões de comportamento similares, o que não pode ser explicado pelos atuais conceitos de hereditariedade.

O papel da hereditariedade ao determinar a estrutura corporal é difícil de avaliar. A estrutura do corpo não é fixa nem imutável. O corpo está sujeito, no decurso de seu desenvolvimento, a inúmeras influências externas que agem sobre ele e modificam suas características, sua expressão e sua motilidade. Assim como a natureza do solo, a quantidade de chuva e a quantidade de luz solar condicionam o crescimento de uma árvore, também a forma como uma criança é criada afetará seu desenvolvimento como um todo. Suas experiências durante os anos de formação, quando ela depende totalmente dos pais, condicionarão suas reações na vida adulta.

O condicionamento resulta em padrões fixos de reação neuromuscular a certos estímulos. A aprendizagem de como agir e de como não reagir é um processo de aquisição de controle muscular e coordenação. Com o tempo, esses controles se tornam automáticos. A resposta coordenada torna-se uma reação inconsciente e se transforma em atitudes caracterológicas de comportamento. O caráter, no sentido de um padrão de comportamento fixo, é, portanto, determinado pela quantidade e pela qualidade dos controles impos-

Alexander Lowen

tos sobre a atividade muscular. Os músculos que estão sujeitos a esses controles inconscientes são "cronicamente tensos, cronicamente contraídos e apartados da percepção [...]".[56] W. Reich[57] usou o termo "couraça" para descrever a função e o efeito desses músculos espásticos sobre a personalidade. A couraça muscular é uma defesa contra o ambiente externo, mas é também um meio de manter reprimidos certos impulsos perigosos. O caráter, então, é funcionalmente idêntico à couraça muscular.

A biologia nos diz que o formato dos ossos é influenciado pela força de tração dos músculos aos quais estão ligados. A formação óssea é um processo constante no corpo vivo, mais ativa durante os primeiros anos, mas nunca totalmente quiescente. Assim, a estrutura do corpo sempre se modifica em decorrência das tensões musculares às quais está sujeita. Esse fato justifica o uso da estrutura do corpo na análise da personalidade. Também fornece uma base para tentar modificar a estrutura corporal por meio da liberação de tensão muscular crônica.

Se a hereditariedade não é responsável pela tensão muscular, não pode ser culpada pelas perturbações criadas por músculos cronicamente tensos. A origem e as causas da respiração diminuída, da motilidade reduzida e da rigidez corporal da personalidade esquizoide devem ser procuradas em seus primeiros anos de existência. Quantos anos devemos recuar em busca dos fatores constitucionais que predispõem alguém a tal perturbação? Temos de recuar até o útero, pois o efeito das influências pré-natais não pode ser ignorado se quisermos entender a etiologia da estrutura esquizoide. A constituição de um indivíduo, isto é, a composição básica de seu corpo, já está presente no nascimento.

FATORES CONSTITUCIONAIS

O tipo corporal esquizoide foi descrito como astênico, isto é, de compleição delgada e pouco desenvolvimento muscular. A palavra "astenia", da qual "astênico" deriva, significa fraco e debilitado. Há uma fraqueza fundamental na personalidade que está presente em todo indivíduo esquizoide, independentemente de seu tipo físico. Essa fraqueza é uma incapacidade de mobilizar sua energia e seus sentimentos e dirigi-los para a satisfação de suas necessidades. Independentemente de sua força aparente, o esquizoide carece de energia para sustentar uma atitude agressiva para com o mundo.

O corpo traído

A falta de agressividade na estrutura esquizoide é causada pela "petrificação" do sentimento e da motilidade. Fiz muitas referências ao fato de que a estrutura corporal do esquizoide é "petrificada". Essa palavra descreve o fator constitucional na estrutura esquizoide de maneira mais precisa que o termo "linear", usado por Kretschmer, e mais completa do que a palavra "fraco". A motilidade natural do organismo se petrifica. Isso procede mesmo naqueles casos em que a "encenação" de tendências destrutivas e negativas é o modo de comportamento dominante. Essas tendências devem ser entendidas como um esforço desesperado de se livrar das constrições e tensões internas impostas por uma "petrificação" anterior, uma que aconteceu enquanto o organismo ainda estava no útero.

No Capítulo 3, atribuí o estado petrificado do corpo esquizoide a um terror interno. É significativo o fato de que esse terror não tem nome nem forma, sendo associado com o escuro. Em minha análise de inúmeros indivíduos esquizoides, fui incapaz de descobrir uma única experiência que pudesse inspirar tal terror. Isso me leva a suspeitar de que esse terror tem origens em experiências intrauterinas "sem nome nem forma".

As pesquisas atuais sobre a etiologia da esquizofrenia concentram-se, em grande medida, no contexto familiar. As personalidades da mãe e do pai e a interação entre eles foram estudadas extensamente. Clausen e Kohn observam que os primeiros a escrever sobre o assunto descreveram as mães de indivíduos esquizofrênicos como "frias, perfeccionistas, ansiosas, controladoras e restritivas – indicando um tipo de pessoa incapaz de dar à criança amor e aceitação espontâneos"[58]. Hill observa que as mães de esquizofrênicos são ambivalentes e tendem a ficar paralisadas quando algo desagradável é mencionado.[59]

Ao que parece, o assunto mais desagradável e que mais faz essas mães ficarem paralisadas é o sexo. Em meus encontros profissionais com elas, considerei-as sexualmente imaturas e hostis para com os homens, embora frequentemente essas atitudes sejam encobertas por uma fachada de sofisticação sexual. Hill observa que, em muitos casos, "a mãe era frígida ou uma pessoa imatura, sem capacidade nem tolerância para a intimidade psicossexual madura com outra pessoa"[60]. O mesmo autor também pondera que elas eram dominadas pela própria mãe, "que se opunha ao sexo e aos homens"[61]. Dois outros pesquisadores dedicados a investigar esse problema, M. J. Boatman e S. A. Szurek, descrevem essas mães como sexualmente apáticas ou indiferentes, afirmando que elas são "extremamente temerosas e inibidas" diante da possibilidade de admitir algum desejo sexual para o marido.[62] Muitas delas são alcoólatras, ao passo que outras são viciadas em tranquilizantes ou remédios para dormir.

O problema elementar na personalidade dessas mães é a evitação da realidade. Elas estão aprisionadas em seus conflitos, os quais são incapazes de resolver. Preocupadas com o próprio desespero, reagem aos filhos como uma imagem ou objeto. Tive muitas oportunidades de entrevistar tanto a mãe como o filho, e ocasionalmente ambos estavam em tratamento ao mesmo tempo. Era sempre uma surpresa para mim ver quão pouco a mãe compreendia as dificuldades do filho. Invariavelmente, este se queixava dessa falta de compreensão e reagia negativamente à mãe por causa disso. Hill observou o mesmo fenômeno e concluiu que "elas [as mães] não têm consciência da realidade de seus filhos"[63].

Uma palavra que o esquizoide invariavelmente aplica à própria mãe é "fria". Isso não significa que a mãe não cuide, mas que seu cuidado é egoísta, indiferente às necessidades do filho, e carece de uma compreensão empática de seus sentimentos. Segundo minha experiência com esse tipo de mãe, falta-lhe um sentimento de afeto para com o filho. Eu as vi agir de maneira diretamente fria e hostil em determinado momento e, então, culpadas, ansiosas e solícitas em outro. De um lado, elas se envolvem demais; de outro, rejeitam. Essas reações derivam de uma frieza emocional na personalidade da mãe, à qual a criança é constantemente exposta. Há boas razões para acreditar que, uma vez que a frieza é parte da personalidade materna, a criança é sujeitada a essa "frieza" ainda no útero.

A personalidade esquizoide se origina num útero "frio", em que o sentimento foi retirado em consequência da dissociação total da metade inferior do corpo. A retirada de sentimento da metade inferior do corpo é a contraparte somática de uma atitude sexual negativa. A mulher que tem medo de sexo e é hostil para com os homens amortece sua pele para reduzir a ansiedade relacionada com suas sensações sexuais. Trata-se de um mecanismo de repressão sexual, e o resultado é um estado de tensão na pele e no abdome que tem efeitos adversos no útero. As pacientes que sofrem dessa perturbação costumam relatar uma sensação de vazio na barriga, que desaparece quando elas ficam grávidas. O feto serve para preencher esse vazio, mas recebe pouco em troca. Precisa se desenvolver em solo relativamente infértil, sobre o qual raramente brilha a luz da excitação sexual.

O corpo traído

O efeito desse estado sobre o feto é uma retirada de energia da superfície do seu corpo. Em *O corpo em terapia*[64], afirmei que esse processo pode ser comparado ao congelamento de uma solução de açúcar mascavo. Se a solução congelar aos poucos, observa-se que a cor marrom fica concentrada no centro, enquanto a periferia da solução é transparente. O centro também se mantém em estado líquido até o fim, já que o frio penetra de fora para dentro. Fenômeno similar ocorre com o embrião num útero "frio". A energia livre do organismo recua para o centro, enquanto a pele e as estruturas periféricas se contraem. A musculatura, que está próxima da superfície e é um dos últimos sistemas a se desenvolver, é particularmente vulnerável. O que se congela, então, é a motilidade do organismo.

Infelizmente, nossa certidão de nascimento não prevê uma descrição da aparência física e da motilidade do bebê ao nascer. Sem esses registros, seria impossível provar a teoria apresentada acima. Quando estudante de Medicina e médico residente, assisti a inúmeros nascimentos. A diferença entre os bebês recém-nascidos é, às vezes, enorme. Alguns são encorpados, de choro forte, e têm a pele firme e clara. Outros são pequenos e enrugados, e parecem velhos. Precisam ser estimulados a respirar. É claro que mais tarde, recebendo os cuidados adequados, eles vêm a engordar, mas nos perguntamos como sua personalidade evoluirá. Com base em tais observações, pode-se dizer que muitos atributos constitucionais são visíveis no nascimento.

Ultimamente, uma série de escritores tem chamado a atenção para a importância dos fatores pré-natais no desenvolvimento do organismo. L. W. Sontag afirma: "Se a constituição se revela um fator etiológico na esquizofrenia, não é inconcebível que tais modificações de características constitucionais [...] possam, em alguns casos, ser adversamente influenciadas pelo ambiente fetal"[65].

Ashley Montagu diz:

> Em geral, as evidências corroboram a hipótese de que as emoções estressantes antes e durante a gravidez são capazes de afetar em vários aspectos o produto da concepção [...].
>
> As atitudes maternas, quer sejam de aceitação, rejeição ou indiferença à sua gravidez, podem muito bem explicar a diferença, em alguns casos, entre o desenvolvimento fetal adequado e o inadequado.[66]

A. A. Honig escreve que, com base em seu trabalho com pacientes que fizeram regressão, ele está "inclinado a acrescentar que até mesmo os estímulos sentidos pelo indivíduo enquanto estava no útero materno são traumáticos. Talvez as tensões psicossomáticas da mãe possam afetar o bebê no útero".[67]

A ideia de que a predisposição para a perturbação esquizoide tem origem pré-natal lança luz sobre vários elementos importantes nessa doença:

1. Corrobora a teoria de um fator constitucional sem apelar à hereditariedade para justificar essa hipótese.

2. Explica o "compromisso com o útero" que muitas vezes é encontrado no cerne dessa perturbação. O termo "compromisso com o útero" descreve o empenho do indivíduo esquizoide em restabelecer uma relação de caráter parasitário na vida adulta e sua relutância em "cortar o cordão umbilical" que o ata à mãe. Essa tendência é mais visível no paciente esquizofrênico, mas existe, em certa medida, em todos os esquizoides. Indica uma fixação no estágio pré-natal porque as necessidades do organismo nesse estágio não foram atendidas. Insinua que as dificuldades que o indivíduo esquizoide tem com funções básicas como sugar e respirar derivam de um desenvolvimento inadequado na vida pré-natal.

3. Fornece uma base mais firme para a visão de que a perturbação esquizoide é, em parte, uma deficiência. A deficiência é a falta de calor, no nível físico do útero, e no nível emocional da vida pós-natal.

4. Permite nos aventurarmos em algumas interpretações dos sentimentos dos pacientes que, de outro modo, seriam ilógicas. Por exemplo, a observação a seguir feita por um paciente pode se referir a esse período: "Tenho medo. Eles querem que eu morra, mas eu não vou permitir. [*Eles* é uma referência vaga a forças desconhecidas.] Eu me sinto de guarda – esperando alguma coisa acontecer. Algo que tem que ver com o escuro".

O esquizoide muitas vezes expressa forte convicção de que seu problema tem origem em experiências intrauterinas. Poderíamos ignorar tais referências considerando-as fantasias, mas fazer isso seria negar os sentimentos internos do paciente, que ele luta para aceitar. Na ausência de provas do contrário, acredito que tais observações merecem séria consideração.

O corpo traído

Uma das minhas pacientes fez uma série de observações interessantes a esse respeito. Primeiro, ela mencionou sua relação com a mãe: "Sempre tive sentimentos estranhos com relação à minha mãe – de que o vínculo dela comigo era incestuoso". Então acrescentou: "Minha mãe me disse que não suportava meu pai sexualmente, mas continuou a viver com ele até eu fazer 12 anos". Ela prosseguiu:

> Acredito que temos lembranças pré-natais, e sempre senti que minha mãe tentou me abortar. Quando há um incidente pré-natal como esse, deve afetar o feto. O suprimento de sangue provavelmente foi interrompido. Quando você quer abortar um filho, ele é emocionalmente abortado, ainda que você não o faça.

Durante a discussão que se seguiu a esse relato, a paciente expressou seu sentimento de que uma criança que tenha passado por tal experiência é marcada para a vida toda. Ela acreditava que algum tipo de ferida profunda é infligido no organismo, deixando uma nítida cicatriz. Não fui capaz de concordar nem discordar. Não sabemos de que modo o feto reage no útero a tal procedimento, ou que efeito este pode ter sobre a personalidade futura da criança. Nesse caso, entretanto, uma coisa era certa: a paciente estava profundamente ferida, sua personalidade cindida em uma mente alerta, aguçada a ponto de ser capaz de enfrentar qualquer perigo, e um corpo sem vida, que ela sentia como um fardo. Tratava-se de uma mulher inteligente e sofisticada com o desenvolvimento emocional de uma criança. Quando a conheci, ela estava desolada pelas dificuldades da vida. Sua desesperança havia chegado a tal ponto que ela pensava na morte como a única saída.

É difícil conceber que uma tentativa de aborto pudesse ter um efeito de tão longo alcance. Mas, nesse caso, como em outros, a tentativa de abortar a criança vinha de dificuldades pessoais da mãe. Ela era uma pessoa imatura que se ressentia da intromissão da criança no relacionamento idílico entre marido e mulher. A criança não era desejada, e esse fato, mais do que uma tentativa real de aborto, ajuda a explicar a perturbação da paciente. Quando a criança não é desejada, a mãe será incapaz de dar ao recém-nascido o amor e a aceitação que ele requer. Como indica sua declaração, a paciente, durante toda a vida, esteve um pouco ciente dessa falta de aceitação, que se manifestava em incontáveis pequenos gestos, olhares e entonações aos quais

Alexander Lowen

a criança é extremamente sensível. Assim, embora a rejeição da criança possa começar no corpo da mãe, continua muito depois de seu nascimento. Uma vez que a mãe se torna fria com um filho, essa atitude raramente muda no decurso da vida dele.

O filho indesejado torna-se o receptáculo da culpa da mãe. Em sua tentativa de aliviar seu fardo, a mãe o deposita na criança. Com mais frequência, ela faz a criança se sentir responsável por seus próprios problemas e infelicidade. Quantas vezes ouvimos uma mãe exclamar para o filho: "Você só me dá dor de cabeça!" O filho indesejado é particularmente vulnerável a essa culpa. Uma vez que os motivos da mãe não podem ser questionados pela criança, a criança não amada acredita que essa situação é culpa sua.

O problema esquizoide tem origem na ambivalência da mãe com relação à criança. Ela quer o filho e não quer. Sua atitude com relação à criança varia conforme as situações de estresse de sua vida pessoal. Seus sentimentos de hostilidade e rejeição em um momento são seguidos de um desejo aparentemente forte pela criança no momento seguinte. Esse desejo, no entanto, costuma ser motivado pela imagem de maternidade e tem origem na ilusão da mãe de que será realizada nesse papel. Quando a incerteza de uma mulher com relação à gravidez é limitada ao nível consciente de sua personalidade, não causa danos ao organismo em desenvolvimento. Por outro lado, quando o conflito se estende até as profundezas da personalidade, isto é, quando deriva da rejeição da mulher a seu corpo e sua sexualidade, o feto no útero sentirá seus efeitos.

A mulher reage à gravidez com os sentimentos que tem pelo próprio corpo. No que concerne às suas sensações, o feto é uma parte do seu organismo. Como expressão de sua feminilidade, pertence à metade inferior de seu corpo. Feto, útero e sexualidade formam uma unidade inseparável. Na maioria dos casos, a gravidez serve, no início, para dignificar o aspecto sexual da personalidade da mulher. Ela experimenta uma sensação inicial de bem-estar que deriva da autoaceitação recém-descoberta. No entanto, se o conflito subjacente não foi resolvido, intromete-se nesse estado idílico. Seus bons sentimentos desaparecem, a gravidez torna-se um verdadeiro confinamento. Se o compromisso com a criança não for sincero, a mulher não consegue evitar o sentimento de estar aprisionada, e a criança, o sentimento de ser indesejada.

O corpo traído

FATORES PSICOLÓGICOS

A predisposição constitucional para a estrutura corporal esquizoide se desenvolve no útero, mas as forças que mantêm essa disposição na vida adulta surgem da psicologia dos pais. A criança é um símbolo sexual para seus pais, e sua reação a isso será determinada por sentimentos e atitudes conscientes e inconscientes com relação à própria sexualidade. Para cada um dos pais, a criança é também a representante do outro parceiro. Não é incomum ouvir pais se referirem a um filho como "seu" em vez de "nosso". Para avaliar os fatores psicológicos que podem surgir em lares perturbados, é necessário ter em mente as seguintes equações:

$$\text{Homem} = \text{pênis} = \text{espermatozoides}$$
$$\text{Mulher} = \text{vagina} = \text{óvulos}$$

Filho

Para os pais, o filho é a prova visível da sexualidade que levou à sua concepção. Portanto, ele se tornará alvo de todos os sentimentos que giram em torno dessa função na mente dos pais. Esses sentimentos variam conforme o estado da relação entre os pais e, é claro, conforme o sexo da criança. Assim, os sentimentos relacionados com um menino não são idênticos aos direcionados a uma menina. A diferença entre as duas atitudes frequentemente se expressa na maneira como é recebida a notícia sobre o sexo do bebê. Do mesmo modo, o primeiro filho tem uma recepção diferente do segundo, terceiro ou quarto. Se considerarmos essas diferentes reações, podemos entender por que um filho mostrará uma perturbação mais grave do que outro da mesma família.

Os pais muitas vezes são incapazes de compreender seu papel nessa perturbação. Eles acreditam que reagem a todos os seus filhos com os mesmos sentimentos. Isso não é verdade, é claro, e o efeito dessa crença é fazer o filho se sentir responsável pelo fracasso na construção de um bom relacionamento. Os pais acreditam que, como fazem as mesmas coisas para todos os filhos, deveriam obter os mesmos resultados. Eles negligenciam o fato de que não é o que fazem, mas como o fazem que mostra a diferença entre aceitação e rejeição. A maioria dos pais não está disposta a – ou é incapaz de – ver a importância das atitudes inconscientes às quais a criança é sensível.

Tornou-se claro para os pesquisadores que estudam o contexto de criação dos esquizofrênicos que as situações familiares das quais eles provêm estão

Alexander Lowen

repletas de conflitos abertos ou carregadas de hostilidade não expressada. T. Lidz e S. Fleck não encontraram uma única família bem integrada em seu estudo dos lares esquizofrênicos. Eles observaram que "a extensão e a onipresença da patologia familiar foram inesperadas"[68]. Problemas sexuais eram comuns nessas famílias, em particular o de incesto. Lidz e Fleck observaram também que "às vezes, um paciente tinha motivos concretos, e não delirantes, para temer que, se perdesse o controle, um incesto poderia muito bem ocorrer"[69].

Embora algum comportamento sexual aberto por parte de um dos pais para com o filho não seja raro nas famílias de pacientes esquizoides ou esquizofrênicos, o fator psicológico determinante nessa perturbação é a identificação sexual inconsciente com a criança. Nessas famílias, a mãe vê a criança à imagem de sua própria sexualidade. Na tentativa de se libertar de um profundo sentimento de humilhação quanto à sua sexualidade feminina, que ela vê como submissa, dependente e inferior, ela projeta essas qualidades no filho, esperando assim reverter a própria experiência infantil e obter uma ascendência que lhe foi negada.

Essa projeção é relativamente fácil se a criança for menina. A similaridade do sexo cria uma identificação inconsciente que facilita a transferência de sentimento. A filha, assim, torna-se a personificação da sexualidade rejeitada da mãe. Esta pode admirar a filha ou desprezá-la, negá-la ou subvertê-la para sua própria satisfação. Ela reagirá à filha exatamente da maneira como reage à própria sexualidade, com sentimentos confusos e ambivalentes. Nesse processo, filha e mãe tornam-se identificadas, estabelecendo-se entre elas um laço que nenhuma das duas pode romper sem, pelo menos em princípio, destruir a outra.

A mãe subverte o filho ou a filha quando se torna abertamente sedutora, criando uma relação incestuosa com a criança. Geralmente, essa sedução tem início quando a criança é bem pequena. A mãe obtém um prazer erótico ao tocar e manusear o corpo do filho. Um exemplo extremo desse tipo de comportamento é demonstrado na seguinte declaração feita por uma paciente: "Eu me sentia tão atraída pelo bebê! Eu poderia tocar seu pênis. Poderia colocar seu pênis na minha boca. Poderia beijar seu bumbum, até mesmo seu ânus. É claro que não faço isso. Os cheiros dele! Seu corpo é tão perfeito".

Tais sentimentos expressam uma identificação inconsciente da mãe com o filho. Ele é o que ela queria ser, e ela gostaria de engoli-lo para torná-lo parte dela ou entrar em seu corpo e ser parte dele. Esse não só é um desejo

O corpo traído

incestuoso por parte da mãe, mas também uma fantasia homossexual em que ela toma posse do filho como se ele fosse sua propriedade e o submete às suas necessidades.

Quando a mãe é distante, retraída e fria para com o filho, isso pode ser interpretado como uma defesa contra sentimentos inconscientes homossexuais e incestuosos com relação a ele. Hill faz a mesma observação acerca desse tipo de mãe: "Ela rejeita o menino, a genitalidade do menino – talvez por inveja e pela ameaça de incesto –, e rejeita a filha por decepção e medo de rivalidade"[70]. Em algum nível profundo, no entanto, o filho está ciente do motivo da rejeição. Inconscientemente, ele sente o laço incestuoso e homossexual que o ata à mãe. Está sexualmente envolvido com ela, ao mesmo tempo que a odeia e sente pena dela. Ele está aprisionado na mesma ambivalência que caracteriza a atitude dela.

Podemos entender o dilema da criança se percebermos que esses dois processos estão em ação simultaneamente. Ao se afastar da mãe que seduz, a criança corre o risco de despertar sua fúria; ao se aproximar da mãe que rejeita, ela corre o risco de provocar sua ansiedade e hostilidade. A criança é forçada a uma submissão exterior que encobre uma resistência interna, ou então a uma rebeldia manifesta que mascara uma passividade interior. Nessas relações, é possível antecipar acessos de fúria e de violência. A criança reage à hostilidade da mãe com impulsos assassinos. No entanto, ela está presa em tais conflitos de ódio e dependência, negação e identificação que finalmente a imobilizam.

O TRAUMA DA IDENTIFICAÇÃO

Muitos dos problemas discutidos até aqui são ilustrados na história a seguir. A paciente, a quem chamarei de Helen, era uma mulher jovem, de cerca de 30 anos. Ela procurou terapia porque não conseguia estabelecer uma relação estável com um homem. Estivera sexualmente envolvida com um parceiro depois do outro, mas cada um dos casos terminava quando o homem não satisfazia suas exigências excessivas. Helen estava profundamente confusa sobre seu papel como mulher e sofria de grave ansiedade. Ela tinha a típica aparência facial esquizoide; seus olhos careciam de foco, e seu queixo se projetava de modo desafiador. Seu corpo era bem desenvolvido, embora tivesse movimentos descoordenados. Havia muitas características paranoides em sua personalidade: ela era hiperativa, loquaz e volátil.

191

No decurso da terapia, eu lhe pedi que relaxasse o maxilar, para permitir que o queixo recuasse. Ao fazer isso, ela começou a chorar, um choro suave e profundo. Então comentou: "A dor no meu coração é insuportável". Quando o choro diminuiu, propus que ela movimentasse a boca como se estivesse à procura do seio materno. "Para quê?", exclamou. "Eu implorei por amor, mas tudo que ganhei foi humilhação."

Para que Helen liberasse mais sentimentos, eu a fiz mobilizar os músculos faciais numa expressão de susto. Ela abriu a boca, ergueu as sobrancelhas e arregalou os olhos. Essa expressão fez cair sua máscara. Quando Helen a assumiu, sentiu-se apavorada. Sua cabeça pareceu congelar. Ela não pôde movê-la por um instante, e não conseguiu gritar. Ao relaxar o rosto, observou:

Do que eu tenho medo? De algo que eu veria? Os olhos dela? Não consigo olhar nos olhos da minha mãe até hoje. Existe algo de odioso e assassino neles. E ela é louca. Você não pode olhar nos olhos de um louco e não se assustar. Ainda assim, ela também me amava.

Depois de fazer essas observações, Helen começou a tremer. Seus dedos e punhos ficaram frios e rígidos. Ela prosseguiu:

Eu me lembro de quanto clamava por ela, e gritava e chorava. Acho que eu a queria mais do que tudo no mundo. Nós brincávamos juntas e ela fazia muitas coisas por mim. Ela sabia fazer mágica. Mas era tão triste. Eu não suportava sua tristeza. Não podia ajudá-la. Ela própria era tão assustada. Seus olhos eram distantes, também. Ela me assustava muitíssimo. Não sei por que me sinto tão engraçada. Alguém morre de coração partido? Esquizofrenia é morte. Você mata a parte que dói para conseguir sobreviver.

Helen se viu em meio a um turbilhão de emoções que a deixou muitíssimo agitada. A afeição de sua mãe por ela se misturava com uma tristeza que a criança não conseguia suportar. Era um relacionamento que oscilava entre amor e ódio, piedade e terror, esperança e desalento. A confusão, ambivalência e estranheza que a criança sente na mãe perturbam sua integridade. Não é possível, para a mente de uma criança, integrar sentimentos tão contraditórios quanto susto e compaixão.

O corpo traído

Helen me contara, algum tempo antes, que a mãe fizera vários abortos antes de seu nascimento. Ela disse:

Minha mãe tinha medo na barriga quando estava grávida de mim. Ela me disse que pediu a Deus para que eu não fosse punida por seus pecados. Ela tinha medo de que eu nascesse aleijada ou deformada. Ela me desejou. Tinha uma grande ternura, mas não deixava transparecer isso em seu toque.

Tal culpa intensa indica a gravidade da perturbação sexual de que a mãe sofrera. Incapaz de aceitar a própria sexualidade, ela a projetava sobre a filha e se identificava com ela. Helen contou que, quando tinha 6 ou 7 anos, sua mãe a vestiu com calcinha de seda e fez cachos em seu cabelo, apesar de seus protestos. "Ela fazia coisas à mão para mim", Helen comentou, "para me dar o melhor". Mas, numa sessão posterior, Helen afirmou:

Sentada à mesa de jantar com a minha família, percebi que eles eram egoístas a ponto de dar nojo. Às vezes eles me davam tudo; às vezes, nada. Era como se eu soubesse disso o tempo todo, mas negasse. Ela me dava coisas, mas eu era um instrumento para ela. Eu ganhava roupas bonitas para ficar atraente para os homens. Ela me usava para agarrá-los, e depois poderia se aproveitar deles.

A identificação da mãe com a sexualidade da filha é claramente expressada nas observações de Helen. Os pais vivem através dos filhos de muitas maneiras; porém, quando se identificam com um filho em nível sexual, o resultado é uma perturbação esquizoide. Por sua vez, a criança é forçada a se identificar com a mãe, cujos sentimentos sexuais reprimidos são projetados sobre ela. Essa identificação impele a criança a viver a serviço das necessidades sexuais maternas. O trauma da identificação reside na rejeição da individualidade da criança (adequar-se a uma imagem parental), na subversão de sua sexualidade (adequar-se a uma necessidade parental) e na posse de sua psique (tornar-se submissa ao pai ou à mãe).

A relação de Helen com a mãe tinha um elemento homossexual latente, que só vinha à tona em seus sonhos e nas associações que ela fazia. Ela relatou um sonho que revelou esse elemento: "Tive medo a vida inteira. Muitas vezes, sonhava que minha mãe tinha um pênis. Recentemente, tive o mesmo

Alexander Lowen

sonho outra vez. Dessa vez, ela tinha um pênis com pus escorrendo. Tive vontade de vomitar".

A associação de Helen com o sonho foi o sentimento de que sua mãe sempre tentara seduzi-la, especialmente ao amamentá-la. O pênis com pus é uma tradução do bico do seio com leite escorrendo. Se a mãe força o bico do seio na boca da criança, torna-se como um pênis que é introduzido numa abertura. A mãe que assume um papel agressivo para com o filho encena, para a criança, sua identificação masculina reprimida. Tal atitude força a criança a um relacionamento homossexual passivo com a mãe. Helen também se lembrava de que sua mãe costumava se enfiar na cama com ela, algo de que Helen se ressentia. O padrão normal é que a criança queira se enfiar na cama com a mãe. Quando o padrão é invertido, torna-se uma ação sedutora, como vimos no Capítulo 5.

Os envolvimentos sexuais de Helen eram comparáveis à sua relação com a mãe. Seus casos eram marcados pelas ambivalências de amor e ódio, submissão e resistência, medo e compaixão que caracterizavam seus sentimentos pela mãe. Ela "clamava" por amor, mas nunca era correspondida. Identificava-se com o homem como se identificara com a mãe; ela não era um indivíduo independente. Essa atitude introduzia um elemento homossexual nesses relacionamentos. Não é de admirar que ela estivesse confusa! Não é de admirar que seus relacionamentos sempre terminassem! Ela se relacionava com os homens como se eles fossem sua mãe, enquanto, em sua fantasia, estava à procura do pai, que a salvaria da destruição.

Em minha análise da personalidade esquizoide, percebo que todo paciente, num estágio incipiente da vida, passou da mãe para o pai em busca de afeto e apoio. A criança se afasta da mãe por causa de sua ansiedade e hostilidade inconscientes. Em consequência, o pai se torna uma figura materna substituta para a criança. Isso cria um problema real quando ocorre em idade precoce. Todos os meus pacientes tinham uma fixação oral pelo pênis para a qual eu não conseguia encontrar outra explicação que não o fato de que o pênis se tornara um substituto para o seio materno. As razões biológicas que promovem a identificação do pênis com o bico do seio são apresentadas em meu livro *Amor e orgasmo*. Uma vez que essa identificação acontece na mente da criança, torna-se fácil imaginar a mãe com um pênis.

Quando o falo representa tanto o bico do seio como o pênis, o indivíduo se vê preso em um conflito insolúvel. A função do falo como órgão genital é obstruída por seu significado simbólico como mamilo. Seu papel como seio é bloqueado por sua função óbvia. A unidade da personalidade é cindida pela excitação de dois níveis de funcionamento antitéticos, o oral e o genital. A organização do ego adulto, que depende da primazia da excitação genital, é enfraquecida. A mulher que sofre dessa cisão vê o parceiro como mãe e homem ao mesmo tempo. Espera-se que ele ofereça apoio e compreensão, bem como excitação e satisfação genital.

Infelizmente, os pais costumam ser tão perturbados emocionalmente quanto as mães. Lidz e Fleck observam que "os pais, assim como as mães, estão tão aprisionados em seus problemas não resolvidos que raramente conseguem satisfazer de modo correto os elementos essenciais de um papel parental"[71]. Com efeito, muitos dos pais em famílias perturbadas apresentam tendências femininas acentuadas que facilitam a transferência dos desejos orais da mãe para eles. Helen observou, acerca de seu pai: "Ele não conseguia ser um homem diante da minha mãe. Meu pai era como uma mulher, até mesmo com seios balançando".

O relacionamento que se desenvolveu entre Helen e o pai também foi incestuoso. Ela o descreveu da seguinte maneira:

> Meu pai me deixava fazer praticamente tudo que eu quisesse. Nós fazíamos longas caminhadas à noite. Eu estava sempre com ele e, é claro, dormia em sua cama. Lembro-me de coisas como amarrar minha camisola ao pijama dele para que ele não me deixasse no meio da noite. Isso aconteceu até eu ter minha primeira paixão; então não consegui mais tolerar aquilo.

Helen disse que a mãe não aprovava esse arranjo. No entanto, tornou-se prática na família que ela dormisse com o pai, enquanto seu irmão dormia com a mãe. Perguntei a Helen se ela tinha algum sentimento sexual pelo pai. "Acho que não", ela respondeu.

"Você percebeu algum sentimento sexual da parte dele?", eu lhe perguntei.

"Não. Acho que ele só me afagava como faria com um gato – havia apenas uma afeição animal entre nós. Eu simplesmente gostava da sensação de ser abraçada por ele." Quando Helen disse isso, um sorriso malicioso apareceu em seu rosto. Eu havia observado esse sorriso muitas vezes no decurso da terapia. Dava-me a impressão de que ela guardava um segredo. Nesse momento, eu o interpretei como uma expressão de sua profunda consciência

Alexander Lowen

dos homens, do que eles querem, e de como ela pode controlá-los. Uma semana depois de eu ter feito essa interpretação, ela me contou:

> Você estava certo, na semana passada, quando falou que eu queria um homem que me amasse por quem sou, e não só para transar comigo. Porque isso é o que todos queriam de mim. Depois de um tempo eu dava sem eles pedirem, porque achava que assim eles me amariam e cuidariam de mim. Minha mãe deveria ter feito isso. Como ela não fez, eu fiz essa troca com o meu pai. Nos meus sentimentos mais profundos, eu sempre me senti usada pelos homens.

O sorriso também revelava a preocupação de Helen com sexo, que dominava sua personalidade. Ela andava em círculos: da oralidade à genitalidade, e de volta à oralidade; da submissão à resistência, e de volta à submissão; da figura materna à figura paterna e de volta à figura materna. Helen relatou um sonho recorrente que retratava seu dilema:

> Sonhei que vi meu dentista como Deus. Ele disse: "Você entrou no consultório do dentista muito tranquila, muito desatenta, e eu peguei você. Peguei você porque você se deixou ser pega de surpresa. Você não vai morrer como as outras pessoas. Você não vai ter nem sequer a paz da morte. Você vai girar e girar e girar. Você não vai conhecer a paz".
> Eu sabia que estava atada a um poste de barbearia. Eu podia ver as listras subindo e descendo, e continuava girando em círculos Eu me lembro de chorar – eu inclusive implorei: "Por favor, só me deixe morrer". Eu me lembro de acordar gritando e me debatendo.

O poste de barbearia é um símbolo fálico óbvio. Helen está atada ao sexo de uma maneira que não permite escapatória nem realização. Esse tipo de sexualidade descreve sua relação com o pai-mãe, uma sexualidade entre criança e adulto que era estimulante e excitante, mas não permitia a liberação orgástica. Essa fórmula de excitação sem realização se tornou o padrão de suas atividades sexuais adultas. Helen era atormentada, e, em seu tormento, a morte parecia oferecer a única paz. O sonho também indica que Helen não entendia realmente o que se passava com o pai. Ela foi "pega de surpresa" de modo que, em uma parte de si, ainda se sentia pura e inocente. Era uma ga-

O corpo traído

rotinha à procura de afeto e apoio, mas reagindo biologicamente à sexualidade adulta. Seu corpo absorvia a excitação sexual do pai, mas carecia da habilidade de transformar essa excitação em interesse genital. Duas tendências opostas estavam em ação na personalidade de Helen. Ela era a menina inocente à procura de amor, e também a prostituta que sabia o que os homens queriam e usava o sexo para alcançar seus objetivos. Essa é a típica cisão esquizoide vista com tanta frequência na combinação de ingenuidade e sofisticação, inocência e perversidade, puritanismo e lascívia. Helen estava aprisionada em outra situação antitética: ela desejava o seio, mas era excitada pelo pênis. Com efeito, precisava de ambos ao mesmo tempo: o seio, para satisfazer seu anseio infantil; o pênis, para liberar sua excitação sexual. Ela estava em uma situação impossível, na qual só lhe restava andar em círculos.

SEXO E PARANOIA

Na personalidade cindida, o sentimento sexual é vivenciado como alheio, compulsivo e "mau". O indivíduo esquizoide não consegue se identificar com seus sentimentos sexuais – porque, para começar, eles não são seus. São os sentimentos de seus pais, que ele incorporou por empatia. A incorporação de sentimento não é um procedimento ativo; é mais como um processo infeccioso. Com frequência, tudo que é necessário é ser exposto ao sentimento. Por exemplo, uma pessoa exposta à tristeza de outra por algum tempo começará a sentir-se triste também. É como se a tristeza a permeasse ou se apoderasse dela. Ela precisa sacudir a tristeza para se livrar desse sentimento. No entanto, não é fácil para uma criança sacudir a tristeza em uma atmosfera emocional à qual está exposta constantemente em seus primeiros anos de vida. A criança esquizoide tem um único recurso: negar os sentimentos, eliminar as sensações corporais e se dissociar da sexualidade. Por meio dessa manobra, a criança retém uma pureza de espírito e mente, enquanto seu corpo é entregue ao pai ou à mãe.

Numa situação como essa, um menino também se voltará para o pai em busca de afeto e aceitação em sua tentativa de escapar da ambivalência e projeção da mãe. Se o pai conseguir aceitar o papel da mãe sem enfraquecer sua masculinidade, se ele puder dar à criança segurança e amor sem negar o valor da mulher, será capaz de evitar o surgimento de uma personalidade esquizoide na criança. Porém, quase sempre a criança é rejeitada pelo pai ou só aceita com muito esforço. Ele pode rejeitar o menino por vê-lo como um concorrente e uma ameaça à sua posição insegura, ou pode incluir o filho em sua aceitação passiva da situação. Em geral, o pai hesitará em demonstrar afeto para com um filho que a mãe rejeitou, por medo de antagonizar com a parceira. Em lares gravemente perturbados, os pais têm uma relação simbiótica que exclui a criança e a força ao isolamento.

A mãe perturbada não aceita a criança enquanto não houver formado uma imagem dela que satisfaça as necessidades de seu ego; sua aceitação, então, é da imagem e não da criança. Entretanto, para ganhar a aceitação e o amor de que necessita, a criança tentará se conformar a essa imagem. Assim, um investimento libidinal secundário pode ser feito na criança por meio da imagem que é superposta à rejeição original. A relação que se desenvolve dessa maneira é fortemente permeada de sentimentos homossexuais e incestuosos, por meio da identificação de "favores" mútuos. Nessa situação, o menino incita a hostilidade do pai ao se tornar "o filhinho da mamãe". Isso não o deterá, já que esse tipo de relação com a mãe parece satisfazer o interesse oral e o genital ao mesmo tempo. Ele é aprisionado no mesmo dilema que a menina que se torna sexualmente envolvida com o pai. Tal situação assenta as bases para as tendências paranoides da personalidade.

O comportamento paranoide pode ser descrito como andar em círculos. No centro do círculo está o símbolo fálico, o bico do seio ou o pênis (a mãe ou o pai). O indivíduo paranoide não ousa fazer um movimento agressivo em direção ao objeto desejado e proibido. Sua manobra, então, é circundar o objeto hipnoticamente e manipular a situação para compelir o objeto a vir até ele. Isso significa que ele tenta tornar a outra pessoa responsável pela ação de satisfazer suas necessidades. Ao mesmo tempo, também se identifica com o símbolo fálico e inverte seu papel, assumindo a posição dominante do pai ou da mãe. Essa manobra é a base para as ideias paranoides de onipotência, referência e perseguição. Ele, agora, está no centro do círculo, o objeto de desejo e inveja, a fonte da vida em torno da qual o mundo gira. O indivíduo paranoide oscila entre sentimentos de impotência e onipotência, inutilidade e megalomania, inveja e perseguição. Em alguns momentos, ele sente que está na periferia do círculo, um forasteiro; em outros, está bem no meio, sendo o centro das atenções.

O paranoide é obcecado com sua potência sexual, que é a origem de seu sentimento de ser indispensável. Ele está encenando sua situação infantil, em que sentia seu poder de excitar a mãe eroticamente. A menina, como no caso

O corpo traído

de Helen, que experimentou com o pai o fascínio de sua sensualidade, encena isso em sua relação com os homens.

O efeito desse complexo jogo de forças sobre a personalidade da criança é aumentar sua consciência egoica e sua sensibilidade. Trata-se de uma reação natural a uma situação de perigo. Nesse caso, o perigo reside nos sentimentos parentais ambivalentes e confusos. A criança torna-se ciente da hostilidade e da culpa que emanam de seus pais e desenvolve, como defesa primordial, uma sensibilidade exacerbada diante das nuanças emocionais. Ao adquirir essa sensibilidade, ela também se torna extremamente ciente, num nível não verbal, dos sentimentos sexuais frustrados e das tendências perversas de seus pais. Essa consciência da sexualidade adulta é reprimida por volta dos 7 anos de idade, quando a criança se retira do triângulo sexual. Ela retém, no entanto, uma sensibilidade exagerada às nuanças emocionais. O transtorno esquizoide pode ser comparado a uma doença alérgica em que a criança se tornou sensibilizada ao inconsciente de outros. As crianças que se sentem seguras em sua relação com os pais são *autocontidas*, menos conscientes da sexualidade adulta e isentas de identificações que usurpam sua individualidade.

12. Recuperando o corpo

O corpo é abandonado quando se torna fonte de dor e humilhação, em vez de prazer e orgulho. Nessas condições, a pessoa se recusa a aceitá-lo ou a se identificar com ele. Ela se volta contra ele. Pode ignorá-lo ou tentar transformá-lo num objeto mais desejável por meio de dieta, musculação etc. No entanto, enquanto o corpo continuar sendo um objeto do ego, pode satisfazer o orgulho deste, mas jamais proporcionará a alegria e a satisfação que o corpo "vivo" oferece.

O corpo vivo é caracterizado por uma vida própria. Tem uma motilidade independente do controle do ego, que se manifesta pela espontaneidade de seus gestos e pela vivacidade de sua expressão. Canta, vibra, brilha. É carregado de sentimento. A primeira dificuldade que encontramos em pacientes que estão em busca de identidade é que eles não estão cientes da falta de vida em seu corpo. As pessoas estão tão acostumadas a pensar no corpo como um instrumento ou uma ferramenta da mente que aceitam seu relativo amortecimento como um estado normal. Medem o corpo em quilos e centímetros e comparam sua forma com formas idealizadas, ignorando por completo o fato de que o importante é como o corpo se sente.

Enfatizei repetidas vezes quanto as pessoas têm medo de sentir o próprio corpo. Em algum nível, elas têm consciência de que ele é um repositório de seus sentimentos reprimidos e, ao mesmo tempo que gostariam muito de saber mais sobre eles, odeiam deparar com eles na própria carne. Porém, em sua busca desesperada de identidade, inevitavelmente têm de confrontar a situação do seu corpo. Precisam aceitar a importância de seu estado físico para seu funcionamento mental, apesar da dúvida com a qual abordam essa proposição. Para superar essa dúvida, precisam vivenciar sua tensão física como limitação à personalidade e a liberação dessa tensão como liberação da personalidade. A descoberta de que o corpo tem vida própria e capacidade de curar a si mesmo traz esperança.

A percepção de que o corpo tem sabedoria e lógica próprias inspira um novo respeito pelas forças instintivas da vida.

A questão com a qual todo paciente depara é: ele pode confiar em seus sentimentos para guiar seu comportamento, ou esses sentimentos devem ser suprimidos em favor de uma abordagem racional? Por sua natureza, os sentimentos têm um componente irracional – o que não significa, no entanto, que sejam necessariamente impróprios ou irrelevantes. O irracional tem origens mais profundas na personalidade do que a razão. O irracional é sempre o oposto do razoável; o primeiro fala em nome do corpo, ao passo que o segundo fala em nome da sociedade. Essa distinção pode ser ilustrada pelo comportamento do bebê. Suas exigências são sempre irracionais. Seria factível que, se a mãe carregasse o bebê por duas horas, isso lhe proporcionaria quantidade razoável de contato corporal, considerando que ela tem outros afazeres. Mas o bebê não raciocina. Se ele sente que quer ser carregado e chora quando sai do colo, seu comportamento é irracional porque não é razoável, mas perfeitamente natural considerando seu sentimento. Se o bebê suprimisse seu choro ou seu desejo, a mãe poderia descrevê-lo como uma criança boa e razoável. O psiquiatra, no entanto, reconheceria o início de um problema emocional.

Aquele que rejeita o irracional nega o bebê que há dentro de si. Ele aprendeu, infelizmente, que não adianta chorar, pois a mãe nunca vem! Exige pouco da vida, pois lhe ensinaram desde cedo que suas exigências não eram razoáveis. Ele não fica com raiva, porque a raiva sempre provocou retaliação. Tornou-se uma "pessoa razoável", mas, no processo, perdeu a motivação do prazer e a vivacidade do próprio corpo. Nesse processo, desenvolveu uma tendência esquizoide. Mas o irracional irrompe de forma perversa: o indivíduo se vê sujeito a fúria violenta, depressão e compulsões estranhas. Sente-se retraído e desconectado, ou oprimido e confuso.

Na pessoa saudável, o irracional não é suprimido em favor do racional. A pessoa saudável aceita seus sentimentos, mesmo quando eles vão contra a lógica aparente da situação. O esquizoide nega seus sentimentos, ao passo que o neurótico desconfia deles. O corpo é abandonado quando o irracional é negado e o sentimento, reprimido. Para recuperar o corpo, o indivíduo deve aceitar o irracional dentro de si.

A genialidade do irracional é que ele tem o poder de nos mover. É a fonte de criatividade e de alegria. Todas as grandes experiências têm essa característica irracional, o que possibilita que elas mexam conosco. Como

O corpo traído

todos sabemos, o amor e o orgasmo são *a* experiência irracional que *todos* buscamos. Assim, aquele que teme o irracional teme o amor e o orgasmo. Também tem medo de soltar seu corpo, de deixar as lágrimas rolarem e a voz mudar. Teme respirar e se mover. Quando o irracional é reprimido, torna-se uma força demoníaca que pode levar uma pessoa doente a ações destrutivas. Na existência normal, o irracional se manifesta por meio de movimentos involuntários – o gesto espontâneo, o riso repentino, até mesmo o sacudir do corpo antes de cair no sono.

Nessa época de remédios milagrosos, costumamos negligenciar o fato de que o corpo tem uma capacidade natural de se curar sozinho. Estamos familiarizados com essa propriedade do corpo quando se trata de pequenos ferimentos e doenças de menor importância. Os médicos contam com essa propriedade em cirurgias e doenças mais graves. Na maioria dos casos, a medicina visa remover os obstáculos que impedem essa função natural do corpo. A doença emocional não é exceção a esse princípio. A tarefa da terapia é remover os obstáculos que impedem o corpo de liberar suas tensões espontaneamente. Esse princípio está por trás do processo psicanalítico. A técnica de associação livre é um recurso que permite ao indivíduo trazer à consciência os elementos irracionais reprimidos de sua personalidade. Espera-se que, se ele for capaz de aceitar conscientemente o irracional em sua personalidade, estará livre para reagir natural e espontaneamente às situações da vida. O ponto fraco desse conceito é que a aceitação consciente de um sentimento não leva, necessariamente, à capacidade de expressá-lo. Uma coisa é reconhecer que está triste, outra coisa é conseguir chorar. Saber que está com raiva não é o mesmo que sentir raiva. Saber que esteve envolvido numa relação incestuosa com um dos pais pouco ajuda a liberar o sentimento sexual reprimido que está bloqueado no corpo.

Quando eu era menino, morria de medo de cachorros. Para me ajudar a superar esse medo, meus pais me compraram cachorros felpudos de pelúcia e me incentivaram a afagá-los e acariciá-los. Eu me lembro deles dizendo: "Olha, ele não morde. Não vai machucar você". Isso talvez tenha ajudado a diminuir meu terror, mas continuei com medo de todo cachorro que fizesse um movimento repentino em minha direção. Não superei totalmente esse medo até que, já adulto, levei um cachorro para casa. Convivendo com o animal, aprendi a confiar nele.

O medo do cachorro é o medo do irracional. Para muitas pessoas, como para minha mãe, o animal não é digno de confiança porque é uma criatura ir-

Alexander Lowen

racional. É guiado por seus sentimentos e motivado por suas paixões – e, portanto, imprevisível. No nível corporal, o ser humano é um animal cujo comportamento é imprevisível do ponto de vista racional. Isso não significa que o corpo ou o animal sejam perigosos, destrutivos e incontroláveis. O corpo e o animal obedecem a certas leis, que não são as leis da lógica. Aqueles que gostam de animais os consideram perfeitamente compreensíveis. Para o indivíduo que está em contato com seu corpo, os sentimentos deste fazem todo sentido.

Recentemente, tratei um jovem estudante do ensino médio que sofria de asma crônica e constantemente levava consigo um nebulizador. Ao menor sinal de dificuldade respiratória, ele recorria à bombinha. Isso acontecia 20 vezes por dia, e às vezes durante à noite. Quando o atendi pela primeira vez, sua respiração era extremamente superficial e limitada à parte superior do tórax. Ele tinha o abdome muito contraído e o peito gravemente constrito. Com essas tensões, ir de uma sala de aula a outra já era um sofrimento. Se as tensões produziam a asma ou se a asma produzia as tensões é irrelevante; o fato era que, enquanto as tensões persistissem, ele estaria vulnerável a dificuldade respiratória em situações que exigem esforço.

Para liberar as tensões, o paciente precisava ser estimulado a respirar mais profundamente, sobretudo com o abdome. Nas sessões de terapia, eu o coloquei numa série de posições que o forçaram à respiração abdominal. Além disso, deitado no divã, ele foi orientado a chutar o móvel ritmicamente. No início, essas atividades produziram uma leve reação asmática, que o paciente combateu usando a bombinha. Logo, no entanto, ele percebeu que recorria ao aparelho por ansiedade, e não por necessidade. Se ele não usasse o nebulizador, sua dificuldade de respirar desaparecia espontaneamente depois de um ou dois minutos. Então, ele se tornou ciente de que por trás de seu problema respiratório havia um sentimento de pânico associado com a respiração.

A imagem superficial que o paciente apresentava era a de alguém que temia ser incapaz de respirar sob tensão. No entanto, a imagem real era a de alguém que tinha medo de respirar por causa dos sentimentos que isso evocaria. Ele também sofria de grave ansiedade sexual relacionada com sua culpa acerca da masturbação. A rigidez e a contração do abdome eram os meios que ele usava para suprimir esse sentimento sexual e evitar a culpa e a ansiedade. O resultado dessa manobra é que essa ansiedade foi deslocada para o seu peito. A respiração abdominal o tornou consciente de sua culpa e sua ansiedade original, e a liberação dessa ansiedade lhe permitiu soltar a barriga

O corpo traído

e respirar com o abdome. Pouco a pouco, a respiração do paciente melhorou a ponto de ele não mais precisar do nebulizador.

O primeiro obstáculo ao processo de cura natural é o fato de o paciente não ter consciência das tensões em seu corpo. Na ausência de sintomas específicos, tais como dor de cabeça ou lombalgia, o indivíduo médio não sente e não sabe que tensões existem em seu corpo. Sua postura se tornou parte dele de tal forma que ele a considera natural. O primeiro passo na terapia é ajudar o paciente a fazer algum contato com áreas de tensão específicas. Os pacientes começam a vivenciar suas inaptidões, deficiências e fraquezas quando são colocados em posições que exigem esforço. As posturas que prescrevo são concebidas para testar a integração e a coordenação do corpo. Por exemplo, peço ao paciente que fique com os pés afastados a cerca de 75 centímetros um do outro, os dedos virados para dentro, os joelhos dobrados o máximo possível, as costas arqueadas para trás e as mãos sobre os quadris. A Figura 17 ilustra essa posição.

O corpo bem integrado e coordenado consegue assumir essa posição com facilidade; os joelhos ficam totalmente flexionados; os pés, firmes no chão. A linha do corpo dos calcanhares até a parte de trás da cabeça forma um arco perfeito, e a cabeça e o tronco ficam centralizados; a respiração é abdominal e relaxada, e a pessoa não fica desconfortável.

No indivíduo emocionalmente perturbado, uma série de sinais indica a natureza e a localização de suas tensões. Se seu corpo for rígido demais, não conseguirá ficar bem arqueado, e a flexão total dos joelhos será impossível. Quando ele tenta flexionar mais os joelhos, a pelve é puxada para trás e a parte superior do corpo se inclina para a frente. Por outro lado, quando o corpo carece de tônus, há um arqueamento exagerado das costas. Em ambos os casos, a respiração abdominal é difícil e forçada. Em muitos corpos esquizoides, a tensão é desigual nos dois lados, e observa-se que o tronco fica virado para um lado e a cabeça, para o outro. Aqueles que têm problemas na lombar podem se queixar de dor nessa região. Muitas vezes, os calcanhares se voltam para dentro quando a pessoa assume essa posição, por causa de espasticidades nos músculos das nádegas, que giram as coxas para fora. Se os pés não estiverem bem apoiados no chão, o indivíduo perceberá uma falta de equilíbrio. As pernas podem tremer, às vezes fortemente, se os músculos estiverem tensos demais.

O uso dessa posição se baseia no princípio de que o corpo funciona como um arco em muitas atividades. O arremessador que lança a bola de

Alexander Lowen

FIGURA 17

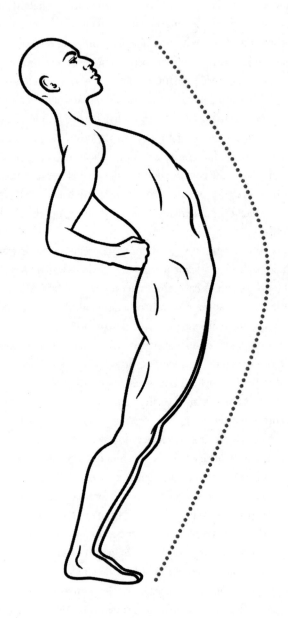

O corpo traído

beisebol, o lenhador que golpeia com um machado, o lutador que desfere um soco longo e o tenista que saca a bola mostram como o corpo se curva para trás como um arco para ganhar impulso para a frente. No entanto, é na função sexual que esse princípio tem maior importância. Os movimentos sexuais, como apontei em *Amor e orgasmo*, também se baseiam nesse princípio. Qualquer perturbação que impeça o corpo de se mover de acordo com esse princípio diminuirá a capacidade da pessoa de alcançar plena satisfação orgástica. Isso é particularmente verdadeiro no corpo que se mostra cindido entre as metades superior e inferior. Uma vez que muitos movimentos agressivos do corpo dependem desse princípio para sua força, o efeito dessas perturbações é reduzir a capacidade do indivíduo para a ação agressiva.

Um arco só funciona bem se suas extremidades estiverem firmes. No corpo, os pontos correspondentes são os pés e a cabeça. Quando o corpo funciona como um arco, sua extremidade inferior está firmada no solo por meio dos pés, ao passo que a extremidade superior está estabilizada pelos músculos das costas e do pescoço, que mantêm firme a cabeça. Com efeito, ancoram-nos na realidade em ambas as extremidades do nosso corpo: a de baixo, por meio do contato com o solo; a de cima, por meio do ego. O indivíduo esquizoide é débil em ambos os pontos. Quando ele golpeia o divã com ambos os punhos a partir de um arco para trás, seus pés muitas vezes saem do chão no momento do impacto. É necessário, no tratamento do problema esquizoide, ajudar o paciente a obter um melhor senso de contato com o chão. A posição mostrada na Figura 17 serve para aumentar a sensação que o paciente tem das pernas e sua percepção das tensões nelas. Essa posição é invertida, como vemos na Figura 18, para aproximar o paciente do chão e proporcionar mais sensação em suas pernas.

Na Figura 18, a paciente é mostrada inclinada para a frente. Todo o seu peso está sobre os pés, que estão a cerca de 40 centímetros de distância um do outro, com os dedos virados ligeiramente para dentro. Os dedos das mãos tocam levemente o chão, a fim de manter o equilíbrio. Os joelhos estão sempre flexionados nessa posição, embora o grau de flexão possa variar de acordo com a quantidade de esforço que se deseja impor aos músculos das pernas. Nessa posição, o bloqueio diafragmático geralmente é liberado, e a respiração se torna abdominal. O paciente sente vividamente as pernas e os pés e se torna ciente da tensão nos músculos das panturrilhas e nos tendões. Ele sente a qualidade de seu contato com o solo. Talvez observe, por exemplo, que não

Alexander Lowen

FIGURA 18

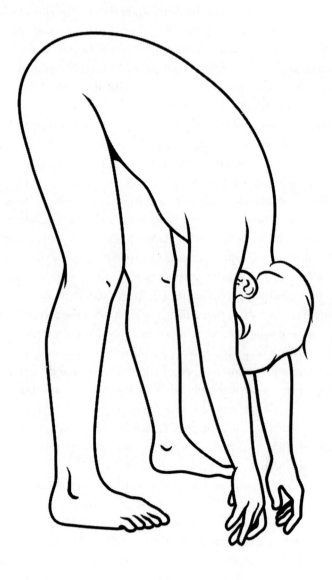

O corpo traído

sente os calcanhares tocando o solo. Talvez perceba que os pés não estão firmes no chão, por causa de uma tensão exagerada na arcada plantar. Ao pressionar os pés e afastar um pouco os dedos, é possível aumentar seu contato com o solo.

Todas as pessoas que assumem essa posição passam a sentir um tremor nas pernas mais cedo ou mais tarde. Quando isso acontece, a sensação aumenta nitidamente. O tremor pode ser sutil ou acentuado; pode limitar-se às pernas ou subir até a pelve. Sempre é experimentado como uma sensação agradável, um sinal de vida. Às vezes, a vibração é acompanhada de uma sensação de formigamento nos pés e nas pernas. Quando o tremor ocorre pela primeira vez, o paciente invariavelmente pergunta: "Por que minhas pernas estão vibrando tanto?" Como a vibração acontece em todos os pacientes – nos mais jovens mais rápido que nos mais velhos –, explico que isso se deve à elasticidade natural do corpo e à sua reação normal ao esforço. A vibração do corpo pode ser comparada ao que acontece num automóvel quando o motor é ligado. A falta de vibração indica um motor morto. Um ronco suave e constante denota uma máquina em bom funcionamento. Vibrações rudes ou abruptas nos dizem que algo está errado. O mesmo se aplica ao corpo humano. Vibração é um sinal de vida. Usamos a expressão "personalidade vibrante" para manifestar nossa consciência dessa relação.

Pode-se observar que, à medida que aumenta a sensação nas pernas e nos pés, a respiração espontaneamente se torna mais profunda. Respirar é uma função agressiva que depende, no adulto, do contato com a metade inferior do corpo. Uma vez que suas pernas se tornam carregadas e vivas, o paciente esquizoide experimenta seu corpo de maneira diferente. Ele se sente firme no chão. Antes, ele movia as pernas; agora, elas o movem. Foi assim que um paciente descreveu a diferença:

> Depois da última sessão, eu me senti tão bem... Não tive medo. Senti minhas pernas tão vivas! O que mais me chamou a atenção foi que minha cabeça não dizia às minhas pernas o que fazer. Eu tinha a sensação de segurança de que minhas pernas estavam embaixo de mim e sabiam o que fazer. Mas também as sentia entorpecidas depois de tantos anos de ausência de sensação. Eu me convenci de que, assim que recuperar minhas pernas, serei capaz de viver melhor.

Alexander Lowen

FIGURA 19

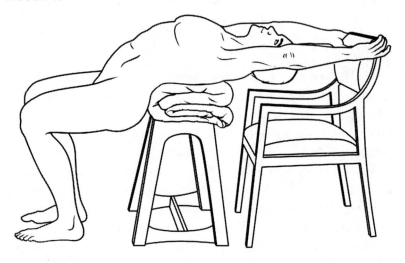

FIGURA 20

O corpo traído

É importante enfatizar que essas posturas não são exercícios. Se feitas mecanicamente, não levam a lugar nenhum. Mas, se usadas para obter sensação no corpo, são simples e eficazes. Portanto, não há limites de tempo. O paciente explora uma posição enquanto esta produzir sensações significativas em seu corpo. Quando se tornar dolorosa ou desconfortável demais, ele muda de posição. Essas posturas foram desenvolvidas por mim e meus colegas no decurso de muitos anos de trabalho com os problemas de tensão muscular e respiratória. Uma que consideramos particularmente útil é aquela em que o paciente arqueia as costas sobre um banco, como vemos na Figura 19. Essa posição foi adotada partindo da nossa tendência natural de arquear as costas contra o encosto da cadeira depois que ficamos sentados por muito tempo. O arco alonga os músculos das costas, libera as tensões do diafragma e promove uma respiração mais profunda. Eu sempre sigo essa posição com a da Figura 18, já que ela inverte o alongamento e traz o paciente de volta para o solo.

A Figura 20 mostra um paciente em postura de hiperextensão. Essa posição é particularmente eficaz para alongar os músculos da parte anterior das coxas, que muitas vezes são um tanto espásticos. Como a pelve está suspensa livremente, com frequência desenvolverá um movimento espontâneo – se o paciente estiver relaxado. Esses movimentos involuntários do corpo são importantes para liberar tensão. Eles também dão ao paciente uma sensação de vivacidade em seu corpo. Quando as sensações fluem pelo corpo e para as pernas e pés em consequência da respiração, o paciente sente-se unificado. Em tais momentos, ele pode comentar: "Eu me sinto uma coisa só".

As posições passivas descritas anteriormente são usadas para colocar o paciente em contato com seu corpo, aumentar suas sensações corporais e liberar parte da tensão por meio de tremores e movimentos involuntários. Visto que tornam a respiração mais profunda e excitam o corpo, são usadas quase rotineiramente no início da maioria das sessões, e seguidas de uma série de movimentos ativos que descreverei a seguir. O uso repetitivo dessas posições passivas tem um efeito cumulativo sobre o corpo. A cada vez que são usadas, torna-se mais fácil para o paciente respirar livremente. Em consequência, mais sensações surgem no corpo. A maioria dos pacientes considera essas posições tão úteis que as realizam em casa toda manhã. Essa prática aumenta seu contato com o próprio corpo e contribui para o processo terapêutico. Os pacientes invariavelmente relatam que o uso dessas posições estimula o corpo e os ajuda a seguir em frente.

Além das posições passivas, muitos movimentos ativos são usados para ajudar o paciente a vivenciar e a expressar seus sentimentos mais diretamente. A Figura 21, por exemplo, mostra uma paciente preparada para bater no divã com uma raquete de tênis. Esse movimento serve para liberar a agressividade e, ao mesmo tempo, desenvolver coordenação e controle. Os pacientes homens batem no divã com os próprios punhos.

No início, os movimentos dos pacientes, ao golpear ou chutar o divã, são fragmentados e descoordenados. Ao golpear o divã estando de pé, eles tendem a agitar os braços, enquanto as costas e as pernas praticamente não participam. Ao chutar o divã estando deitados nele, eles usam as pernas de maneira agressiva, mas a cabeça e a parte superior do corpo são mantidas rígidas e não se unem ao movimento. Em consequência, essas atividades parecem exercícios, e os pacientes queixam-se de que elas não lhes proporcionam nenhuma sensação de alívio ou satisfação. Sua falta de coordenação é um sinal de que eles não se comprometeram totalmente com a atividade, isto é, de que a atividade não envolve o corpo inteiro. À medida que a coordenação é desenvolvida, o movimento expressivo adquire um aspecto unitário e se torna uma experiência emocional.

A incapacidade do paciente de comprometer totalmente seu corpo com uma atividade tem de ser tratada de duas maneiras. Sua resistência inconsciente deve ser analisada de uma perspectiva psicológica, ao passo que sua coordenação deve ser desenvolvida fisicamente. Quase sempre o paciente racionaliza sua incapacidade de se entregar por completo a essas atividades, dizendo que não tem motivo para estar com raiva etc. Esse é um exemplo da manobra defensiva esquizoide. Todo paciente tem raiva de alguma coisa, ou não estaria fazendo terapia. Pode-se demonstrar que ele sempre teve medo de expressar sua raiva. Pode-se dizer a ele que uma pessoa saudável é capaz de se identificar com o sentimento de raiva a ponto de se permitir executar os movimentos de bater ou chutar de maneira coordenada e integrada. Quando o paciente percebe que sua falta de coordenação reflete sua incapacidade de expressar sentimento, aceita que os exercícios são necessários à sua melhora.

A capacidade de expressão emocional é proporcional ao grau de coordenação muscular. Quem é bem coordenado se move e age de maneira graciosa. O corpo inteiro participa ativamente de cada gesto e movimento. Desse modo, cada movimento seu tem uma característica emocional, e o indivíduo pode ser descrito como emocionalmente vivo. Já a pessoa perturbada não se move dessa

O corpo traído

FIGURA 21

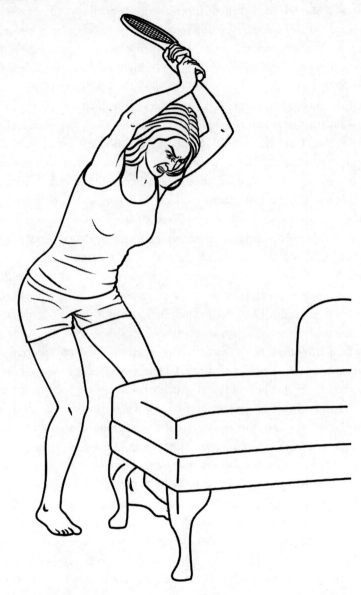

213

Alexander Lowen

maneira. Seus movimentos normais são rígidos e desajeitados, ou atácticos e grosseiros. Mas tal indivíduo pode manifestar graça e coordenação atípicas em alguma atividade especial na qual foi treinado e à qual *consegue* se entregar por completo. Muitos atores, dançarinos e atletas mostram essa graça e coordenação em suas áreas específicas, embora sofram com graves problemas emocionais. No entanto, fora do palco e em situações cotidianas comuns, seus movimentos corporais refletem seu desconforto e sua insegurança.

Conforme os pacientes aprendem a relaxar ou a se soltar em atividades como golpear ou chutar o divã, sua coordenação muscular geral aumenta de maneira espontânea. Não é uma questão de aprender a bater ou a chutar. A coordenação que se desenvolve por meio do domínio consciente de uma habilidade é limitada à habilidade específica. Em atividades como golpear ou chutar o divã, o paciente enfrenta seu medo de se soltar em movimentos que têm uma expressão emocional. Ao se soltar em tais atividades, ele supera seu medo do irracional. Por meio de tais experiências, o corpo se cura. As brincadeiras de criança servem ao mesmo propósito. Embora uma brincadeira seja uma situação irreal, as crianças a levam a sério e se tornam muito emotivas em suas reações. O adulto que suprimiu a criança em sua personalidade precisa racionalizar todas as suas ações.

Chutar o divã estando deitado sobre ele é uma excelente oportunidade de recuperar essa capacidade infantil. Chutar estando de barriga para cima introduz um elemento infantil na atividade e permite que o paciente se entregue mais livremente ao movimento. Pode-se chutar o divã com as pernas dobradas ou esticadas. Em geral, o paciente esquizoide contrai o abdome e restringe a respiração ao fazer esses movimentos. Além disso, enrijece o pescoço, o que impede sua cabeça de participar. Ele precisa ser incentivado a "soltar" a cabeça para que esta se mova junto com o resto do corpo. Ao dar chutes rápidos e intensos com as pernas bem esticadas e soltas, a cabeça é jogada para cima e para baixo a cada chute. Na maioria dos pacientes, isso cria a sensação de estar sendo "levado" pelo movimento, e com frequência eles ficam bem assustados. Como essa atividade é supervisionada e não apresenta perigo, os pacientes logo aprendem a se entregar ao sentimento e a desfrutar da liberação.

Como quase todo mundo tem algo para "chutar", todos os pacientes percebem a utilidade desse exercício. Os chutes também oferecem à metade inferior do corpo a oportunidade de assumir a hegemonia do organismo.

O corpo traído

Quando o chute se torna intenso, o ego temporariamente entrega seu controle ao corpo, permitindo que este reaja livremente aos seus impulsos. Essa capacidade de entregar o controle do ego é importante sobretudo na função sexual, em que a satisfação orgástica depende da capacidade do indivíduo de "se entregar" à excitação sexual avassaladora. Chutar também ajuda o paciente a se identificar com seus sentimentos infantis. Os bebês deitados de costas chutam livre e espontaneamente na alegria natural da existência ou na raiva e na frustração. Chutar é sinal de entusiasmo. Finalmente, chutar, ainda mais do que caminhar, promove o fluxo de sangue e, portanto, aumenta a circulação sanguínea.

O ato de chutar com os joelhos dobrados também pode ser combinado com o de agitar os braços ritmicamente contra o divã, num movimento que faz lembrar uma birra infantil. Nessa atividade, os dois lados do corpo devem se mover em alternância, de modo que o braço direito e a perna direita se movam juntos e sincronicamente, seguidos de um movimento similar do braço esquerdo e da perna esquerda. Nesse movimento coordenado, a cabeça gira para a esquerda e para a direita quando o braço e a perna correspondentes acertam o divã. (Nos pacientes em que as duas metades do corpo estão dissociadas, essa coordenação se rompe e o braço direito se move junto com a perna esquerda. Além disso, quando esse movimento envolve dois lados opostos ao mesmo tempo, a cabeça é imobilizada.) Durante essa terapia física, o paciente é orientado a sentir seu corpo, a compreender seu sentimentos e sensações e se identificar com eles e a interpretá-los no contexto de sua história de vida.

Deve-se observar que a mobilização do corpo do paciente é um procedimento lento. Visto que ele abandonou seu corpo por causa da dor, essa dor retornará quando ele restabelecer o contato com o corpo. Depois de vários meses de terapia, um paciente observou: "Eu preciso pegar leve. Meu corpo está sentindo a dor. Eu tenho dor no corpo inteiro. Nunca soube que tinha tanto medo da dor". A dor no corpo esquizoide pode assumir proporções assustadoras se for associada com sentimentos internos de desesperança e terror. Por outro lado, quando o paciente percebe que a dor deriva da luta do corpo para ganhar vida e não é expressão de um processo destrutivo, ele é capaz de aceitá-la como sinal positivo. Para ajudar os pacientes a entender o papel da dor no processo de cura, uso um exemplo familiar. Quando um dedo está congelado de frio, ele não dói. A pessoa pode nem mesmo tomar consciência da situação. No entanto, quando o dedo começa a descongelar, a dor costuma ser muito intensa. O descongelamento deve ser feito aos poucos. Essa ilustração se aplica com perfeição ao problema esquizoide, pois, em muitos aspectos, o corpo esquizoide está congelado, podendo a terapia ser comparada com um descongelamento.

A TERAPIA DE UM PACIENTE ESQUIZOIDE

Essa paciente, que chamarei de Sally, era professora de dança. Ela se queixava de suas relações com as pessoas, de frustração e desesperança e de seus medos.

A terapia de Sally se estendeu por vários anos, com sessões uma vez por semana, exceto durante as férias. Embora fosse dançarina, seus músculos eram extremamente tensos. Ela tinha pouquíssima sensação nas pernas. Sua respiração mostrava-se muito superficial. Seus olhos tinham uma expressão de loucura e susto e estavam fora de foco a maior parte do tempo. Ela era extremamente ansiosa.

A parte inicial de sua terapia consistia sobretudo em fazê-la respirar e sentir o corpo por meio das posições passivas. De início, ela só conseguia tolerar essas posições por um breve período. Aos poucos, sua tolerância foi aumentando. Eu massageava seus músculos tensos com as mãos. Isso liberava parte de sua espasticidade e dava à paciente uma sensação de contato corporal e autoconsciência. Na primeira parte da terapia, ela chorava frequentemente e expressava sua profunda desesperança. Certa vez, disse:

Eu não sei o que é o amor. Não sei o que é uma mulher ou o que é um homem. São sombras na minha mente. Só a minha mãe não é uma sombra. Ela é um gavião [a paciente fez um gesto de garras com as mãos] que matou meu pai e me destroçou. Tudo que eu sinto é dor, e, por causa do trabalho aqui, é como se fosse possível colocar as mãos nessa dor. É como olhar para um poço fundo e vazio, que dói. Sinto que nunca vai ser preenchido.

A liberação desses sentimentos de dor, tristeza e desesperança abriu o caminho para que sentimentos mais positivos fluíssem em seu corpo. Por um tempo, ela alternou entre sentir-se viva e feliz, e depois assustada e perdida. Sally observou:

O corpo traído

Ao alongar meu corpo, tenho fortes sensações sexuais. Quando essas sensações estão ausentes, eu sinto a dor. Há uma pressão no meu estômago. Tenho uma sensação de "perda" e escuridão, como se não houvesse significado na vida. Até agora, meu corpo tem sido um instrumento para mim.

A terapia era composta por uma série de crises, e Sally saía de cada uma delas com mais força e mais contato consigo mesma. Todo movimento agressivo a aterrorizava, e ela reagia com um sentimento de desânimo e desesperança. A expressão de uma atitude negativa era especialmente assustadora. Uma de tais crises foi provocada pela simples manobra de bater no divã com os punhos estando deitada nele, e ao mesmo tempo dizer: "Não vou. Não vou. Não vou". Logo depois de se expressar dessa maneira, Sally levantou do divã de um salto e correu para um canto da sala, onde se encolheu, chorando. Seu terror foi tal que, no início, ela resistiu à minha tentativa de consolá-la, mas então permitiu que eu me sentasse ao seu lado e pusesse o braço em volta dela. Ela disse que não havia ninguém a quem recorrer em seu medo e tristeza. Desconfiava de mim tanto quanto precisava de mim.

Na sessão seguinte, Sally comentou: "Percebo que nunca me entreguei à minha mãe. Em consequência, eu fui incapaz de viver direito. Fiquei paralisada, e a vida toda foi uma espécie de espera de algo que me libertasse". O que Sally queria dizer era que passara a vida toda numa atitude de resistência velada, com medo de dizer não, incapaz de dizer sim. Essa camada negativa em sua personalidade, que era funcionalmente idêntica ao estado de contração de seus músculos, paralisava todos os movimentos agressivos. Durante essa sessão, Sally repetiu o procedimento de golpear o divã dizendo "Não vou". Dessa vez houve menos pânico, mas ela alternou entre frio e calor, conforme as ondas de sentimento a arrebatavam e recuavam.

Na semana seguinte, Sally retomou a ideia de paralisia, afirmando: "A vida toda eu me movi com inibições. Não consigo ser eu mesma. Eu me senti mais livre depois das crises em que chorei bastante, mas então chega um momento em que não consigo continuar".

Durante os dois meses seguintes, eu me concentrei no aspecto físico do problema de Sally. Apesar de ser bailarina, ela se queixava de rigidez e dor no corpo. Agora ela estava ciente de que escolhera a dança como profissão motivada pela necessidade de fazer seu corpo ganhar vida por meio do movimento. Constatei que isso é verdadeiro acerca de muitos dançarinos profissionais.

Embora a dança ajude a manter o corpo vivo, não ajuda a liberar as tensões crônicas. Agora, usando as posições e os movimentos descritos anteriormente, ela alongava o corpo, respirava e se movia. Sua tolerância às sensações do corpo era muito limitada. Sally entrava em pânico se surgissem movimentos involuntários. Muitas vezes, ela se retirava, assustada, e queria ir embora. Eu a detinha com cuidado, e ela permitia que eu a conduzisse de volta. No fim de cada sessão, eu conseguia ver, pelo abrandamento do contorno de seu corpo, pelo brilho em sua pele e pela expressão em seus olhos, que ela se sentia melhor, mais viva e mais em contato consigo mesma. A melhora, no entanto, não durava até a sessão seguinte, uma semana depois; mas a cada vez era mais fácil recobrar o sentimento.

Várias semanas depois, percebi que Sally estava começando a descongelar. Ela chegou parecendo triste e se queixou de uma sensação de congestão no peito, que, até então, tinha sido uma área "morta", sem sentimento. Também mencionou um sentimento de plenitude e dor na pelve. Enquanto conversávamos, ela começou a chorar profundamente. "Eu nunca fui criança", falou. "Precisei ser adulta para fugir da minha mãe". Nós não fizemos trabalho físico durante essa sessão, e Sally se deixou envolver pela tristeza. Durante seu choro, ela observou que estava ciente de uma sensação no fundo da vagina. Comentou que tinha a sensação de que um botão dentro dela poderia desabrochar como uma flor. Todo indivíduo esquizoide carrega no corpo um bebê perdido que ele esconde de si mesmo e protege do mundo. O dilema do indivíduo esquizoide é que ele não ousa aceitar o bebê dentro de si e, consequentemente, não pode aceitar a realidade de seu corpo ou do mundo.

A supressão do bebê impede a busca e o toque espontâneos que caracterizam a reação de um bebê a um objeto de amor. Sally admitia temer qualquer contato físico comigo. Ela não ousava esticar as mãos para me tocar. Quando eu a incentivei a fazer isso, seus movimentos foram hesitantes e desajeitados. Quando fiz menção de tocá-la, ela se encolheu. Só consegui confortá-la quando, sob o estresse do medo e da ansiedade, ela regrediu para a posição de uma criança indefesa e assustada.

Quando Sally finalmente aceitou o bebê dentro de si, conseguiu começar a estender o braço e a me tocar. Dessa vez, em vez da rejeição que vivenciou quando bebê, ela encontrou uma reação positiva de sua "mãe substituta", o terapeuta. Pouco a pouco, aprendeu que podia exigir coisas da vida, e a fixação que detivera seu crescimento emocional começou a se dissolver.

O corpo traído

Depois das férias, a terapia foi retomada na tentativa de mobilizar sentimentos agressivos mais fortes na paciente. Notei que a região de seu maxilar havia relaxado consideravelmente. Às vezes, ainda parecia estar dura e rígida, mas em outras mostrava-se mais relaxada. Sally comentou que tinha medo de fazer cara de raiva, pois assim se pareceria com a mãe – cheia de ódio e malícia. Esta foi a primeira sessão em que ela se permitiu gritar enquanto estava deitada golpeando o divã. Ela gritou: "Não vou" e então comentou sobre sua ação: "Está bom, mas ainda não é real".

Na sessão seguinte, ela falou sobre sentir uma falta de realidade em seu comportamento. Expressou a ideia de que era especial, de que não era parte do mundo das pessoas. Seus relacionamentos, afirmou, eram uma máscara para esconder o fato da não existência, da solidão. Isso a levou a falar do pai. Ela narrou uma cena em que ele jazia moribundo numa tenda de oxigênio. Ela ficara petrificada ao lado dele, incapaz de tocá-lo ou de lhe dizer qualquer coisa. Não houve lágrimas em seus olhos quando ela relatou esse incidente. Sally sentia que não era capaz de tocar a vida e que a vida não a tocava.

Para ajudar a paciente a obter uma sensação de poder com ações agressivas, propus que ela, em pé, golpeasse o divã com uma raquete de tênis. Sua reação à minha sugestão foi surpreendente. Sally pegou a raquete com cuidado, ensaiou um gesto de acertar o divã com ela e então a soltou de maneira abrupta, como se fosse uma arma carregada ou uma cobra viva. Ela começou a tremer e a pular por toda a sala. Passaram-se vários minutos antes que ela fosse capaz de pegar a raquete novamente. Ela desferiu outro golpe, soltou a raquete e saiu pulando, agitando os braços como um pássaro.

Durante várias sessões, Sally usou a raquete repetidas vezes para golpear o divã. A cada vez, ela conseguia bater de maneira mais eficaz e ficava menos assustada. Em várias ocasiões, depois de desferir alguns golpes, soltava a raquete, se afastava e começava a chorar. Ela estava lutando contra seu medo de violência. Algum tempo depois, eu lhe pedi que verbalizasse uma expressão de raiva – como "Droga!" ou "Eu te odeio!" – enquanto batia no divã. Ela não conseguiu dizer nada. Sua expressão enquanto usava a raquete era de susto, olhos e boca arregalados; ela não dizia uma palavra. Observando-a, eu me dei conta de mais um motivo pelo qual Sally virara bailarina. Ela ficava tão assustada em situações emocionais que as palavras não vinham, e ela contava com os movimentos corporais para expressar seus sentimentos. Mais tarde, à medida que ganhava cada vez mais força e coragem com a terapia,

Alexander Lowen

ela passou a golpear o divã com certa veemência e a falar, repetidas vezes: "Estúpida! Sua estúpida!" Ela sentia que se dirigia à mãe. Estava devolvendo os castigos que sofrera da mãe quando criança.

O problema de Sally com a expressão de raiva levou tempo considerável para ser superado. Depois que ela foi capaz de expressar certa raiva na sessão de terapia, ainda enfrentou a necessidade de permitir que essa raiva fosse expressada em situações da vida real. Isso era mais difícil. Quando ela não conseguia, o resultado era um retrocesso. Um dia, ela relatou o seguinte incidente:

> Aconteceu uma coisa comigo na minha aula teórica. A professora me fez uma observação do tipo "Volte para o seu lugar". Fiquei com muita raiva. Pensei: "Que audácia!" Senti que fiquei quente de raiva, como o clarão de raios dentro de mim, mas não deixei transparecer. Senti meu corpo se contrair e meus músculos ficarem muito tensos. Então fiquei anestesiada. Desde então, todas as minhas ansiedades neuróticas voltaram, e toda a minha tranquilidade se foi.
>
> A raiva parecia nadar dentro de mim, como um peixe que não conseguia sair. Então congelou – ficou como que presa no gelo. Fica presa porque sou muito racional. Por que alguém sempre tem de me dizer o que eu sinto? Por que eu não consigo sentir o que há dentro de mim?

Depois disso, a terapia progrediu rapidamente por algumas semanas. Sally continuou a melhorar e sua vida pessoal ficou mais tranquila. A cada sessão, passávamos por todas as posições dos exercícios, e ela usava a raquete de tênis com regularidade. Ela conseguia expressar sua raiva com relação à mãe. Golpeava o divã continuamente e com raiva, chamando a mãe de "estúpida, estúpida, estúpida!" Sua respiração era perceptivelmente mais profunda. "Sabe", disse, "eu não sou tão fria como costumava ser. Antes, eu sempre usava um edredom de penas de ganso no inverno; agora, tudo que eu preciso é de um cobertor leve. Minhas mãos também estão mais quentes, mas meus pés continuam uma bagunça".

A terapia tem seus altos e baixos. Depois de liberar sua agressividade, Sally experimentou uma exaustão que a assustou muitíssimo. Ela não sabia como seguir em frente, e a ideia de que talvez não fosse capaz de continuar a aterrorizava. Sally sentia que ficaria louca de tanta preocupação.

O corpo traído

Foi seu corpo que a salvou. Sua necessidade de sono foi mais forte que o tormento de sua mente. No sono, ela encontrou a resposta para sua ansiedade. Quando já não conseguia continuar, encontrou renovação no sono.

Todos os pacientes esquizoides passam por uma fase de exaustão profunda em seu caminho para a recuperação. Depois de haver se mantido tensos por muitos anos, eles experimentam como um alívio o ato de se soltar, e isso traz à consciência o cansaço e a fadiga que antes foram bloqueados da percepção. A sensação de exaustão representa um contato mais pleno com o corpo. Eu a considero um sinal de que o corpo é capaz de afirmar suas necessidades contra o ego neurótico. Se o paciente se entrega a essa sensação de exaustão, cessa toda atividade compulsiva e, desse modo, diminui seu sentimento de desespero. Essa sensação de exaustão pode durar semanas ou até mesmo meses. Com ela, a pessoa aprende que é capaz de sobreviver muito bem sem suas compulsões.

A ênfase, neste relato, no uso de uma raquete de tênis para trazer à tona o sentimento de raiva não deve ser tomada como uma sugestão de que outros meios ou formas de expressão não sejam importantes. A abordagem deve ser total, e a terapia física precisa envolver o corpo inteiro. Outro incidente desse caso ilustrará mais um procedimento.

Algum tempo depois de voltar da Europa, Sally comentou: "Nos últimos dois meses, sonhei várias vezes que meus dentes caíam no momento em que eu tentava morder com eles". Tal sonho deve ser interpretado como significando que a paciente tem medo de morder, de modo literal e figurado. A incapacidade de Sally para dar uma "boa mordida nas coisas" ou "cravar os dentes" na vida descrevia sua dificuldade. Mas o sonho também tinha um significado literal. Seu queixo era tão tenso que ela não conseguia abrir totalmente a boca. Os movimentos do queixo para a frente e para trás eram muito limitados. Para enfrentar essa situação, Sally fez um exercício em que projetava o queixo para frente, mostrava os dentes, e tentava grunhir ou rosnar. Isso era difícil para ela, e o gesto era feito sem nenhum sentimento. Com o tempo, no entanto, ela começou a gostar dessa atividade e tornou-se capaz de soltar um rugido ou rosnado que parecia real. Para ajudá-la a sentir seus dentes e ganhar confiança neles, eu a fiz morder a ponta de uma toalha enquanto estava deitada no divã. Segurando a outra ponta, ergui sua cabeça e seu torso enquanto ela arqueava as costas. Seu peso era sustentado por seus pés, abaixo, e por seus dentes, acima. No início, ela ficou assustada com esse

Alexander Lowen

exercício, mas conseguiu mantê-lo por mais de um minuto. A experiência fez que sentisse os dentes vivos, e lhe deu uma sensação de força e segurança tanto nos dentes como no maxilar.

Antes de encerrar essa história, gostaria de ressaltar que os sentimentos que o paciente expressa na terapia são relativos. Em contraste com sua falta de sentimento anterior, a experiência de prazer em seu corpo parece o paraíso. Porém, o que no início se mostra como um grande sentimento talvez não pareça tão satisfatório à medida que a terapia avança e o paciente passa a exigir mais da vida. Para o homem que acabou de sair da prisão, a liberdade é tudo. Logo, no entanto, ele desejará mais: um lugar para ficar, alguém com quem partilhar a cama, um modo de ganhar a vida etc. O progresso de Sally deve ser visto nessa perspectiva. A terapia inicia um processo contínuo de crescimento.

Para recuperar o corpo, sua dor precisa ser substituída pelo prazer e sua desesperança, por sentimentos positivos. No entanto, para o paciente esquizoide, o caminho para o prazer passa pela dor, o caminho para a alegria passa pela desesperança – dito de outra forma, o caminho para o céu passa pelo inferno. O indivíduo esquizoide, cuja vida vinha sendo levada no limbo, vazia e sem sentido, realiza essa odisseia porque ela promete esperança. Para além do corpo, a vida é uma ilusão. No corpo, a pessoa encontra dor, tristeza, ansiedade e terror, mas estes ao menos são sentimentos reais, que podem ser vivenciados e expressados. A capacidade de sentir dor é também a capacidade de sentir prazer. Entregar-se ao cansaço é encontrar a paz do descanso. Ser desprovido de sentimento é existir num vácuo, frio e sem vida. Ninguém sabe isso melhor do que a pessoa esquizoide, mas ela esqueceu o caminho de volta para o seu corpo. Ao encontrar o caminho de volta, o paciente recuperará o corpo abandonado com todo o fervor da criança perdida que encontra a mãe amorosa.

13. A conquista da identidade

O sentimento de identidade não está presente no nascimento. O indivíduo desenvolve sua identidade à medida que seu ego cresce e amadurece. Para a maioria dos pacientes, portanto, o problema não é recuperar uma identidade perdida, visto que eles nunca tiveram uma identidade real, e sim adquirir um senso de identidade por meio do desenvolvimento de um ego estável e saudável.

O sentimento de identidade se baseia na consciência do desejo, no reconhecimento da necessidade e na percepção da sensação corporal. Quando um paciente diz: "Eu não sei quem sou", na verdade está dizendo: "Eu não sei o que sinto, o que quero ou o que necessito". Ele sabe que precisa de ajuda, mas, para além disso, sua autoconsciência é limitada e sua identidade, vaga. Ele não tem consciência de que está triste ou com raiva, de que seu corpo é constrito por tensões musculares, de que é incapaz de amar e de sentir prazer. Vagamente, em algum nível profundo da consciência, ele talvez reconheça esses fatos, mas é incapaz de afirmá-los como experiências pessoais.

O sentimento de identidade é incipiente no primeiro choro do bebê ao nascer. Por meio desse choro, o bebê afirma seu primeiro sentimento e seu primeiro desejo/necessidade. O sentimento é de desconforto; o desejo/necessidade é estar junto do corpo da mãe. Se o bebê imediatamente for colocado no seio e amamentado, o choro cessa, o que nos diz que o desconforto terminou e que a necessidade foi atendida. O choro é uma afirmação da existência e da identidade do bebê como ser senciente. Porém, a criança não está ciente disso, visto que as funções de percepção, consciência e reconhecimento ainda não se desenvolveram. Conforme o bebê cresce, tais funções vão sendo ativadas. Com a maturidade cada vez maior, as sensações corporais tornam-se mais intensas; as necessidades e os desejos, mais abrangentes; a consciência, mais aguçada; e a expressão de sentimento, mais específica. A criança desenvolve um sentimento de identidade.

Alexander Lowen

O ego se desenvolve por meio da percepção e da integração da sensação corporal, por um lado, e da expressão de sentimento, por outro. Se a criança tiver a expressão de sentimento inibida ou for levada a sentir vergonha de suas sensações corporais, seu ego não amadurecerá. Se ela for impedida de avaliar a si mesma, de explorar suas forças e fraquezas, seu ego terá um apoio precário na realidade e sua identidade se mostrará nebulosa. Se, além de tudo, ela for doutrinada quanto ao que "deve" e "não deve" ser, a fim de corresponder a uma imagem dos pais, seu ego será tortuoso e sua identidade, confusa. Tal criança subverterá seu corpo e manipulará o ambiente para manter a imagem. Ela adotará um papel baseado nessa imagem e igualará sua identidade a esse papel.

A identidade baseada num papel se desintegra quando este desmorona sob a pressão das situações da vida real. Aquele que interpreta um papel está atuando, e requer uma plateia receptiva para que a atuação lhe traga satisfação. A plateia original era constituída da mãe e do pai, que fomentaram o papel e incentivaram a atuação. Na vida adulta, o indivíduo busca outra pessoa que seja atraída pela imagem projetada e reaja ao papel. Mas uma plateia formada por uma só pessoa, que é sempre a mesma, logo perde a capacidade de estimular, e uma atuação repetida constantemente torna-se tediosa. As duas partes finalmente ficam entediadas com tal relacionamento e se separam: o ator para encontrar uma nova plateia, e a plateia para encontrar um novo ator. A percepção de que algo está errado pode surgir apenas depois de várias decepções, mas em muitos indivíduos há um sentimento subjacente de vazio e desesperança. Particularmente na intimidade das relações sexuais, a interpretação do papel torna-se uma farsa, mas o indivíduo que o interpreta não conhece outro modo de ser.

O papel cria uma distorção na autopercepção. A pessoa confinada a um papel vê a si própria e a todas as situações com referência ao papel. A interpretação do papel influencia todas as percepções e limita todas as respostas. Constitui o principal obstáculo à recuperação da identidade, uma vez que a interpretação do papel costuma ser inconsciente.

O paciente que carece de uma identidade não tem consciência de que interpreta um papel. Na maioria dos casos, ele nem sequer tem consciência de sua falta de identidade; suas queixas de tormento e fracasso derivam de um sentimento de frustração na interpretação de seu papel. Tendo adotado um papel para agradar aos pais, ele não consegue entender por que o resto do

O corpo traído

mundo não fica igualmente satisfeito com seu comportamento. Ele vai ao psiquiatra para descobrir como melhorar sua atuação.

O papel que um paciente adota quando criança se torna parte da estrutura de seu caráter. Manifesta-se em sua maneira de falar, sua postura, seus gestos, suas expressões e seus movimentos. É visível em sua atitude corporal, se esta for interpretada corretamente. Isso, no entanto, o paciente não consegue fazer, visto que ele não percebe o padrão de rigidez em seu corpo. Ele não presta atenção a seu corpo. Para desmascarar o papel, é necessário analisar a estrutura de seu caráter como um todo.

A terapia envolve um confronto entre o paciente e o terapeuta. Nesse confronto, o paciente tomará conhecimento de sua transferência, isto é, de que ele vê a "outra pessoa" como a imagem de seu pai ou de sua mãe. Ele descobrirá que as raízes dessa transferência estão em sua necessidade de aprovação e em seu medo de se afirmar. Perceberá que se sente culpado quanto a seus sentimentos sexuais e é inibido na expressão de sentimentos negativos. Se conseguir aceitar esses sentimentos, será capaz de recuperar seu corpo e sua identidade.

DESMASCARANDO O PAPEL

Mary, a mulher-menina cujo caso abordei no Capítulo 5, interpretava o papel da "bonequinha". Quando iniciou a terapia, ela estava consultando um especialista por causa de um problema no seio, e disse que ele a tratou massageando-o. Ela o descreveu como um homem mais velho e contou que ficou perturbada com o tratamento – não tanto pelo que ele fez, mas pelo modo como ele a tocou. Ela sentiu que seu toque era muito acariciador.

Podemos presumir que a percepção de Mary quanto ao sentimento do médico para com ela foi legítima? A mulher-menina, ou "personalidade de Lolita", tem um intenso fascínio por certos homens, que se sentem inseguros e deslocados diante de uma mulher sexualmente madura. Pode-se inclusive levantar a hipótese de que a personalidade de Mary tinha a função inconsciente de excitar esses homens. Sua submissão passiva ao tratamento do especialista corrobora essa ideia; sua impotência pode ser vista tanto como uma defesa contra seus sentimentos sexuais quanto como uma tentação para os homens. Que Mary considerava tentadora sua personalidade especial de mulher-menina é algo que ficou claro; numa das sessões, ela reclamou que um homem por quem estava interessada não deu em cima dela enquanto os dois

Alexander Lowen

estiveram a sós. "Ele não devia ser muito homem", ela comentou com desprezo, porque não retribuiu suas investidas.

A personalidade da mulher-menina permite que a mulher entre numa situação sexual e desfrute de sua excitação sem assumir a responsabilidade por seus atos. Ela seduz um homem com o sentimento de uma criança, isto é, predomina nela o desejo de afeição e calor. Se ela é seduzida, submete-se a uma figura paterna que, segundo acredita, tomará conta dela e a protegerá. Em ambas as situações, o sentimento de culpa pelo desejo sexual subjacente é evitado. O aspecto infantil numa mulher é resultado da repressão de sentimentos sexuais na situação edipiana. Deve ser interpretado como uma defesa contra o perigo de envolvimento sexual com o pai.

Essa personalidade feminina coloca o homem num dilema. Se ele a trata como criança, reforça suas justificativas para se defender e confirma sua imaturidade. Se a trata como mulher, negligencia suas necessidades infantis de compreensão e apoio. É impossível reagir a ela como a uma criança que necessita de apoio e, ao mesmo tempo, como a uma parceira sexual em situação de igualdade. Minha paciente se queixava, por exemplo, de que o marido não fazia sexo com ela com frequência suficiente, e que em outros momentos ele era insensível à sua necessidade de ser abraçada. Uma vez que, faça o que fizer, o homem será incapaz de satisfazer a essa mulher-criança, o efeito desse vínculo é fazer que ele se sinta culpado e responsável por sua infelicidade.

Para desmascarar o papel, a aparência física do paciente deve ser interpretada como uma faceta de sua personalidade. A imaturidade do corpo de Mary a fazia parecer muito inocente e ingênua, mas, em suas conversas comigo, ela revelou uma compreensão sofisticada do sexo e da vida. Quando a aparência física de um paciente apresenta um retrato exagerado, quase sempre encobre a atitude oposta. Aprendemos a esperar encontrar tristeza sob a máscara do palhaço, medo sob a força aparente do valentão e fúria sob a fachada da racionalidade. A expressão assustada ou enlouquecida no olhar, a posição determinada do queixo e a rigidez física do corpo deixam transparecer a insegurança que é associada com a interpretação de um papel.

Embora estivesse ciente da impotência e dos temores óbvios de Mary, eu também percebia sua tentativa inconsciente de usar o sexo como armadilha. Meu conhecimento do papel que ela interpretava a convenceu de que eu não poderia ser seduzido a me envolver numa relação que se mostraria desastrosa para a terapia. Desse modo, fui capaz de analisar os aspectos contraditórios

O corpo traído

de sua personalidade. Como criança, ela se sentia inferior e indefesa, mas, como mulher, considerava-se superior e controladora. Sua impotência e infantilidade podiam ser interpretadas como um recurso para humilhar o homem. Se ela o seduzia, podia desprezá-lo. Ele não devia ser muito homem se respondesse sexualmente à criança em sua personalidade. Com essa manobra, o homem era reduzido a uma imagem de seu pai, que era completamente dominado por sua mãe.

Mary e sua mãe conquistaram a mesma dominação sobre o homem usando abordagens totalmente opostas. A mãe controlava o marido por meio de sua agressão enérgica; a filha tornava o seu impotente por meio de sua passividade e seu desamparo. Ambos os lares eram dominados pela mulher. Pode-se dizer que mãe e filha eram uma só, em que cada uma era um aspecto da outra. A passividade de Mary contrastava com a agressividade da mãe; a impotência de Mary, com a força da mãe; a pequenez de Mary, com a grandeza da mãe; e a feminilidade de Mary, com a masculinidade da mãe. Era como se a personalidade da mãe fosse dividida, sendo que o componente feminino e passivo era projetado na filha como uma qualidade inferior, ao passo que o componente masculino e agressivo era retido pela mãe. Psicologicamente, mãe e filha completavam uma à outra, e juntas formavam uma unidade demoníaca. Essa identificação inconsciente entre mãe e filha explicava o sentimento de Mary de ser ligada à mãe por um cordão umbilical.

Mary e a mãe tinham uma relação simbiótica em que uma dependia da outra. Elas sempre se telefonavam e, por mais que Mary se ressentisse dos comentários e das críticas da mãe, sentia-se incapaz de evitá-los. Ela tinha medo da mãe, mas não queria magoá-la. Sentia que a mãe a vivia à custa dela e através dela.

Nessas relações simbióticas, quando uma mãe é dominante e agressiva, o filho é reduzido a uma posição passiva e submissa. Sua independência é negada, sua motilidade é restrita e sua segurança é minada. Suas pernas enfraquecem e sua respiração se reduz. A mãe se recusa a libertar a criança, a quem, inconscientemente, considera parte de seu ser. Gisela Pankow comenta que "ela [a criança esquizoide] não consegue vir à terra para nascer porque o vínculo entre mãe e filha nunca foi cortado"[72].

Para abrir mão do papel, Mary precisava tomar consciência de sua identificação com a mãe e do que isso significava. Eu lhe perguntei se ela percebia que em alguns aspectos ela se parecia com a mãe, a quem conscientemente rejeitava. Mary admitiu que se aliara à mãe contra os homens, mas também reconheceu sua submissão à progenitora. A combinação de identificação e submissão a forçava ao papel de "bonequinha". Esse papel lhe oferecia uma solução para seus relacionamentos complexos tanto com a mãe como com o pai – pois, como veremos, também foi incentivado por seu pai.

O papel de Mary lhe era útil de três maneiras: 1) O papel de "bonequinha" representava uma atitude sexual passiva que contrastava com a agressividade sexual não feminina de sua mãe. Desse modo, Mary repudiava a mãe. 2) Ao ser uma "bonequinha" em vez de uma pessoa sexuada, Mary também expressava seu desprezo pelos homens, o que a aliava à mãe. 3) O papel de "bonequinha" também derivava da relação homossexual inconsciente entre mãe e filha, da qual Mary participava de maneira submissa como o brinquedo da mãe.

A identificação subjacente com a mãe é revelada na seguinte afirmação:

Há momentos em que sinto que sou a minha mãe. Na noite passada, quando estava indo me deitar, meu rosto tinha a mesma expressão que o dela. Quando está em repouso, seu rosto é feio, comum, vulgar; sua boca é arqueada para baixo. Eu sinto, às vezes, que se não for cuidadosa, se me deixar levar, meu rosto vai acabar ficando feio como o dela.

Ela parece cheia de ódio quando está desatenta. Seus olhos ficam como gelo. Ela é um tigre – um tigre devorador de homens.

Mary se identificava com a mãe, mas tinha medo dela. Com relação a si mesma, ela via a mãe como um gato com garras; com relação aos homens, ela a via como um tigre capaz de devorá-los. Para evitar o "gato", Mary recorreu ao pai em busca de compreensão e amor. Mas o pai de Mary era um homem passivo que tinha medo de se afirmar diante da esposa. Desse modo, ele não era capaz de proteger a filha, nem de encorajá-la a adotar uma atitude mais independente. Em sua fraqueza, estava vulnerável à tentação sexual da menina, e então a beijava com a boca aberta e acariciava seu corpo na crença equivocada de que aquilo era amor. Mary não conseguia rejeitar essa expressão pervertida de sentimento paterno, pois era preferível às garras da mãe. Sentia pena do pai e se identificava com ele, visto que ambos eram tiranizados pela mãe. Sendo uma "bonequinha", Mary não ameaçava sua masculinidade e, nesse papel, podia obter certo grau de contato corporal e afeto.

O corpo traído

Mary explorou essa relação, como posteriormente viria a explorar todas as relações com os homens.

Quem era Mary? Ela era a sedutora e a seduzida, a vítima e a vitimadora. Como + 1 e – 1, sua identidade somava zero. Uma metade de sua personalidade se identificava com a agressividade da mãe, ao passo que a outra se identificava com a passividade do pai. Tudo que Mary podia reivindicar como próprio era uma repugnância ao corpo e uma resistência à vida. Em seu desespero, ela vivia na ilusão de que alguém responderia à boneca sem explorá-la. A única pessoa capaz de reagir a ela dessa maneira seria um terapeuta.

Quando essa análise do papel interpretado por ela foi concluída, percebi que Mary passou a me olhar de modo diferente. Havia uma expressão de afeto em seus olhos. Até esse momento, ela havia me considerado o tio na peça *Antígona*, de Sófocles, que exigia que ela aceitasse uma realidade intolerável.

A realidade que Mary considerava intolerável era a necessidade de uma existência independente. Como "bonequinha", ela seria apoiada e explorada, e embora se ressentisse da exploração não estava preparada para abrir mão do apoio. Por meio da análise de seu papel, Mary percebeu que não poderia ter uma coisa sem a outra. Para se livrar do perigo de exploração, ela precisava se virar sozinha, assumir a responsabilidade por sua vida e encontrar prazer e satisfação nas funções de seu corpo. Precisava descobrir sua identidade, o que significa que teria de recuperar seus sentimentos e adquirir a capacidade de expressá-los.

No processo de desmascarar o papel, o paciente primeiro toma conhecimento de como distorce a percepção que tem de outras pessoas, transformando-as nas imagens de sua mãe e seu pai – como, de fato, ele distorce a realidade. Em segundo lugar, torna-se ciente de seus sentimentos negativos, que antes eram projetados em outras pessoas (terapeuta, marido, filhos etc.). Em terceiro lugar, percebe uma atitude contestadora que o aparta e o força ao isolamento. Por fim, o paciente sente o que significa viver por si mesmo, conhecer seus sentimentos e ser capaz de expressá-los. Cada passo desse processo envolve uma interação com o terapeuta, que, por sua vez, é um objeto de manipulação, uma razão para a negatividade, um motivo de contestação e, finalmente, outro ser humano – que o paciente é capaz de aceitar e respeitar agora que aceita e respeita a si mesmo.

O papel é um padrão de comportamento estabelecido, desenvolvido ao longo da infância, no decurso da adaptação da criança à situação familiar. É produto da interação entre a personalidade e as necessidades da criança, por um lado, e a personalidade e as exigências dos pais, por outro. Quando os pais insistem que o filho seja ou se comporte de certa maneira, estão determinando seu futuro papel na vida. No entanto, mais importantes na determinação do papel são as atitudes e expectativas inconscientes dos pais, transmitidas à criança por meio do olhar, do toque, do gesto e do estado de ânimo. Em geral, o papel está muito bem definido quando a criança chega aos 7 anos de idade.

Considerando que cada criança é diferente, e que não existem duas situações familiares idênticas, o papel se torna o modo de existência particular e único da pessoa desesperada. A criança que tem a sorte de crescer com a liberdade de viver por si mesma e a segurança de que seus desejos e necessidades serão satisfeitos com generosidade não desenvolve um papel. O papel representa o melhor ajuste possível que uma criança pode fazer a uma situação familiar hostil ou ambivalente.

Durante esse ajuste, a criança forma as identificações com seus pais que moldam sua personalidade. Uma identificação inconsciente não permite alternativa de resposta. As crianças são imitadores naturais, e copiarão espontaneamente o comportamento e as atitudes dos pais. Imitação descreve um processo natural, ao passo que identificação se refere ao um fenômeno patológico. A criança que imita expande sua personalidade, aprendendo por meio do ato de copiar. A criança que se identifica limita sua possibilidade, restringindo suas reações possíveis.

A identificação é um processo inconsciente. Wilhelm Reich demonstrou que a principal identificação é sempre com o mais ameaçador dos pais.[73] Diz o ditado que só se pode lutar contra o diabo usando as armas dele. Mas, quando adotamos a tática do inimigo, tornamo-nos iguais a ele. Quem quer que use as armas do diabo torna-se um diabo. A identificação ocorre quando a criança incorpora em seu sentimento e pensamento uma atitude dos pais a fim de lidar com a hostilidade subjacente em tal atitude. Nesse processo, a atitude torna-se parte de sua personalidade. Enquanto a identificação permanecer inconsciente, nem a criança nem o adulto têm escolha em sua maneira de reagir às situações. Na medida de suas identificações, a criança é sua mãe ou seu pai, muitas vezes ambos, e se comporta como eles o fariam.

O corpo traído

Em linhas gerais, os papéis que as pessoas interpretam podem ser classificados como dominadores ou submissos. Em toda relação neurótica, um indivíduo assume o papel dominador, ao passo que o outro adota um papel submisso. Aqueles que interpretam papéis precisam encontrar um par apropriado para construir uma relação viável. Por exemplo, uma mulher com tendências masculinas agressivas se unirá a um homem com tendências femininas passivas. Do mesmo modo, um homem que afirma ser um herói está inconscientemente à procura de alguém que o venere. Tais relacionamentos quase nunca dão certo, visto que por trás dos papéis há pessoas reais cujas necessidades reais não são satisfeitas por meio da interpretação do papel. Aquele que assume o papel submisso se ressente de ser submisso, ao passo que o indivíduo no papel dominador constantemente se sente frustrado. A dominação não tem sentido se a outra pessoa é submissa.

Toda interpretação de papel envolve exploração e apoio mútuos. A mulher agressiva e masculina que domina o lar encontra apoio para seu ego inseguro na aquiescência passiva do marido. O marido passivo obtém o apoio da esposa agressiva ao tomar decisões e lidar com o mundo. Ela explora a fraqueza do marido reduzindo a masculinidade dele para explicar seu fracasso como mulher. Do mesmo modo, ao ser submisso, o marido pode culpar a hostilidade da esposa por sua fraqueza. Por trás de toda interpretação de papel está o medo de se afirmar e a culpa por sentimentos sexuais negativos.

AUTOAFIRMAÇÃO

Um sentimento consciente de *self*, ou identidade, surge quando a expressão do sentimento passa a ser dirigida pelo ego. O comportamento adquire características volitivas. A criança está ciente do que está fazendo e tem alguma ideia de como seu comportamento afeta os outros. Suas ações ou falas já não são puramente fenômenos de descarga que liberam tensão; agora, servem também como meio de comunicação. Nesse momento, podemos falar de autoafirmação. Isso significa que um sentimento de *self* surgiu na consciência, ou, como afirma R. A. Spitz, que o sujeito tem consciência de si próprio como "uma entidade atuante e senciente"[74]. De acordo com Spitz, isso ocorre pela primeira vez por volta dos 18 meses de idade.

O comportamento específico que indica que esse desenvolvimento ocorreu é a expressão do "não", seja pela palavra ou pelo gesto de balançar a cabeça. Spitz escreve: "A aquisição do 'não' é o indicador de um novo nível de autonomia, da consciência do 'outro' e da consciência do *self*"[75]. A expressão do "sim", por gesto ou por palavra, desenvolve-se posteriormente. Antes disso, a criança é capaz de indicar aceitação ou recusa usando movimentos corporais. Pode abrir a boca para receber a comida que a mãe oferece ou virar o rosto em sinal de rejeição. Mas esse comportamento é semiautomático; não é resultado de um julgamento que é comunicado aos pais. Ao dizer "não" ou "sim", a criança substitui a ação direta pela comunicação e, nesse processo, percebe a si mesma como um agente ativo e capaz de fazer escolhas.

O conceito de "não" abarca a ideia de oposição, além de rejeição. A recusa da criança à comida não é dirigida contra a mãe, e sim contra o objeto, ao passo que a expressão do "não" é uma comunicação dirigida pessoalmente. O "não" opõe a criança a seus pais e, desse modo, a distingue como força autônoma. Ciente da vontade dos pais, ela também está ciente de sua rejeição a essa vontade.

A descoberta do *self* por meio da oposição intriga a criança. Ela explora essa nova via de autoexpressão, dizendo "não" mesmo quando lhe é oferecido um objeto que ela deseja. Lembro-me de um incidente que ocorreu quando meu filho tinha cerca de 2 anos. Eu lhe ofereci um biscoito do tipo que ele gostava, mas ele balançou a cabeça em sinal de recusa antes mesmo de ver o que era. Quando reconheceu o biscoito, estendeu a mão para pegá-lo. Uma paciente me contou uma história interessante a esse respeito. Ela disse que se lembrava de como tomara consciência de si como personalidade independente. Em resposta a uma pergunta dos pais, ela deliberadamente lhes contou uma mentira. Ao dizer a mentira, percebeu que não precisava dizer a verdade, e se deu conta de que podia escolher como responder. Isso me levou a me perguntar se as crianças às vezes mentem deliberadamente para testar e afirmar o sentimento de *self*.

A afirmação do negativo é condicionada à expressão prévia de atitudes afirmativas. Antes do desenvolvimento do conceito de "não" na mente de uma criança, seu comportamento pode ser visto como uma expressão do afirmativo. Buscar o prazer e evitar a dor são reações instintivas, e, como afirma Spitz, "a afirmação é o atributo essencial do instinto"[76]. O negativo, pelo contrário, é um atributo do ego e surge por meio da percepção da oposição. Assim como o ego obtém sua força do corpo, a expressão do "não" retira sua força da realização anterior de desejos e necessidades.

O corpo traído

A experiência clínica mostra que aquele que não sabe o que quer é incapaz de dizer "não". Quando diz a palavra, esta é expressa sem convicção e carece de um tom de determinação. A explicação lógica para isso é que o negativo não tem sentido sem algum sentimento de afirmação. Na maioria dos sistemas lógicos, o negativo surge em oposição a uma afirmação precedente. A explicação psicológica é que o *self* se apoia na percepção do sentimento; quando o sentimento desaparece, portanto, a base para a autoafirmação se perde e a expressão do "não" perde força. O *self* é como uma montanha cuja base está encoberta por nuvens, enquanto seu único pico está visível para nos lembrar de sua existência. Do mesmo modo, o *self* consciente é o pico de uma estrutura psicológica cuja base se apoia no corpo e em suas sensações.

De modo geral, a autoafirmação assume duas formas: a busca consciente daquilo que se quer ou a rejeição consciente daquilo que não se quer. A expressão desses impulsos pode se dar por meio de palavras ou de atos. Ambas as formas de autoafirmação e ambas as modalidades de expressão estão bloqueadas no indivíduo esquizoide. Sua doença limita sua capacidade de fazer demandas e expressar sua resistência às demandas de outros. Ao deparar com essa dificuldade, ele pode se afastar dos relacionamentos; ou, se os tiver, comporta-se de modo submisso e rebelde ao mesmo tempo.

O afastamento esquizoide denota uma negação muda; a rigidez esquizoide, uma resistência muda. Com efeito, o esquizoide está dizendo: "Eu não vou me relacionar". Mas ele não tem consciência dessa atitude, porque não tem consciência de seu corpo. Nessa situação, qualquer tentativa de obter uma expressão afirmativa fracassará. Na terapia, a abordagem ao afirmativo se dá por meio do negativo. A lógica da terapia é que se prossegue de fora para o centro, enquanto o crescimento e o desenvolvimento ocorrem no sentido oposto.

A liberação de sentimentos negativos reprimidos permite que os sentimentos positivos de desejo e afeição fluam espontaneamente. Quando o exterior congelado do corpo se derrete, o anseio por contato e calor irrompe num choro quase infantil. Muitos pacientes observam quanto esse choro se parece com o de um bebê. É a voz do bebê reprimido, enterrado sob a fachada da sofisticação e a máscara da morte.

No capítulo anterior, descrevi algumas das técnicas físicas usadas para colocar o paciente em contato com seu corpo. Essas técnicas o tornam consciente de sua rigidez muscular. Muitos dos exercícios liberam a tensão e ampliam a respiração, mas a principal tarefa de libertar o paciente de sua rigidez

Alexander Lowen

é alcançada com o uso de movimentos expressivos. Por exemplo, chutar a cama é um movimento expressivo porque chutar é protestar. Por outro lado, se isso for feito de forma mecânica, sem que haja consciência de seu significado, trata-se meramente de ginástica. Bater no divã com os punhos ou uma raquete de tênis é outro movimento expressivo. Uma série de outras atividades expressivas podem ser usadas para aumentar a capacidade de autoafirmação do paciente.

Numa delas, o paciente deita-se no divã, com a cabeça para trás e os joelhos dobrados, e o golpeia com os punhos dizendo "Não!" a cada golpe. Tanto a intensidade do som como a força do golpe indicam até que ponto o paciente é capaz de expressar um sentimento negativo. Na maioria dos casos, a voz é fraca e os golpes são hesitantes e cautelosos. Esses pacientes precisam ser incentivados a se afirmar de maneira mais enfática. Porém, mesmo sendo encorajados, é quase impossível fazer que se comprometam totalmente com a atividade. Ouvimos racionalizações do tipo "Não tenho motivo para dizer 'não'", ou "Para quem devo dizer 'não'?" Esse comportamento contrasta nitidamente com o entusiasmo que a maioria das crianças demonstra por essa atividade. Logo se descobre que esses pacientes eram incapazes de se opor a seus pais.

Às vezes, os pacientes reagem positivamente a essa atividade expressiva. Lembro-me de uma mulher de cerca de 40 anos que comentou: "Esta foi a primeira vez que fui realmente capaz de dizer 'não'. A sensação é tão boa!" Em outros casos, os pacientes espontaneamente irrompem em lágrimas com essa simples liberação. Porém, em geral, a capacidade de dizer "não" com convicção é construída por meio da repetição constante.

Muitas palavras podem ser associadas com esse movimento. "Não vou!", "Eu te odeio!" e "Por quê?" são componentes naturais desse gesto, mas há outros disponíveis. Às vezes, eu me oponho à afirmação do paciente dizendo "Você vai" e segurando seu pulso. A maioria dos pacientes fica paralisada quando isso acontece. Eles não sabem o que fazer. Mais uma vez, há o paciente ocasional que resistirá e tentará continuar a se afirmar diante de minha oposição. A resistência e o desafio são típicos de crianças que encontram prazer no confronto e na oposição quando não têm medo dos pais. A maioria dos pacientes, no entanto, tem medo de se opor à minha autoridade. Eles são submissos na terapia como são na vida, embora sua rebeldia e resistência estejam trancadas dentro de si.

O corpo traído

Se o paciente continuar a desenvolver sua capacidade de expressar abertamente sentimentos negativos, mais cedo ou mais tarde se voltará contra o terapeuta, expondo sua rebeldia. Ele se afirmará contra o terapeuta como símbolo de toda autoridade. Isso é ilustrado no caso a seguir. O paciente chegou atrasado para a sessão e comentou:

Eu tive a fantasia de que não viria. Você me perguntaria: "Por quê?", e eu diria "Vá à merda". Eu me vingaria de você.
Sinto que sou um idiota, e é tudo culpa sua. Enquanto eu aceitar seus valores, não serei capaz de pensar por mim mesmo. Para o inferno, você e tudo que você aprova.

Ao discutir esses sentimentos, o homem contou que quando se encontrava no estado esquizoide e retraído, era imaginativo. Não lhe faltavam ideias. Ele gostava de ler. Agora, sentia-se um idiota. Meus valores, tal como ele os interpretava, significavam ser másculo, ser agressivo, estar no mundo. Ele sentia que isso era pedir demais, mas também percebia que continuar no estado esquizoide se tornara intolerável. A análise posterior mostrou que ele associava inteligência, imaginação e sensibilidade com sua mãe. Meus valores, como ele os chamava, eram aspectos de seu pai, com quem jamais desenvolvera uma relação próxima.

Sob pressão, os indivíduos esquizoides costumam expressar sentimentos negativos, mas de uma forma que não promove o senso de identidade. Tornam-se histéricos e berram ou gritam todo tipo de comentário hostil. As reações histéricas devem ser distinguidas da expressão emocional. A reação histérica é como uma explosão que sobrepuja as restrições do ego, ao passo que uma emoção verdadeira é expressada com a aprovação e o apoio do ego. A emoção é uma resposta total e unificada da pessoa; a reação histérica é cindida, com o corpo atuando, enquanto o ego é impotente para estancar a inundação. As reações histéricas são comuns no estado esquizoide, mas seu efeito é aumentar a dissociação entre o ego e o corpo.

Outro movimento expressivo que é particularmente eficaz para liberar a tensão também envolve a expressão do "não". Com a cabeça para trás e os joelhos dobrados como no exemplo anterior, o paciente contrai a nuca, projeta o queixo para a frente, mostrando os dentes, e balança a cabeça de um lado a outro em movimentos bem rápidos. Durante o movimento, o paciente diz

Alexander Lowen

"não" em voz baixa ou alta. O tom da voz aumenta conforme o movimento continua, e, em alguns casos, pode chegar a um grito. Esse movimento é um exagero do gesto normal de balançar a cabeça para dizer "não", pois mobiliza o sentimento de obstinação associado com a contração da nuca. É um movimento que o paciente esquizoide tem dificuldade de executar. A tensão nos músculos na junção da cabeça e da nuca é tão forte que o movimento se torna irregular e atáxico. Sua obstinação é inconsciente e, portanto, está além do controle do ego. Com a prática constante, no entanto, as tensões na nuca são liberadas e a expressão do "não" torna-se mais vigorosa.

Balançar a cabeça em movimentos rápidos também tem o efeito de sacudir o corpo inteiro se a respiração for expelida ao mesmo tempo. Verbalizar o "não" permite que isso aconteça. Pode-se dizer que o indivíduo esquizoide precisa ser sacudido, mas é preferível que ele próprio o faça. Hans Selye, ao escrever sobre a eficácia da terapia de choque no tratamento de doenças mentais, afirma: "Ninguém sabia realmente como essas terapias de choque funcionavam [...] era como se o paciente fosse, de algum modo, 'sacudido para se livrar de sua doença', como uma criança pode ser tirada de uma birra se você subitamente jogar um copo de água fria em seu rosto"[77]. Balançar a cabeça conscientemente não tem o efeito do tratamento de choque elétrico, mas é eficaz para sacudir a rigidez muscular do indivíduo esquizoide – que, felizmente, não necessita do tratamento mais forte.

O princípio por trás desses movimentos é que a negatividade trancada em músculos espásticos pode ser liberada se os músculos tensos puderem ser ativados pelos movimentos certos. Balançar a cabeça é uma maneira de mobilizar os músculos tensos na base do crânio, e a projeção do queixo para a frente mobiliza os músculos tensos na região do maxilar. Vimos, no Capítulo 4, que o indivíduo esquizoide tem um maxilar rígido que expressa uma atitude de desafio. Ele não é conscientemente desafiador; de fato, não tem consciência da rigidez do maxilar. Ao exagerar a postura desafiadora, no entanto, torna-se consciente dessa rigidez. Pode se queixar de dor ao estirar esses músculos. E, quando o desafio é expresso abertamente, a tensão nos músculos do maxilar diminui.

O maxilar rígido e desafiador do indivíduo esquizoide impede o movimento normal de esticar a boca para sugar. Uma vez que esse é o modo primário de ir ao encontro do mundo, e o primeiro movimento agressivo que o bebê faz, a inibição dessa ação prepara a cena para a inibição de todos os outros movimentos de ir ao encontro do mundo. Um bebê ou adulto normal

O corpo traído

consegue esticar a boca totalmente e com suavidade. Quando o paciente esquizoide tenta fazer esse movimento, ele projeta o queixo para a frente junto com os lábios. Em consequência, o movimento esquizoide é um gesto ambivalente. O movimento do queixo para a frente é uma expressão de oposição (negativa), ao passo que os lábios tentam se esticar numa expressão afirmativa. Ambos os sentimentos se anulam mutuamente. A incapacidade do paciente esquizoide de esticar a boca sem projetar o queixo para a frente dramatiza como os sentimentos negativos reprimidos bloqueiam a expressão de sentimentos positivos ou afirmativos.

Outro movimento expressivo que pode ser usado para liberar a negação é o ato de bater a cabeça. Isso é feito, obviamente, contra um colchão de espuma. É o oposto de acenar com a cabeça. As crianças fazem esse gesto em estados de frustração extrema para liberar as tensões na nuca e na base do crânio. Bater a cabeça ritmicamente contra a cama agita o corpo de um indivíduo tenso. Por outro lado, não é desagradável quando se está totalmente relaxado. Sacode o corpo e torna a respiração mais profunda. Com muita frequência, produz um sentimento de náusea por seu efeito sobre o diafragma. Se o paciente conseguir vomitar, essa manobra produzirá uma liberação considerável da tensão diafragmática.

Todo movimento expressivo do corpo pode ser usado para aliviar a tensão e desenvolver a capacidade de expressão emocional. Eu enfatizei os movimentos que expressam sentimentos negativos, mas também é importante usar gestos de afirmação. Estender os braços para cima e dizer "mamãe" por vezes proporciona uma abundância de sentimentos se o paciente se permitir experimentar o gesto. Vi muitos homens chorarem ao fazer esse movimento.

A terapia é um processo de autodescoberta. Porém, acontece em relação com outra pessoa, o terapeuta, cuja interação com o paciente é comparável às primeiras experiências do paciente com seu pai e sua mãe. Os fenômenos envolvidos nessa interação são denominados transferência, resistência e contratransferência.

TRANSFERÊNCIA, RESISTÊNCIA E CONTRATRANSFERÊNCIA

O papel que um paciente interpreta torna-se a base de sua relação com o terapeuta. Esse é o significado do termo "transferência". O paciente transfere para o terapeuta os sentimentos e atitudes desenvolvidos com relação a seus pais. Ele vê o profissional como um substituto da figura materna ou paterna,

Alexander Lowen

e interpreta seu papel fielmente, com a expectativa de obter amor e aprovação e, desse modo, superar seus medos e ansiedades. Se o paciente interpreta o papel do filho bom e obediente, tentará impressionar o terapeuta com seu esforço e sinceridade. Se seu papel é o do magnata dos negócios, tentará controlar a terapia para mostrar seu poder e senso de comando. Se isso continuar, a terapia fracassará. A interpretação do papel é a principal resistência psicológica ao esforço terapêutico.

O paciente – e isso é particularmente verdadeiro acerca do esquizoide – também procura a terapia em busca da aceitação e do afeto que lhe faltaram quando criança. Ele precisa entrar em contato com o bebê dentro de si, cuja existência negou ao longo dos anos. Para obter esse contato e conquistar sua identidade, ele necessita do apoio positivo do terapeuta. Essa necessidade coloca o profissional na posição de figura materna. Quanto mais gravemente perturbado é o paciente, mais este requer o tipo de apoio do qual foi privado quando bebê. John Rosen, ao escrever sobre o papel da terapia no tratamento do esquizofrênico, afirma: "Ele deve ser a mãe idealizada que agora tem a responsabilidade de criar o paciente, tudo outra vez"[78]. A. A. Honing afirma: "Quando perguntei a cada um dos meus pacientes recuperados que papel eu desempenhei que lhes possibilitou melhorar, eles invariavelmente responderam: 'mãe'"[79].

Ser uma mãe benevolente demanda mais do que uma expressão verbal de interesse. O terapeuta deve entrar em contato com o paciente da mesma maneira que uma mãe faz com o filho, isto é, por meio do corpo. Se o terapeuta tocar o paciente com mãos ternas e afetuosas, estabelece um contato mais profundo do que o que poderia ser alcançado com palavras ou olhares. O terapeuta que presta pouca atenção às necessidades físicas do corpo do paciente (respirar e se mover) confirma a dissociação esquizoide entre corpo e mente. A solidez da abordagem analítica não deve cegar o profissional para a necessidade do paciente de apoiar sua existência em seu ser físico. O paciente deve ser encorajado a expressar seus sentimentos em atividades físicas adequadas e sob condições controladas.

A abordagem da "mãe benevolente", porém, é inadequada para resolver o dilema esquizoide. No estado esquizoide, as necessidades orais e genitais estão tão emaranhadas que o paciente se sente confuso e, muitas vezes, não tem consciência do significado de suas ações. O desejo de intimidade e contato corporal costuma mascarar um anseio por gratificação genital. Os senti-

O corpo traído

mentos genitais são, muitas vezes, desejos orais por contato deslocados. Essa confusão deriva das relações homossexuais e incestuosas que o indivíduo esquizoide vivenciou na primeira infância. Assim, a "postura materna benevolente" cria uma resistência no paciente esquizoide, que a usa para justificar o fato de sempre interpretar um papel. Em sua cabeça, uma mãe benevolente é aquela que o aceitará e o aprovará tal como ele é. Toda exigência para que o paciente encare a realidade é interpretada por ele como falta de apoio. Assim, a transferência baseada na relação entre mãe e filho torna-se uma resistência na elaboração do problema do paciente.

Pode-se objetar que o terapeuta não tem o direito de fazer "exigências" ao paciente. Certamente, ele não tem o direito de ditar ou controlar seu comportamento ou suas reações. Tal atitude justificaria a resistência do paciente à terapia. Mas negar ao terapeuta o direito de expressar uma opinião e insistir numa atitude passiva é enfraquecer a interação terapêutica. O paciente não consegue desenvolver uma identidade no vácuo. Ele precisa aprender a se afirmar contra a autoridade, com a segurança de que isso não o levará à rejeição. Deve ver o terapeuta como um ser humano para ser capaz de aceitar a própria humanidade. Precisa adquirir a capacidade de lidar com a personalidade do profissional se quiser ser capaz de lidar com outras personalidades no mundo. A interação terapêutica eficaz não acontece se o terapeuta esconder sua personalidade atrás de um papel.

O terapeuta reage às necessidades do paciente. Ele acalma o ansioso, tranquiliza o amedrontado e apoia o hesitante. Pode-se dizer que, em sua capacidade de oferecer apoio, ele age como uma mãe. No entanto, ele não tem o sentimento pessoal que a mãe tem pelo filho. Sua reação é realista. Ele pode tranquilizar o paciente amedrontado porque, na realidade, o medo é infundado. Se houvesse um motivo real para o medo, tranquilizá-lo seria desastroso. A mãe, por outro lado, assume para si o fardo da realidade e poupa o filho. Do mesmo modo, a mãe não destrói as crenças de uma criança (o Papai Noel, a bondade das pessoas, a recompensa pela honestidade), ao passo que o terapeuta visa derrubar as ilusões do paciente. A realidade exige que o adulto não seja tratado como criança. O terapeuta pode responder à criança que existe dentro de um adulto, desde que tenha em mente que está, claro, lidando com um adulto.

Eliminar a confusão subjacente ao estado esquizoide é um problema que exige habilidade, conhecimento e objetividade por parte do terapeuta.

Alexander Lowen

Essas qualidades normalmente são atribuídas ao pai ideal, que é sábio e forte, que aconselha e dá o exemplo. Antes se considerava que o analista tradicional desempenhava esse papel. Como pai ideal, o terapeuta é o representante da realidade externa, a realidade do mundo. Como tal, ele precisa interpretar o mundo para o paciente, assim como um pai verdadeiro faz pelos filhos. Por outro lado, a mãe ideal é a representante da realidade interna, a realidade do corpo e de seus sentimentos. O terapeuta, seja homem ou mulher, deve estar familiarizado com ambas as realidades para ajudar o paciente a conciliar seus conflitos. Ele deve saber quando oferecer apoio e quando ser crítico.

O terapeuta representa a realidade em oposição à doença emocional que a nega ou a distorce. Mas a realidade parece ter significados diferentes para pessoas diferentes. A prova dessa afirmação é o grande número de livros na área de psicologia, cada um dos quais lida com a realidade em termos próprios. Assim, o que o terapeuta oferece é a realidade de seu ser e de sua existência, uma existência ampla o bastante para compreender a confusão e a ansiedade do paciente sem partilhar dela. A confiança que o paciente tem de estar sendo ajudado reside na dedicação do terapeuta à verdade: a verdade de seu próprio ser, a verdade da luta do paciente e a verdade do corpo.

Em *Amor e orgasmo*, descrevi a verdade do corpo como "uma consciência da expressão, da atitude e do estado do corpo"[80]. O paciente perdeu sua verdade, pois não tem consciência de suas tensões e limitações. Ele vê a si mesmo segundo sua imagem egoica. O terapeuta, no entanto, vê o paciente como outro ser humano, sentado à frente dele. Consegue observar sua expressão e perceber a atitude e o estado de seu corpo. O terapeuta está numa posição única para ajudar o paciente a adquirir essa verdade se conhecer a verdade de seu próprio corpo.

No nível da expressão corporal, o terapeuta revela ao paciente (por meio de sua aparência física, de seus gestos, da qualidade de seus movimentos) tanto quanto o paciente revela ao terapeuta. Nesse nível, não há barreira de silêncio detrás da qual o profissional possa se esconder. Se ele ignorar a verdade do próprio corpo, relutará em encarar a verdade do corpo do paciente.

"Contratransferência" denota o papel que o terapeuta poderá vir a interpretar inconscientemente, o qual ele espera que o paciente sustente. Denota as ilusões do terapeuta, que o paciente não deve abalar. Reflete seu envolvimento com sua imagem egoica e sua negação da verdade do próprio corpo.

O corpo traído

Qualquer que seja o grau de contratransferência, esta constituirá um obstáculo à recuperação do paciente.

Minha tese é que a doença emocional surge quando a imagem substitui a realidade, quando a projeção e a identificação impedem um indivíduo de ser ele mesmo. Isso não tem lugar na situação terapêutica. A garantia da verdade é a capacidade do paciente de expressar seus sentimentos negativos com relação ao terapeuta e a disposição deste último em ouvir. Pois nenhum terapeuta é um ser humano perfeito. A perfeição não é característica da condição humana. Mas o terapeuta precisa ser um ser humano real que tem a coragem de encarar a desesperança da personalidade esquizoide, a fortaleza de lidar com o "demônio" do paciente e a humildade de perceber que os ganhos do paciente são resultado de seus próprios esforços. Se o terapeuta tiver essas qualidades, os pacientes o imitarão, não se identificarão com ele; e, por meio de suas experiências na relação terapêutica, conquistarão sua identidade.

14. O ego e o corpo

FEITIÇO

Uma doença emocional é, em muitos aspectos, como um feitiço. Muitas vezes dizemos de uma pessoa emocionalmente perturbada que ela não é ela mesma, e a própria pessoa pode inclusive comentar: "Eu não sei o que há em mim!" A implicação por trás de tais declarações é que a pessoa emocionalmente doente está sob a influência de uma força ou poder estranho que parece tê-la possuído.

Nas sociedades primitivas, a perda da posse de si é amplamente considerada um sinal de que a pessoa está enfeitiçada. O indivíduo primitivo acredita que todas as perturbações em seu sentimento de bem-estar, incluindo sensações de ansiedade, são causadas por bruxaria ou feitiçaria. Ele se sente enfeitiçado quando seu sentimento de harmonia com o próprio corpo é perturbado. Para ele, é inconcebível que isso se deva a outra coisa que não a causas sobrenaturais.

Essa visão da doença como fruto de uma influência estranha e malévola também é encontrada nas crianças. Quando meu filho era pequeno, ele invariavelmente perguntava, referindo-se a uma doença: "Quando ela vai embora?" Ouvi outras crianças usarem expressões similares, como "Mamãe, faz ela ir embora!". Essa atitude infantil para com a doença não é significativamente diferente da do primitivo que se sente enfeitiçado. A similaridade em todos os três casos é mostrada por sua tendência comum a se voltar para uma figura superior, que supostamente possui o poder de combater a perturbação ou influência malévola. Nesse aspecto, o psiquiatra, o curandeiro e a mãe preenchem uma mesma função.

Se a perda da posse de si pode ser equiparada a um feitiço, então todo indivíduo no qual haja uma cisão entre o ego e o corpo pode ser descrito como "enfeitiçado". A pessoa enfeitiçada não consegue distinguir ilusão de

Alexander Lowen

realidade, imagem de corpo, palavra de ato. Portanto, é capaz de cometer atos de destruição contra si mesma e contra outras que são incompreensíveis para a mente racional. O holocausto nazista pode ser explicado como um feitiço que Hitler lançou sobre o povo alemão. Assim, a pergunta é: o que torna as pessoas vulneráveis às palavras do demagogo?

Antes de respondermos a essa pergunta, examinemos um caso clássico de enfeitiçamento, conforme relatado por R. J. W. Burrell. "Eu vi uma velha lançar um feitiço sobre um homem. 'Você vai morrer antes do pôr do sol', disse. E ele morreu." Burrell explica que "o homem acreditou que ia morrer e morreu. Na autópsia, não foi possível encontrar nenhuma causa para a morte"[81].

O homem foi receptivo à maldição da mulher porque acreditava em seus poderes ocultos. A velha havia falado como se pudesse controlar as forças da vida e da morte, e o ego subdesenvolvido do homem foi incapaz de testar a realidade de sua afirmação. O terror que ela evocou nele cindiu a unidade de sua personalidade, destruiu seu sentimento de identidade e o tornou suscetível ao feitiço e à maldição. O primitivo acredita no sobrenatural porque carece do conhecimento para explicar como as forças naturais operam na natureza. Em sua impotência, ele fica aterrorizado, e, em seu terror, fica vulnerável.

A criança que se torna esquizoide está na mesma situação que esse homem. A mãe hostil é como a velha que lançou uma maldição sobre ele. Uma vez que a mãe tem o poder de vida ou morte sobre o filho, ele fica indefeso e apavorado perante a rejeição materna. Seu ego subdesenvolvido é incapaz de lidar com uma atitude que lhe nega o direito ao prazer de seu corpo e o condena à morte em vida.

O enfeitiçamento relatado por Burrell também sugere um paralelo com o processo hipnótico. Pode-se dizer que o homem foi hipnotizado pela velha. Na hipnose, o sujeito entrega seu ego ao hipnotizador, que então assume o comando de seu corpo. É bem sabido que há pessoas que entram em transe hipnótico com a mais leve sugestão. Vi pessoas na plateia entrarem em transe enquanto meramente escutavam o hipnotizador explicar sua técnica. Por outro lado, um indivíduo de ego forte é resistente à tentativa de hipnose. O grau de suscetibilidade é diretamente proporcional à fraqueza do ego. Enquanto na criança e nos primitivos essa fraqueza representa uma ausência de desenvolvimento do ego, no adulto civilizado ela se deve à dissociação entre o ego e o corpo. Um ego dissociado, assim como um ego subdesenvolvido, é incapaz de testar a realidade objetivamente.

O corpo traído

Costuma-se presumir que a educação é a resposta para o irracional no ser humano. Dentro de certos limites, isso é verdade. O primitivo que carece de conhecimento dos processos de vida e morte é vulnerável à feitiçaria e à bruxaria. A criança que não consegue entender as forças complexas operantes numa família perturbada torna-se esquizoide. Sua melhora emocional depende dessa compreensão, que ela adquire durante a terapia analítica. A experiência demonstra, no entanto, que a educação e o conhecimento não são obstáculos firmes ao preconceito. Muitos alemães bem-educados foram enfeitiçados pelas palavras de Hitler. Fanáticos intelectuais são encontrados em ambos os lados de todo e qualquer assunto, e usam palavras similares para justificar sua posição. Minha tese é a de que o ego se apoia em duas bases; se uma delas estiver faltando, ele é vulnerável ao enfeitiçamento. Essas duas bases são: 1) sua identificação com o corpo (sentimento) e 2) sua identificação com a mente (conhecimento).

Sem conhecimento, o ego não tem como testar a realidade. Depende, então, da magia para influenciar processos naturais. Sem estar bem apoiado no corpo, o ego não tem sentimento da realidade. Seu conhecimento degenera em abstrações que são impotentes para influenciar atitudes ou comportamentos. O contato com o corpo proporciona ao ego uma compreensão da realidade interna; o conhecimento lhe permite compreender a realidade externa. Essas duas realidades muitas vezes são conflitantes. Quando não podem ser harmonizadas, o indivíduo está em apuros. Quando se tornam antagônicas, o resultado é um estado esquizoide. Como essas duas realidades obedecem a leis diferentes, muitas vezes ficamos confusos em nossa compreensão da vida.

COMUNIDADE *VERSUS* CAUSALIDADE

A realidade tal como vista de dentro, isto é, do ponto de vista do corpo, é um *continuum* em que o ego, o corpo e a natureza estão associados por processos similares. O que a pessoa pensa, o modo como ela se sente e os fenômenos da natureza formam mais ou menos uma unidade em que um acontecimento numa esfera da experiência influencia todas as outras. Essa visão da realidade caracteriza as atitudes do primitivo e da criança perante a vida. A relação entre essas três esferas de experiência pode ser retratada por três círculos entrelaçados uns aos outros para formar um *continuum*, como vemos na Figura 22.

FIGURA 22 – O *continuum* ego-corpo-natureza

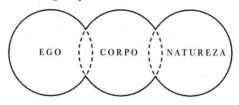

Essa visão da realidade proporciona ao primitivo e à criança uma perspectiva total. Considerando que o que acontece na natureza influencia diretamente o corpo, o primitivo procura por presságios e agouros como diretrizes para a ação. Inversamente, ele acredita que pode influenciar a natureza por meio de suas atividades corporais. Acredita-se que a dança da chuva pode fazer chover, e que a atividade sexual promove a fertilidade dos campos. Essa realidade interna, independentemente de suas distorções, oferece ao primitivo e à criança um senso de identidade imediato baseado no sentimento do corpo. O primitivo sente que pertence à sua família, à sua tribo e à natureza, e a criança saudável tem um sentimento similar de pertencimento. Como o *continuum* é um todo ininterrupto, toda perturbação no sentimento de inter-relação entre as diferentes esferas da experiência é atribuída a uma força malévola externa.

A aquisição de conhecimento transformou essa visão primitiva da realidade. O homem civilizado descartou a ideia do sobrenatural; ele superou o assombro com que o primitivo via o desconhecido e, portanto, os processos misteriosos do corpo e da natureza; e substituiu a crença primitiva em espíritos por uma fé na mente e na razão. Por meio de sua identificação com a mente, o ego proclamou seu domínio sobre o corpo. "Penso, logo existo" substituiu o senso de identidade do primitivo, baseado em "Sinto, logo existo". Finalmente, o homem se tornou egoísta, objetivo e desconectado, e perdeu o sentimento de unidade com a natureza.

O conhecimento fornece ao homem uma visão da natureza e da realidade externa em que os acontecimentos estão relacionados uns com os outros por meio de causas demonstráveis. Nessa visão da realidade, as três esferas da experiência formam esferas descontínuas que interagem em relações causais diretas. A Figura 23 retrata essa visão objetiva e científica da realidade.

No *continuum* do estado primitivo, não se contempla o inesperado. Quando o inesperado ocorre, é considerado uma manifestação do sobrenatu-

FIGURA 23 – A descontinuidade da realidade tal como vista pela mente objetiva

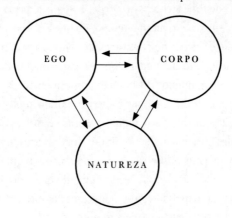

ral, de algo além da compreensão ou do controle do homem. A descontinuidade, no entanto, contempla a experiência inesperada, que se transmuta em conhecimento por meio de repetidas observações feitas por um ego objetivo. O conhecimento, em oposição à magia, é um poder confiável, a habilidade consistente para agir sobre os processos naturais e controlá-los. Por meio de seu ego, o homem se torna o ator principal no drama da vida – quem faz a história. A cultura civilizada é um processo dinâmico marcado por um conhecimento cada vez maior e uma separação mais e mais acentuada das três esferas da experiência.

Essas duas visões da realidade podem ser descritas como comunidade e causalidade. A visão comunal relaciona uma esfera da experiência com outra em termos do *continuum* todo-abarcador. A causalidade descarta o universal e explica as relações em termos de ações demonstráveis. Cada uma dessas visões tem suas respectivas vantagens e desvantagens. O primitivo (e a criança) tem um sentimento espontâneo de pertencimento e forte identificação com o corpo e sua função de prazer. No entanto, ele está relativamente indefeso contra as vicissitudes da natureza e, por conseguinte, mais exposto à calamidade ou à doença. O homem moderno alcançou um grau relativamente alto de segurança externa, mas quase sempre à custa do sentimento de harmonia e unidade com seu corpo e com a natureza.

Essa distinção entre modos primitivos e civilizados de pensar e se comportar não é absoluta. Algum conhecimento das relações de causa e efeito existe nas culturas primitivas. E algum senso de relação no nível primitivo-in-

Alexander Lowen

fantil de *continuum* e unidade existe no indivíduo normal de hoje. Uma pessoa saudável se identifica com seu corpo e sente a proximidade de seus vínculos com a natureza. Ao mesmo tempo, no nível do ego, ela tem consciência da atuação das relações de causa e efeito. Seu funcionamento racional é sobreposto ao sentimento de unidade que ela experimentou quando criança; seu ego não nega essa unidade. O homem cresce a partir da criança; ele não a nega. Seu ego é nutrido por duas fontes: o mundo subjetivo da realidade interna e o mundo objetivo da realidade externa. Ele se apoia em ambos os pés, cada um deles posicionado sobre um desses dois aspectos da realidade.

No entanto, tais indivíduos são a exceção e não a regra de nosso tempo. O problema esquizoide se tornou tão disseminado que é necessária uma avaliação mais crítica do papel do ego se quisermos compreender essa perturbação. O conflito entre o ego e o corpo, entre conhecimento e sentimento, precisa ser compreendido para que possamos resolver a cisão que rouba da pessoa sua identidade e destrói seu prazer na vida.

Em geral, não se leva em consideração que é o ego que cria as descontinuidades, que ele então tenta transpor com conhecimento e palavras. Ele cria as categorias de "Eu" *versus* "mim", "*self*" em oposição ao "outro", o homem como sujeito que atua sobre a natureza como objeto. Nesse processo, o corpo também se torna um objeto para o ego, sendo reduzido ao papel de um instrumento da vontade. O ego passa a ser um objeto de culto, um governante em vez do conselheiro cuja função é fazer a mediação entre a realidade interna e a externa. Homens, organizações e até mesmo nações tornam-se preocupados com sua imagem, em detrimento de suas funções básicas.

A função do ego é testar a realidade. No entanto, o ego subverte essa função se começa a ditar a natureza da realidade em vez de meramente testá-la. Isso acontece quando o ego nega sua subserviência ao corpo e afirma sua supremacia. É como o herói que, depois de libertar o povo de uma forma de tirania, torna-se ditador e o submete a outra. O ego originalmente funcionava para proteger a personalidade da bruxaria e da feitiçaria. Agora, engana a personalidade com palavras e imagens.

Quando o ego domina a personalidade, o indivíduo se torna um psicopata. O psicopata é desprovido de sentimento, vê a si mesmo apenas em relação com sua imagem e está totalmente envolvido na luta por poder. Essa é uma exageração extrema das tendências normais do ego: desenvolver uma autoimagem adequada, negar o irracional em nome da razão e da lógica e

O corpo traído

estabelecer o controle sobre a motilidade do corpo. Na pessoa normal, essas funções egoicas são mantidas em equilíbrio pela força opositora do corpo e de seus sentimentos. Autores analíticos falam de um sistema de pesos e contrapesos entre o ego e o id. O id opõe a imagem do ego à realidade do corpo; o conhecimento do ego, aos sentimentos do corpo; e a busca do ego de poder, à busca do id de prazer no corpo. Esse sistema de pesos e contrapesos não funciona numa cultura que valoriza o conhecimento em detrimento do sentimento, o poder em detrimento do prazer e a mente em detrimento do corpo.

Enquanto o ego dominar o indivíduo, ele não poderá ter experiências transcendentais ou profundas que dão sentido à vida. Visto que o ego só reconhece causas diretas, não pode admitir a existência de forças que estão além de sua compreensão. Desse modo, somente quando o ego se curvar diante de um poder maior (como na prece, por exemplo) o indivíduo poderá ter uma experiência verdadeiramente religiosa. Somente quando o ego se render ao corpo no sexo a pessoa poderá ter uma experiência orgástica. E somente quando o ego abdicar ante a majestade da natureza a pessoa terá uma experiência mística. Em todos esses casos, a dissolução do ego devolve o indivíduo ao estado de unidade e *continuum* em que experiências "comoventes" são possíveis.

Apaixonar-se é o melhor exemplo do poder de encantamento inerente ao mundo não racional do corpo. No amor, o ego abdica de sua hegemonia sobre o corpo, e o coração da pessoa fica livre para reagir de maneira misteriosa ao coração de outra pessoa. O indivíduo apaixonado experimenta uma unidade não só com o ser amado, mas com toda a vida. Que explicação racional pode ser dada para essa experiência única? O apaixonado, pelo menos, não precisa de nenhuma.

Em geral, não se leva em consideração que o conhecimento tem um efeito inibidor sobre a espontaneidade e o sentimento. Conta-se a história da centopeia que ficou paralisada quando tentou pensar em qual pata mover primeiro. Sempre que se pensa sobre como agir, a ação é rígida e desajeitada. A criança excessivamente treinada se comporta como um autômato e seus modos perdem aquela naturalidade encantadora. Há duas áreas importantes em que o conhecimento mostra seus efeitos nocivos. No sexo, o parceiro que age com base no conhecimento destrói o significado do ato. Mesmo que o conhecimento seja supostamente correto, transforma o ato de amor num gesto mecânico. Esse é o grande perigo dos manuais de sexo. A outra área é a criação dos filhos. A mãe que tentar criar um filho com base no que aprendeu sobre psicologia infantil invariavelmente falhará. Ela interpretará erroneamente as necessidades da criança de acordo com suas ideias preconcebidas. Será incapaz de responder às expressões corporais da criança, porque estas só podem ser entendidas com sentimento. Ficará confusa quando seus sentimentos entrarem em conflito com seus preceitos.

Afirma-se que um pouco de conhecimento é algo perigoso, mas todo conhecimento é "pouco" quando lida com a vida ou com as relações pessoais. O conhecimento do ego deve ser temperado com a sabedoria do corpo para que o comportamento mantenha características humanas. Prefiro ver uma mulher ignorante criar um filho com sentimento do que uma mulher esclarecida criá-lo sem sentimento. Dos dois ingredientes no comportamento, o sentimento é mais importante do que o conhecimento. Mas todo o nosso sistema educacional está configurado para o conhecimento e para a negação do sentimento. A. S. Neill, autor de *Summerhill,* escreveu um livro encantador denominado *Hearts, not heads in the school* (O coração, e não a cabeça na escola)[82]. Infelizmente, não é possível educar diretamente o coração; é o corpo da criança, e particularmente sua necessidade de prazer corporal, que merece mais atenção nas escolas.

Não é minha intenção atacar o ego ou negar o valor do conhecimento. Meu argumento é que um ego dissociado do corpo é fraco e vulnerável, e o conhecimento divorciado do sentimento é vazio e sem sentido. Esses princípios devem ter uma aplicação direta para a educação e a terapia para que o problema esquizoide seja superado. Uma educação que pretende ser eficaz ao preparar uma criança para a vida deve levar em consideração não só seu estado mental como seu estado emocional. Deve se preocupar tanto com o corpo quanto com a mente, tanto com os sentimentos quanto com o conhecimento. Deve fornecer no currículo espaço para a compreensão da realidade como um *continuum*, e não só para a visão causal da realidade. A escola deveria reconhecer que espontaneidade e prazer são tão importantes quanto produtividade e conquista.

AS EMOÇÕES CONCEITUAIS

A casualidade é responsável por emoções como a culpa e a vergonha, que estão no cerne de todas as perturbações emocionais. A culpa implica que a pessoa sabe que agiu errado e percebe de que modo suas ações afetam os outros. Conota uma responsabilização baseada no pressuposto de que a pessoa é capaz de escolher entre certo e errado. Esse pressuposto, conhecido

O corpo traído

como doutrina do livre-arbítrio, deriva de uma crença no poder do ego para ditar o comportamento. Não estou preparado para discutir se o livre-arbítrio existe ou não. No tratamento da doença emocional, é importante eliminar a culpa, e isso pode ser feito levando o paciente a perceber que agiu da única maneira possível nas circunstâncias de sua vida. Suas atividades destrutivas são explicadas pela fraqueza de seu ego e pela presença de forças demoníacas que estão além de seu controle. Uma vez que o paciente tenha recuperado seu corpo e conquistado uma identidade, seu ego estará em condição de exercer um controle efetivo sobre suas ações.

O ego saudável, entretanto, não age com base em princípios abstratos de certo e errado. É guiado internamente pelos sentimentos do corpo e externamente pela situação do ambiente. Tenta conciliar uma realidade com a outra, mas, como o ego saudável não tem pretensão de ser onisciente, aceita a possibilidade de conflito e fracasso.

A culpa destrói a integridade dos relacionamentos e distorce o comportamento da pessoa. Um relacionamento normal é mantido pelo prazer e pela satisfação que proporciona. Quando a culpa entra na relação, o prazer e a satisfação desaparecem. A pessoa que age motivada por culpa se ressente do indivíduo com relação a quem ela se sente culpada, ao mesmo tempo que ele se ressente dela. Esses ressentimentos, quase sempre reprimidos, pouco a pouco se transformam em ódio, até que o relacionamento se desintegra por completo. Os efeitos devastadores da culpa são vistos nos relacionamentos entre pais e filhos ou entre marido e mulher. Os pais que agem para com um filho motivados por culpa causam ressentimento no filho, que, por sua vez, causa ressentimento nos pais e sente-se culpado por isso. Surgem antagonismos que aumentam a culpa de ambos os lados. Os consultórios dos psiquiatras estão cheios de pacientes que odeiam os pais e sentem-se atados a eles pela culpa. Do mesmo modo, a culpa entre marido e mulher leva a hostilidades mal dissimuladas.

Os pais querem amar os filhos, mas os pais culpados os seduzem em vez de amá-los. O objetivo da sedução é obter intimidade, mas seu resultado é a alienação. É motivada pelo amor, mas distorcida pela culpa. Elimine a culpa e o amor se mostrará sincera e diretamente, não contaminado por sentimentos negativos. Sempre que surgirem sentimentos negativos, estes também devem ser expressos de maneira direta e sincera. Somos capazes de lidar com tais sentimentos negativos, desde que sejam genuínos e explícitos.

A culpa é uma emoção conceitual porque surge quando um sentimento é sujeitado a um juízo moral. Se o juízo for negativo, o sentimento passa a ser associado com a culpa. Se for positivo, passa a ser associado com a retidão. Os juízos morais surgem no ego por meio da incorporação do conhecimento. Ensinamos as crianças a se comportar e a perceber o efeito de suas ações sobre outros. Ela é ensinada, por exemplo, que seus pais ficarão magoados se ela não os amar, que ficarão chateados se ela não os respeitar. No entanto, não podemos ensinar a criança a sentir. Ela amará os pais se a atitude deles para com ela inspirarem esse sentimento, e os respeitará se o comportamento deles evocar sua admiração. A criança é levada a sentir, com base nesse ensinamento, que tem um papel no drama da vida, que é uma força para o bem e para o mal, dependendo de como cumpre esse papel. A vida em sociedade seria impossível sem um senso de responsabilidade. Portanto, a questão é: como manter o senso de responsabilidade, mas evitar o sentimento de culpa?

Minha resposta é que somos responsáveis por nossas ações e não por nossos sentimentos. O sentimento é uma reação biológica do corpo, que está além do controle do ego. O papel do ego é perceber o sentimento; não é julgá-lo nem controlá-lo. O que está sob seu controle é a ação. Uma pessoa saudável que se sente com raiva ou sexualmente excitada é capaz de conter seus sentimentos até que surja ocasião para expressá-los. Isso produz um comportamento responsável. O ego saudável não é impotente em sua relação com o corpo. Se a expressão de um sentimento por meio de atos ou palavras for prejudicial, o ego pode refrear sua expressão controlando a musculatura voluntária do corpo, sem, ao mesmo tempo, negar ou reprimir o sentimento. Desse modo, evita-se o dano sem criar um conflito interno.

Porém, quando julgamos nosso sentimento "ruim", suprimimo-lo e condenamo-nos por vivenciá-lo. A ação resultante já não será correspondente ao sentimento original: refletirá culpa ou autocondenação. A supressão e eventual repressão do sentimento leva a uma perda da autopercepção, o que enfraquece o ego e mina nossa capacidade de agir de maneira responsável.

A tristeza, a raiva e o medo (em contraste com a culpa e a vergonha) podem ser chamadas de emoções perceptuais, já que esses sentimentos são percebidos diretamente pelo ego e não são influenciados por juízos de valor. Quando um sentimento percebido diretamente é julgado pelo ego bom ou ruim, perde seu valor biológico e adquire valor moral ou conceitual. Isso produz uma situação confusa em que a autoaceitação se torna difícil, se não impossível.

O corpo traído

Os pacientes costumam me perguntar se seus sentimentos de tristeza ou raiva são bons ou ruins. Como posso julgá-los? Os sentimentos não obedecem às leis racionais de causa e efeito. Por esse motivo, costumam ser excluídos dos estudos científicos. Pertencem à esfera da comunidade, e não da causalidade. Os sentimentos são influenciados por outros sentimentos, sem a necessidade de ação. A pessoa feliz eleva o espírito de todos à sua volta sem fazer nada para produzir esse efeito. A pessoa triste é deprimente, mesmo quando não diz nada. Os sentimentos são contagiosos; eles permeiam o *continuum* e afetam todos ao redor.

Quando a ideia de causalidade é aplicada aos relacionamentos que funcionam na esfera da comunidade, o resultado é confusão e culpa. Na relação comunal entre pais e filho, o filho é afetado pelos sentimentos dos pais, muito mais do que por suas ações. Ele é atormentado pela infelicidade da mãe, perturbado por suas ansiedades e relaxado por seu contentamento, para além de qualquer coisa que ela possa fazer. Os pais que não entendem esse princípio ficam confusos com as reações dos filhos. Eles reclamam: "Não consigo entender a reação do meu filho. Eu não fiz nada para ele". A criança reage com seu corpo ao corpo da mãe, e não com sua mente aos atos ou palavras desta.

Os pais que só pensam em causalidade não conseguem aceitar seus sentimentos negativos. Uma vez que assumem responsabilidade pelo modo como se sentem, tentarão negá-los ou reprimi-los. Portanto, sem ter consciência dos próprios sentimentos, punirão o filho por seu comportamento hostil sem perceber o papel que seus sentimentos reprimidos exerceram nessa situação. A ideia de punir crianças é estranha para os primitivos. Para eles, os sentimentos são aceitos e expressos espontaneamente. É permitido bater numa criança por raiva, mas não como punição. Se nós, modernos, aprendêssemos a aceitar os sentimentos sem juízos morais, nossa vida seria menos atormentada.

Deve-se distinguir o conceito de culpa do sentimento de culpa. Nos tribunais de justiça, a culpa ou inocência do indivíduo é julgada com respeito às suas ações. Ele pode ser culpado de infringir a lei, e será punido por isso, mas não é culpado por sentimentos que não resultam em ações. Na vida cotidiana, porém, a culpa é mais associada com sentimentos do que com atos, e o resultado é a doença emocional. O tempo todo deparo com pacientes que convivem com um fardo enorme de culpa, mas são incapazes de dizer por que se

Alexander Lowen

sentem culpados. Na análise profunda desses casos, não consegui encontrar nenhuma ação que explicasse a culpa. Invariavelmente, percebo que esses pacientes julgaram seus sentimentos de hostilidade e sexualidade moralmente ruins e, por isso, os reprimiram. Quando esses sentimentos são liberados, a culpa desaparece.

No nível do corpo, não há culpa nem vergonha. Mas só o animal e o bebê vivem totalmente no nível do corpo. Conceitos de culpa e vergonha aparecem entre os primitivos e as crianças em consequência do desenvolvimento do ego e da aquisição de conhecimento. Porém, a culpa que um primitivo ou uma criança normal experimenta está relacionada com o cometimento de um ato, a violação de um tabu ou a infração de uma norma. Tanto o primitivo como a criança são suficientemente identificados com o corpo para aceitar seus sentimentos como naturais. Os sentimentos de culpa e vergonha surgem no homem moderno quando essa identificação é abalada.

A vergonha é uma emoção conceitual porque surge quando as funções corporais são julgadas por valores sociais, em vez de biológicos. As atividades mentais são mais valorizadas socialmente do que as físicas. Comer é socialmente aceitável, ao passo que defecar acontece na intimidade. Em nossa cultura, o rosto pode ser mostrado com orgulho, mas expor as nádegas é vergonhoso. Pode-se tocar o nariz em público, mas não os órgãos genitais. Essas distinções têm uma explicação racional. Nós admiramos as atividades corporais que manifestam o poder da mente sobre o corpo. As funções corporais não sujeitas ao controle do ego estão indisponíveis, portanto, à exibição do ego, e são confinadas ao lar ou ao banheiro. Em linhas gerais, as funções da metade superior do corpo têm um valor social mais elevado do que as da metade inferior. As funções mais próximas da cabeça são mais egossintônicas do que as mais distantes.

A vergonha é associada às funções do corpo que são desempenhadas em nível animal. O esforço do homem de se sobressair aos animais aparece claramente na função de comer. Se um indivíduo come com avidez, é chamado de porco. Mas, se acumula dinheiro da mesma maneira, obtém prestígio. Não devemos engolir a comida como fazem os animais, nem comer com as mãos. Comemos com moderação para provar que somos capazes de frear nossas paixões e, portanto, superiores aos animais. Mas, quando esse desejo de estar acima do nível animal nos faz ter vergonha de nossos apetites corporais, o prazer do corpo é sacrificado.

O corpo traído

Obviamente, devemos ensinar as crianças a se comportar em sociedade; elas precisam aprender modos à mesa e formas de tratamento. Esse aprendizado é necessário para que as pessoas vivam em comunidade. A vida em sociedade seria impossível sem os conceitos de culpa e vergonha. Mas, quando a culpa e a vergonha passam a encobrir sentimentos além de ações, a base para uma vida alegre se deteriora.

O indivíduo esquizoide tem vergonha do seu corpo. Esse sentimento de vergonha pode ser consciente, expressado em observações como "Eu não gosto do meu corpo" ou "Meu corpo é feio", ou inconsciente. Quando a vergonha do corpo é inconsciente, o comportamento da pessoa muitas vezes é exibicionista. Ela se expõe para negar o sentimento de vergonha. Em ambos os casos, no entanto, a identificação do ego com o corpo está enfraquecida. Sentimentos de vergonha e culpa são sintomas dessa perda de identificação. Para restabelecer a unidade da personalidade, a vergonha em relação ao corpo precisa ser superada.

Outras emoções conceituais, como a soberba e a vaidade, distorcem a personalidade. A soberba e a vaidade refletem a consciência do ego acerca da impressão que a aparência física provoca nos outros. O convencido é preocupado com a aparência; o vaidoso é obcecada por ela. Essa ênfase excessiva na aparência é um mecanismo do ego para negar a importância do sentimento.

CONHECIMENTO E COMPREENSÃO

A dominação do ego e de sua imagem em nossa cultura é vista no excesso de palavras que cerca o indivíduo moderno. As palavras são usadas por pessoas desesperadas por estabelecer uma identidade, por preencher as lacunas entre as esferas da experiência e para transpor as diferenças que nos separam uns dos outros. Em sua busca desesperada de significado, as pessoas recorrem às palavras quando a necessidade real é de sentimento. Mas as palavras só nos movem quando estão imbuídas de sentimento.

As palavras se tornam enganosas quando se dissociam do sentimento e substituem as ações. Os pais falam de seu amor pelos filhos, mas tais declarações não são equivalentes a um ato de amor. O amor é expresso na ação por meio de um carinho, um beijo ou outra forma de contato físico afetuoso. A declaração verbal "Eu amo você" denota desejo de proximidade e implica a promessa de intimidade física. Teoricamente, essa declaração ex-

255

Alexander Lowen

pressa um sentimento que será traduzido em ação num momento posterior. Na prática, porém, a declaração muitas vezes é usada para substituir a ação. Uma das minhas pacientes descreveu como se sentiu enganada pelas "palavras": "'Palavras, palavras, palavras'. Eles enchem você de palavras, mas você não sente nada. Meu pai me chamava de sua Susan dos olhos castanhos, mas eu nunca pude recorrer a ele quando precisei".

No Capítulo 2, observamos que o indivíduo esquizoide usa pseudocontatos para substituir o contato real com as pessoas. As palavras são uma dessas formas de substituição quando substituem sentimentos e ações.

O terapeuta está numa posição única para avaliar o aspecto traiçoeiro da linguagem. Hora após hora, ele trata seres humanos que foram machucados e enfeitiçados por palavras. Ele vê, particularmente no paciente esquizoide, a lacuna quase insuperável entre os sentimentos e as palavras. Vê o desespero com que os pacientes tentam transpor essa lacuna por meio de mais palavras. Ele vê isso como um reflexo de sua exposição infantil a pais ambivalentes cujas palavras contradiziam seus sentimentos – pais que usavam frases atraentes e sedutoras que encobriam hostilidade, frases de efeito que mascaravam rejeição, frases acusatórias ditas em nome do amor.

A identificação com o corpo nos permite evitar o engano das palavras. Proporciona ao ego uma base na realidade. O aspecto traiçoeiro da realidade reside em sua capacidade de enfeitiçar o crédulo. Quem é o crédulo? Ser crédulo é desconhecer; desconhecer é estar fora de contato com o corpo. O crédulo carece de certas áreas de sentimento – uma situação que o expõe à ansiedade, obscurece seu discernimento e o torna suscetível ao aspecto traiçoeiro das palavras.

A adulação é um exemplo simples do uso de palavras para enganar. O indivíduo fica vulnerável à adulação quando está fora de contato com seu corpo e impressionado com sua imagem egoica. Como seu ego não se apoia na base firme do sentimento corporal, precisa da confirmação e do apoio de fora. Ele é, nesse aspecto, como uma criança desprivilegiada desesperada pela aprovação da mãe. O adulador é um sedutor inteligente que percebe esse desespero em sua vítima. Aquele que está em contato com seu corpo é menos vulnerável a essa sedução e mais capaz de detectar a falsidade nos modos do adulador.

A credulidade das pessoas reflete sua negação do corpo. O crédulo não está disposto a confrontar a realidade de sua vida. Ele ignora a realidade de próprio corpo e é incapaz, portanto, de ver o demagogo como aquilo que ele

O corpo traído

é. Ele não observa as caretas, os gestos de raiva, os tons vazios, os olhos frios e o corpo distorcido do falante. Fechou sua mente para esses sinais físicos como indicadores de personalidade, e seu ego, dissociado do corpo, é vulnerável ao feitiço das palavras.

O conhecimento pode ser enganador quando não está associado com a compreensão. Como o ego do qual faz parte, deve estar apoiado no corpo para que possa ajudar um indivíduo a ter uma vida mais rica. Quando o conhecimento está apoiado nos sentimentos do corpo, torna-se compreensão. Saber, por exemplo, que se teve uma ligação incestuosa com a mãe é ter informação; sentir como isso persiste no temor à agressividade, na incapacidade de ser independente e nas tensões pélvicas que diminuem o sentimento sexual é ter compreensão.

O significado literal da palavra "compreensão" foi enfatizado por uma paciente durante uma sessão de terapia em grupo. Ela observou outro paciente com pernas trêmulas e inseguras, e afirmou: "Você carece de compreensão". O ego, com seu conhecimento, é trêmulo e inseguro se não se apoiar firmemente na realidade do corpo e de seus sentimentos. Quando o ego finca raízes no corpo, o indivíduo passa a compreender a si mesmo. Quanto mais profundas as raízes, mais profunda a compreensão.

A tendência contra o corpo deriva da identificação deste com a natureza animal do homem. A civilização tem sido um esforço progressivo para colocar o homem acima do nível animal. Esse esforço produziu o ego incomparável do homem; libertou seu espírito radiante; alargou e expandiu sua consciência. O corpo do homem se tornou refinado; suas sensibilidades ficaram mais aguçadas e sua versatilidade aumentou. No entanto, nesse mesmo processo, o corpo como representante do animal foi denegrido. Mas a esfera do animal inclui as paixões e os desejos, as dores e as alegrias de que depende a motilidade saudável e espontânea do organismo. O bebê nasce animal. No processo de se tornar civilizado e adquirir conhecimento, ele rejeita o aspecto animal de seu ser e se torna um indivíduo desesperado com uma personalidade esquizoide. Ego e corpo formam uma unidade. Não podemos rejeitar um em favor do outro. Não podemos ser humanos sem sermos também animais.

O homem é um animal sobretudo em virtude do nascimento. Ele é basicamente um animal devido à sua dependência das funções animais do corpo. Nessas relações normais, no entanto, considera extremamente difícil aceitar que, primordial e fundamentalmente, ele é um animal. Isso é compreensível numa cultura dominada por valores do ego e organizada com base em relações de causa e efeito. Mas, ao perder de vista sua natureza animal, o homem se torna um autômato. Ao negá-la, vira um espírito desencarnado. Ao subverter sua natureza animal, torna-se um demônio.

As raízes do homem no reino animal são profundas. Para entendê-lo, precisamos relacionar seu presente com seu passado, seu ego com seu corpo e seu corpo com sua natureza animal. Ele não age com base na causalidade. A comunidade do primitivo e a unidade do animal também são parte de sua personalidade. Ele não tem como negar essas realidades sem colocar em risco sua sanidade. Se seu ego for arrancado de sua base no corpo, ele se tornará um indivíduo esquizoide. Sentirá vergonha de seu corpo e culpa por seus sentimentos. Perderá o sentimento de identidade.

Há indícios de que uma nova avaliação do corpo como base para a personalidade está surgindo. Estamo-nos tornando mais conscientes do papel das tensões musculares crônicas nas doenças emocionais. Uma compreensão mais profunda da natureza animal trouxe um novo respeito pelos animais. Estamos redescobrindo a importância do corpo depois de seu longo destronamento e exílio imposto pelo ego. Mas a tendência contra o corpo como símbolo do animal ainda está em toda parte.

Notas

CAPÍTULO 1

1. MAY, R. *Existence: a new dimension in psychiatry and psychology*. Nova York: Basic Books, 1958, p. 56.
2. LILLY, J. C. "Mental effects of reduction of ordinary levels of physical stimuli on intact, healthy persons: a symposium". *Psychiatric Research*, n. 5, jun. 1956.
3. Conto escrito por James Thurber, publicado na revista New Yorker em 1939 e posteriormente em livro em 1942. O personagem que dá título ao conto preenche seu vazio existencial imaginando situações fantásticas enquanto vive de modo banal. A história serviu de base para dois filmes homônimos, lançados em 1947 e em 2013. [N. E.]
4. FRIEDAN, B. *The feminine mystique*. Nova York, Norton, 1963, p. 181. [Em português: *Mística feminina*. Petrópolis: Vozes, 1971.]

CAPÍTULO 2

5. MOYES, A. P. *Modern clinical psychiatry*. 3. ed. Filadélfia: W. B. Saunders, 1948, p. 207-71.
6. KRETSCHMER, E. *Physique and character*. Nova York: Humanities Press, 1951, p. 169.
7. ENGLISH, H. B.; ENGLISH, A. C. *A comprehensive dictionary of psychological and psychoanalytical terms*. Nova York: Longmans, Green & Co., 1958.
8. POLATIN, P.; HOCK, P. "Diagnostic evaluation of early schizophrenia". *Journal of Nervous and Mental Disease*, v. 5, n. 3, mar. 1947, p. 221-30.
9. NANNARELLO, J. P. "Schizoid". *Journal of Nervous and Mental Disease*, v. 118, n. 3, jul.-dez. 1953, p. 237-47.
10. WEINER, H. "Diagnosis and symptomatology". In: BELLAK, L. (org.). *Schizophrenia*. Nova York: Logos Press, 1958, p. 120.
11. FENICHEL, O. *The psychoanalytic theory of neurosis*. Nova York: Norton, 1945, p. 445.
12. WEINER, H. "Diagnosis and symptomatology", *op. cit.*, p. 119-20.
13. RADO, S. "Schizotypal organization". In: RADO, S.; DANIELS, G. E. (orgs.). *Changing concepts in psychoanalytical medicine*. Nova York: Grune & Stratton, 1956a, p. 226.
14. RADO, S. *Psychoanalysis of behavior*. Nova York: Grune & Stratton, 1956b, p. 270-84.
15. SHELDON, W. H. *The varieties of human physique*. Nova York: Harper, 1950, p. 239-40.
16. ARIETI, S. *Interpretation of schizophrenia*. Nova York: Robert Brunner, 1955, p. 43.
17. *Ibidem*, p. 405.

CAPÍTULO 3

18. BELLAK, L. *Schizophrenia: a review of the syndrome*. Nova York: Logos Press, 1950, p. 24.
19. FEDERN, P. *Ego psychology and the psychoses*. Nova York: Basic Books, 1952, p. 175.

Alexander Lowen

CAPÍTULO 4

20. REICH, W. *Análise do caráter*. 3. ed. São Paulo: Martins Fontes, 1998, p. 395.
21. ARIETI, S. *Interpretation of schizophrenia, op. cit.*, p. 406.
22. ORTEGA Y GASSET, J. "Point of view in the arts". In: *The dehumanization of art and other writings on art and culture*. Garden City: Doubleday, 1956, p. 103.
23. CLECKLEY, H. *The mask of sanity*. St. Louis: C. V. Mosby, 1955, p. 423-25.
24. KRETSCHMER, E. *Physique and character, op. cit.*, p. 150-51.
25. BLEULER, E. *Dementia praecox, or the group of schizophrenias*. Nova York: International Universities Press, 1950, p. 42.
26. WELLS, G. *How to unsnarl our snarling mechanism*. Monografia não publicada, outubro de 1955.
27. KRETSCHMER, E. *Op. cit.*, p. 191.
28. *Ibidem*, p. 157.
29. *Ibidem*, p. 65.
30. *Ibidem*.

CAPÍTULO 5

31. FISHER, S.; CLEVELAND, S. E. *Body image and personality*. Princeton: Van Nostrand, 1958, p. 238.
32. BLEULER, E. *Dementia praecox, or the group of schizophrenias*. Nova York: International Universities Press, 1950, p. 101.
33. PANKOW, G. "Dynamic structurization in schizophrenia". In: BURTON, A. (org.). *Psychotherapy of the psychoses*. Nova York: Basic Books, 1961, p. 168.

CAPÍTULO 6

34. REICH, W. *Análise do caráter, op. cit.*, p. 215-53.

CAPÍTULO 7

35. SILVERBERG, W. V. "The schizoid maneuver". *Journal of the Biology and Pathology of Interpersonal Relations*, v. 10, n. 4, 1947, p. 383.

CAPÍTULO 8

36. REICH, W. *Análise do caráter, op. cit.*, p. 429.
37. RADO, S. "Schizotypal organization", *op. cit.*, p. 226.

CAPÍTULO 9

38. FEDERN, P. *Ego psychology and the psychoses, op. cit.*, p. 177.
39. CHRISTIANSEN, B. *Thus speaks the body*. Monografia, Institute for Social Research, Oslo, Noruega, 1963, p. 47.
40. REICH, W. *Análise do caráter, op. cit.*
41. MALMO, R. B.; SHAGASS, C.; SMITH, A. A. "Responsiveness in chronic schizophrenia". *Journal of Personality*, v. 19, n. 4, jun. 1951, p. 368.
42. HOSKINS, R. G. *The biology of schizophrenia*. Nova York: Norton, 1946, p. 132-33.

O corpo traído

43. RIBBLE, M. *Os direitos da criança – As necessidades psicológicas iniciais e sua satisfação*. Rio de Janeiro: Imago, 1970.

44. SHATTOCK, F. M. "The somatic manifestations of schizophrenia". *Journal of Mental Science*, v. 96, n. 402, jan. 1950, p. 32-142.

45. ABRAMSON, D. I. *Vascular responses in the extremities of man in health and disease*. Chicago: University of Chicago Press, 1944, p. 28-29.

46. HOSKINS, R. G. *The biology of schizophrenia, op. cit.*, p. 135-36.

47. GOTTLIEB, J. S. *et al.* "Production of the high energy bonds in schizophrenia". *AMA Archives of General Psychiatry*, v. I, set. 1959, p. 243-49.

48. HOSKINS, R. G. *Op. cit.*, p. 159.

49. FEDERN, P. *Op. cit.*, p. 46.

50. LOWEN, A. *O corpo em terapia*. 12. ed. rev. São Paulo: Summus, no prelo.

CAPÍTULO 10

51. FREUD, S. "Notas psicanalíticas sobre um relato autobiográfico de um caso de paranoia (*dementia paranoides*)". In: *Edição standard brasileira das obras completas de Sigmund Freud*, v. XII. Rio de Janeiro: Imago, 1996, p. 51.

52. No original: "Fat and skinny had a race / All around the pillow case / Fat fell down and broke his face / And skinny won the race". [N. T.]

53. SHALLOP, G. *The year of the gorilla*. Chicago: University of Chicago Press, 1964, p. 195-96.

54. NEUMANN, E. *História da origem da consciência*. São Paulo: Cultrix, 2003.

55. Na língua inglesa, as palavras *womb* (útero) e *tomb* (túmulo) tornam mais direta a associação entre essas duas imagens. [N. T.]

CAPÍTULO 11

56. LOWEN, A. *O corpo em terapia, op. cit.*

57. REICH, W. *Análise do caráter, op. cit.*

58. CLAUSEN, J. A.; KOHN, M. L. "Social relations and schizophrenia: a research report and a perspective". In: JACKSON, D. D. (org.). *The etiology of schizophrenia*. Nova York: Basic Books, 1960, p. 305.

59. HILL, L. B. *Psychotherapeutic intervention in schizophrenia*. Chicago: University of Chicago Press, 1955, p. 112.

60. *Ibidem*, p. 118.

61. *Ibidem*.

62. BOATMAN, M. J.; SZUREK, S. A. "A clinical study of childhood schizophrenia". In: JACKSON, D. D. (org.), *op. cit.*, p. 413.

63. HILL, L. B., *op. cit.*, p. 116.

64. LOWEN, A. *O corpo em terapia, op. cit.*

65. SONTAG, L. W. "The possible relationship of prenatal environment to schizophrenia". In: JACKSON, D. D. (org.), *op. cit.*, p. 185.

66. MONTAGU, M. F. A. *Prenatal influences*. Springfield: Charles C. Thomas, 1962, p. 215.

67. HONIG, A. A., "Anxiety in schizophrenia". *Psychoanalysis and the Psychoanalytic Review*, v. 47, n. 1960, p. 89.

68. LIDZ, T.; FLECK, S. "Schizophrenia, human integration and the role of the family". In: JACKSON, D. D. (org.), *op. cit.*, p. 332.

Alexander Lowen

69. *Ibidem*, p. 341.
70. HILL, L. B., *op. cit.*, p. 121.
71. LIDZ, T.; FLECK, S., *op. cit.*, p. 335.

CAPÍTULO 13

72. PANKOW, G. "Dynamic structurization in schizophrenia", *op. cit.*, p. 159.
73. REICH, W. *Análise do caráter, op. cit.*, p. 153.
74. SPITZ, R. A. *O não e o sim.* 3. ed. São Paulo: Martins Fontes, 1988, p. 117.
75. *Ibidem*, p. 126.
76. *Ibidem*, p. 102.
77. SELYE, Hans. *The stress of life*. Nova York: McGraw-Hill, 1956, p. 9.
78. ROSEN, J. *Direct analysis*. Nova York: Grune & Stratton, 1953, p. 8.
79. HONIG, A. A. "Anxiety in schizophrenia". *Psychoanalysis and the Psychoanalytic Review*, v. 47, n. 1960, p. 32.
80. LOWEN, A. *Amor e orgasmo*. 5. ed. revista. São Paulo: Summus, no prelo.

CAPÍTULO 14

81. BURRELL, R. J. W. "The possible bearing of voodoo on myocardial infarction". *Medical World News*, 8 dez. 1961, p. 33.
82. NEILL, A. S. *Hearts, not heads in the school*. Londres: Herbert Jenkins, 1945.